D0180568

Christa Wolf
Materialienbuch

Herausgegeben von Klaus Sauer

Luchterhand

Sammlung Luchterhand, April 1979
Lektorat: Ingrid Krüger
Umschlag: Kalle Giese
Ausstattung: Martin Faust

Gesamtherstellung bei der
Druck- und Verlags-Gesellschaft mbH, Darmstadt
ISBN 3-472-61265-7

Inhalt

Außenansichten I
Heinrich Böll: Wo habt ihr bloß gelebt? 7
Günter Kunert: Zweige vom selben Stamm 15
Günter de Bruyn: »Sie, Kleist, nehmen das Leben gefährlich ernst« 21

Selbstzeugnisse
Christa Wolf: Über Sinn und Unsinn von Naivität 24
Diskussion mit Christa Wolf 33
Christa Wolf: Ein Satz 48
»Ich bin schon für eine gewisse Maßlosigkeit« – Christa Wolf im Gespräch mit Wilfried F. Schoeller 53

Außenansichten II
Klaus Sauer: Der lange Weg zu sich selbst. Christa Wolfs Frühwerk 64
Andreas Huyssen: Auf den Spuren Ernst Blochs. Nachdenken über Christa Wolf 81
Dagmar Ploetz: Vom Vorteil, eine Frau zu sein. Frauenbild und Menschenentwurf in Christa Wolfs Prosa 97
Wolfgang Emmerich: Der Kampf um die Erinnerung 111
Norbert Schachtsiek-Freitag: Vom Versagen der Kritik 117
Manfred Jäger: Die Grenzen des Sagbaren 130

Bibliographie 146

Quellennachweis 171

Nachbemerkung 172

Außenansichten I

HEINRICH BÖLL
WO HABT IHR BLOSS GELEBT?

Grelle Töne sind Christa Wolfs Sache nie gewesen; nicht als Autorin, nicht als Zeitgenossin hat sie je zur Lautstärke geneigt und doch nie Zweifel an ihrer Haltung gelassen. Wenn ich das behaupte, muß ich eine Selbstverständlichkeit mitliefern, die allzu leicht vergessen wird. Autorschaft setzt permanente Überprüfung (nicht mehr und nicht weniger bedeutet das Wort: Kritik) der eigenen Position, des Zustandes der Welt, der Gesellschaft, des Staates, in dem einer lebt, voraus. »Der Geteilte Himmel«, »Nachdenken über Christa T.«, Christa Wolfs Aufsätze zur Literatur und »Kindheitsmuster« erweisen sie als eine Autorin, die Ernst macht bei der Suche nach jenem verfluchten Raum, zu dem es kein Passepartout gibt, keinen Patentschlüssel; diesem Raum, in dem jenes Himmels- oder Höllengebilde zu finden wäre, das man Wirklichkeit zu nennen beliebt, auch Realität, und das als letztere – als Realität – den nie genau definierten, wohl gar nicht definierbaren Begriff Realismus zur Folge gehabt hat. Dessen politisch bestimmte Variation »sozialistischer Realismus« blieb mißverständlich, ließ sich allzu leicht mißverstehen; mit ihm schienen die endlich »frei« gewordenen Künste wieder unter den Zwang verordneter Erbaulichkeit gestellt zu werden.

Setzt man statt erbaulich aufbauend, so kommt man dem Problem vielleicht etwas näher, wird ihm gerechter, versteht vielleicht auch besser, warum die beiden deutschen Staaten soviel Schwierigkeiten, soviel Ärger auch beim Aufbau oder Wiederaufbau mit den sie begleitenden Autoren gehabt haben. Die Differenz zwischen den beiden Staaten ließe sich möglicherweise sogar aus dem Unterschied von Aufbau – und *Wieder*aufbau erklären. Warum fühlten sich die beiden Staaten in ihrem enormen, gewaltigen, bewundernswerten Aufbauwillen so wenig – oder nicht ausreichend – von der sie begleitenden Literatur bestätigt? Das mag viele Gründe haben, einige davon nicht spezifisch deutsch – weder die südamerikanischen Staaten noch die USA können sich von ihrer Literatur bestätigt fühlen! –, *einen* spezifisch deutschen Grund glaube ich zu erkennen; er drückt sich in den Worten aus, die Christa Wolf ihrem

Roman »Kindheitsmuster« wie ein Motto voranstellt: »Das Vergangene ist nicht tot; es ist nicht einmal vergangen. Wir trennen es von uns ab und stellen uns fremd.« Die Literatur bringt eben im Gegenwärtigen das Vergangene immer mit, und da fühlen sich die munter Aufbauenden – hier wie da – belästigt, behindert. Sie wollen Amnestie und praktizieren Amnesie. Amnestie ist ein administrativ-juridischer Vorgang, der ungefähr bedeutet: ›Vergessen wir, was du getan hast, deine Strafe wird dir erlassen, fang neu an und werde nicht rückfällig.‹ Amnesie ist eine Krankheit, die mit Gedächtnisschwund oberflächlich, mit Erinnerungsschwund besser bezeichnet ist. Ein Mensch, eine Gesellschaft ohne Erinnerung ist krank.

Das grausam-brutale Wort von der »Vergangenheitsbewältigung«, von dem keiner so recht weiß, woher es stammt, wird überraschender- und verdächtigerweise immer in Gegensatz zu Geschichtsbewußtsein gebracht. Was ist Beschäftigung mit Geschichte denn anderes als ein Versuch, das Vergangene zu »bewältigen«, seine Ursachen und Folgen herauszufinden – und was für den Historiker seine Quellen sind, ist für den Autor die Erinnerung, die er mit den »objektiven« Fakten konfrontiert. Um diese permanente Belästigung durch Autoren zu verhindern, müßte man die Erinnerung verbieten, möglichst, damit es unter Deutschen auch klappt, gesetzlich. Man müßte also die Krankheit Amnesie gesetzlich verordnen.

Nelly Jordan, die Heldin in »Kindheitsmuster«, war vier Jahre alt, als man Hitler die Macht zuspielte, sie war 16, als das Nazireich zusammenbrach, nicht von innen, sondern von außen zerstört. Und ich glaube, eben das: daß die Nazimacht nicht von innen zerstört wurde, sondern von außen zerstört werden mußte – unter bis heute nicht wahrgenommenen Verlusten an Menschenleben und Heimat –, ist eine der Begründungen für die Tatsache, daß diese zwölf Jahre mehr oder weniger in der Erinnerung umgangen oder umspielt werden – und warum man hier die »freiheitlich-demokratische Grundordnung« und dort den verordneten Sozialismus gefälligst ohne schmerzhafte Erinnerungen anzunehmen hat. Wohl deshalb werden in beiden deutschen Staaten von den Bewohnern – und am ausdrücklichsten von Autoren! – Bekenntnisse zu Staatsformen und Gesellschaftsordnungen verlangt, die man demonstrativ gefälligst für die jeweils bessere zu halten hat.

Nun lehnt man ja Staats- und Gesellschaftsformen noch nicht ab, wenn man sich nicht täglich, wie beim Morgenappell, bei der

Flaggenparade demonstrativ zu ihnen bekennt – und es ist noch lange nicht heraus, ob man sie akzeptiert, wenn man sie nicht demonstrativ ablehnt. Ich habe den Eindruck, daß Christa Wolfs »Kindheitsmuster« in der DDR nicht sehr freundlich aufgenommen worden ist, weil sie – und gar nicht einmal sie, sondern ihre Heldin Nelly Jordan, ach, wie kompliziert ist das mit Staaten und Autoren! – die flaggenhaft demonstrative Belobigung der dort herrschenden Gesellschaftsordnung, wenn nicht verweigert, so doch nicht deutlich genug gezeigt hat. Und hier, in der Bundesrepublik, hat man ihren Roman mit peinlicher Herablassung behandelt, wohl auch, weil sie – und eben wiederum nicht sie, sondern diese Nelly Jordan – die ausdrückliche, demonstrative, flaggenhaft gezeigte Ablehnung der anderen Gesellschaftsordnung verweigert. Man hat nur, so scheint mir, übersehen, daß dieser Roman nur andeutungsweise, nur in einer sparsam eingestreuten Handlung, in kurzen Dialogen, überhaupt in der DDR »spielt« – es ist der Roman der Nelly Jordan zwischen 1933 und 1945; auch die Reise nach L., einst deutsch, jetzt polnisch G., ist nur ein sehr loser Handlungsfaden; die Reise dauert 46 Stunden, der Roman umfaßt 477 Seiten und vier Jahre lang ist daran gearbeitet worden.
Diese Frau so Anfang vierzig, die mit ihrem Mann, ihrem Bruder und einer ihrer heranwachsenden Töchter in die alte Heimat fährt, sucht sich selbst, innen und außen, sucht das Muster, das sie geprägt hat – sie will herausfinden, was da zwischen ihrem vierten und sechzehnten Lebensjahr mit ihr passiert, was aus ihr gemacht worden ist; sie will hinter sich selbst kommen. Mit Scheu, mit Bangen, offenbar nach langem Zögern und einigen gescheiterten Versuchen, sich selbst zu Notiz zu bringen; diese zwölf Jahre, die nun einmal unweigerlich in unserer Geschichte hängen, will sie wiederfinden, auch ihre Kindheit, und sie hat doch Angst, diesen zwölf Jahren und ihrer Kindheit zu begegnen. Die Reise nach L. als äußeres, als technisches Ereignis ist dabei gar nicht so wichtig, ja fast belanglos. Das weiß sie – und doch wird die Reise zum Anstoß, zum »Faden« – mehr nicht – »und du stimmtest zu. Obwohl du dir wiederholtest, daß es nicht nötig wäre. Aber sie sollten ihren Willen haben. Der Tourismus in alte Heimaten blühte«. Die Reise, die dann bloß sechsundvierzig Stunden dauert, bringt der Erinnerung weniger als erwartet: Natürlich gibt es da Straßen, Plätze, Kirche, Häuser, Treppenstufen – aber vielleicht hätte ein alter Stadtplan, hätten ein paar alte Fotos und Ansichtskarten ebensoviel gebracht. Das scheint Nelly Jordan gewußt zu haben, und doch

mußte sie diese Reise machen; solche Erfahrungen muß einer machen, auch wenn er zu wissen glaubt, wie sie ausgehen – es muß einer sie machen auf die Möglichkeit hin, daß sich nicht bestätigt, was er vorher zu wissen glaubte.
Eins scheint ihr gewiß: Erinnerung selbst ist stärker als die Stätten, an denen sie haftet – und das hat im Falle Nelly Jordan nicht unbedingt mit der Tatsache zu tun, daß die Stadt L. inzwischen G. heißt und von Polen bewohnt ist. Heimat ist möglicherweise nur Erinnerung an Heimat, auch wenn einer in der weder verlorenen noch verlassenen Heimat wohnt. Kindheit, Spiele, Schule, Spielkameraden – gegenüber der Erinnerung an sie bleiben die Stätten der Erinnerung merkwürdig kalt.
Viel stärker jedenfalls als wiedererkannte Straßen, Plätze, Häuser ist »der alte Sommergeruch über Schlucht und Sandberg und Jordans Garten, in dem Nelly lesend in der Kartoffelfurche liegt – sie denkt oder fühlt, jedenfalls glaubtest du, das habe sie damals gedacht und gefühlt – wie es jetzt ist, wird es nie wieder sein ...« Ein Geruch, der an einen ewigen Augenblick erinnert. Und später das Anhalten am Stadion, »um das Holz des Drehkreuzes neben dem Kassiererhäuschen noch einmal in der Hand zu spüren und dich noch einmal an das eiserne Geländer zu hängen – zuerst gar nicht, dann sehr verwundert, daß es an der gleichen Stelle wie vor siebenundzwanzig Jahren auf die gleiche Weise knarrte. (Muß das nicht eine Täuschung sein? Eine Täuschung heute oder damals?)«
Einen Geruch wiederfinden, das Knarren eines Drehkreuzes an einer bestimmten Stelle? Vielleicht ist das wirklich eine Reise wert, eine Möglichkeit, sich hinter sich selbst zu stellen und von dort aus herauszufinden, was Historiker anderswie herausfinden: das Muster, das diese Kindheit zwischen dem vierten und sechzehnten Lebensjahr geprägt hat, so sehr geprägt, daß die Sechzehnjährige, während die rote Armee schon kurz vor Berlin steht und amerikanische Tiefflieger in ihren deutschen Jungmädchendämmerzustand eindringen, ihrem Tagebuch anvertraut, daß sie dem Führer ihre unverbrüchliche Treue bewahren will – und später, daß ihr durch die Niederlage Deutschlands das Lachen verloren gegangen ist.
Auf solche Sätze, solche Erkenntnisse läuft – vielfach gewunden an Erinnerungen vorbei, über Reflexionen, über Erinnerungen hinweg, zwischen Reisenotizen, Dialogen mit Bruder, Tochter, Mann – läuft diese Aufhebung oder Heilung der Amnesie zu – ein Prozeß, dem sich mehr Deutsche in beiden deutschen Staaten ausliefern sollten, auf daß die Krankheit der Erinnerungsverban-

nung sich nicht verfestige oder ausbreite. Das geschieht in »Kindheitsmuster« gewissenhaft, fast möchte ich sagen *zu* gewissenhaft, umständlich auch, manchmal *zu* umständlich und ist doch notwendigerweise so: Diese Nelly Jordan, 1933 vier, 1945 sechzehn Jahre alt, war ja weder ein besonders bösartiges noch besonders »faschistoides« Kind – sie war »normal«, gewissenhaft und normal.
Am Anfang des Buches steht noch ein Zitat, das bedacht und behalten werden will: »Auffallend ist, daß wir in eigener Sache entweder romanhaft lügen oder stockend und mit heiser belegter Stimme sprechen.« Es wäre zu fragen, ob »romanhaft« und »lügen« wirklich übereinander gehören und ob sich im »heiser und mit belegter Stimme sprechen« nicht auch eine Art »romanhaft zu lügen« verbergen kann. Ist die Intonierung nicht auch eine Möglichkeit, an etwas vorbei zu sprechen? Es gibt ja Formen der Heiserkeit, des Stockens, auch des Stotterns, die wohlinszeniert sind.
Die verfluchte, immer wieder und immer wieder mit Recht gestellte Frage: Wie war das denn nun wirklich? ist nur zu beantworten in der Literatur als ganzem, als über Jahrzehnte sich ausbreitendem Versuch, der viele Variationen, viele Intonationen, unzählig viele Ausdrucksformen hat – von der »romanhaften Lüge«, die keine ist, bis zum Erzählen mit heiser belegter Stimme. Von der »Blechtrommel« bis zu »Kindheitsmuster« und »Heimatmuseum« – immerhin beträgt der Altersunterschied zwischen Günter Grass, Siegfried Lenz und Christa Wolf nur zwei, drei Jahre – gibt es sehr viele literarische Möglichkeiten, Erinnerung und Geschichte aneinander und auch in Gegensatz zueinander zu bringen, und es sollte keiner von dem oder jenem Autor verlangen, was ein anderer Autor leistet. Man kann den einen dem anderen vorziehen, aber die Antwort auf die Frage: Wie war es denn wirklich? kann nicht nur von einem gegeben werden. Weder von *einem* Historiker noch von *einem* Autor, der die Historie ergänzt. Christa Wolf tut es auf ihre Weise: umsichtig, sorgfältig aufrichtig – ohne »romanhafte Lüge« – und wenn sie »Kindheitsmuster« dennoch »Roman« nennt, so unterstellt sie sich selbst gewiß nicht Lüge, sondern vielleicht Ratlosigkeit, Hilflosigkeit, angesichts eines Themas, das *ein* Autor ohnehin niemals ganz, sondern eben nur auf seine Art und immer nur annähernd angehen kann.
Es ist unsinnig, wenn hin und wieder beklagt wird, daß *der* Roman über diese Zeit noch fehle: Er wird von vielen geschrieben, in verschiedenen Intonationen. Das besondere an Christa Wolfs

»Kindheitsmuster«, diesem Entwicklungsroman des Kindes Nelly Jordan, ist die Schilderung der Unmerklichkeit, dieser unheimlichen Unmerklichkeit, mit der da dieses Kind in ein Muster gebracht, mit der es gestanzt wird, mit der es geformt wird, in die Blindheit einer deutschen Geschichtsperiode gepreßt; in ein Muster, das ein kluges, sensibles, etwas scheues junges Mädchen noch 1945 in unverbrüchlicher Treue an ihren Führer glauben, ihm Treue schwören läßt. Da wird nicht die Frage der Schuld fällig, es wird die Frage der Zeitgenossenschaft fällig, die Frage der Augenzeugenschaft, und die Frage, wie wenig Augen sehen, wie wenig Ohren hören können, die doch im physiologischen Sinn keineswegs gestört sind.
Mir scheint da ein Zitat wichtig, das ziemlich am Anfang steht, es betrifft die begleitende Tochter Lenka: »Sie will nicht – noch nicht – erklärt haben, wie man zugleich anwesend und nicht dabei gewesen sein kann, das schauerliche Geheimnis der Menschen dieses Jahrhunderts. »Da steht nicht, das schauerliche Geheimnis der Menschen der BRD, oder der USA oder der DDR, sondern »der Menschen dieses Jahrhunderts«. Ich stelle mir vor, daß solche Sätze ärgerlich sind für Literaturfunktionäre – denn was sollten die Bewohner der DDR, die ja auch Menschen dieses Jahrhunderts sind, für schauerliche Geheimnisse haben? Oder auch wir, die Bewohner der Bundesrepublik – sind wir nicht alle anwesend und doch nicht dabei? Von welchen Mustern werden wir geprägt, zu welchen Blindheiten verführt, hier wie dort und anderswo?
Die Musterung des Kindes Nelly Jordan hat sich in L. zwischen 1933 und 1945 nicht sensationeller abgespielt als anderswo in dieser Zeit. Da hatten die Eltern, sozialdemokratisch gesinnt, einen kleinen Laden, da gabs Verwandte, Bekannte, Freunde, Nachbarn, die üblichen komischen und weniger komischen Leute, kleine Tragödien, kleine Tragikomödien – albumhafte Anekdoten, wie sie beim Blättern in Fotoalben oder Kramen in Fotos erzählt werden: nette Leute, weniger nette; dieses ernste und ernsthafte Kind, Nelly, das eifrig der Schule vertraut, von Lehrern und Lehrerinnen geprägt wird. Und während Nelly über Schule, Lehrer, Mitschülerinnen meditiert oder auch plaudert – plötzlich ein Gegenwartsbezug zum Schulalltag ihrer Tochter Lenka: Da hat sich der Lehrer M. gemeinsam mit seiner Freundin umgebracht, und da heißt es – bei Lenka, im Jahr 1973: »Kaum ist einer tot, machen sie alles kaputt, was einer hinterlassen hat.« Und: »Sie – seine Freundin – war zum zweitenmal nicht zum Medizinstudium zugelassen, obwohl sie alle

Voraussetzungen glänzend erfüllte.« Und der Selbstmörder, der kurz vorher noch Musils Mann ohne Eigenschaften zurückbringt, hat dort eine Stelle angestrichen, die lautet: »Man hat nur die Wahl, diese niederträchtige Zeit mitzumachen (mit den Wölfen zu heulen) oder Neurotiker zu werden. Ulrich geht den zweiten Weg.«
In diesem stillen, fast beschaulichen Buch schlagen – jedenfalls mir – solche Sätze tief ein, fallen auf, sogar heraus, denn da kommt ziemlich eindeutig in die Vergangenheit die Gegenwart hinein. Wie überhaupt Lenka korrigierend wirkt: Was sie über die Produktionsbedingungen berichtet, klingt weder ermutigend noch erbaulich – und wenn sie in Prag, von *jungen* Bewohnern der DDR das berüchtigte Lied vom Polenmädchen singen hört, so finde ich eine solche Feststellung ausreichend kritisch, zumal da eine Strophe mitgeliefert wird, die Heino seinen beseligten deutschen Zuhörern nicht vorsingt: »Nimm dir ein deutsches Mädchen bloß/das nicht beim allerersten Stoß/krepieren muß.«
Solche Anmerkungen zur DDR-Gegenwart, eingestreut in Nellys umfängliche Erinnerungen an ihre Kindheit in L.; zusammengenommen mit diesem »schauerlichen Geheimnis der Menschen dieses Jahrhunderts«, anwesend und doch nicht dabei gewesen zu sein – mir reichen solche Anmerkungen bei einer Autorin, die zu grellen Tönen nie geneigt hat, aus. Sie sollten auch jedem ausreichen, der nicht in der DDR lebt – und nicht so ohne weiteres, nicht ungeprüft die Selbstgefälligkeit von Gesellschaftsordnungen übernimmt.
Natürlich gabs in L. auch den Judenboykott, es gab die Kristallnacht, es gab Kommunisten, es gab die Hitlerjugend – aber im großen Ganzen war doch diese Kleinbürgerlichkeit in der Kleinstadt ›gefestigt‹ – es geht alles seinen Weg, auch der Kriegsausbruch wird an- und hingenommen. Die Mutter ist eine sympathische Frau, der Vater menschlich. Selbst schon einmal Kriegsgefangener gewesen, weigert er sich, nun seinerseits Kriegsgefangene zu schikanieren. Er kommt spät aus der sowjetischen Kriegsgefangenschaft zurück, ein Wrack, und stellt fest: »Was haben die mit uns gemacht?«, stellt aber nicht die Gegenfrage: »Was haben wir mit uns machen lassen – und mit anderen gemacht?«
Wie selbstzufrieden und selbstsicher diese Welt war, läßt sich an der Beschreibung eines Fotos darstellen: »Wir haben eine gute Ehe geführt. Ein Geschäftsmann, mein Mann, wie er im Buche steht. Was der anfaßte, klappte. Zwischen den Eheleuten steht – auf dem Foto – der neue Couchtisch, mit sechzehn Kacheln belegt (in

›bleu‹), von denen die Eck-Kacheln je ein Schiff bei bewegter See aufweisen. Hinter ihm [dem Tisch] steil aufgerichtet, auf der rostfarben geblümten Couch die Kinder. Wir haben immer gut zusammen gelebt.« Da wird einem schon bange – und wenn dann Lenkas Schulbuch erwähnt wird, wo es eine Karte aller faschistischen Konzentrationslager in Europa während des 2. Weltkriegs gibt, eine Karte ohne Städtenamen, nur mit Meeren und Flüssen und den – je nach Vernichtungscharakter der Lager – gepunkteten Lagern, und es heißt dann: »Die geographische Lage der Vernichtungslager Chechno, Treblinka, vielleicht auch Maidanek, macht die Annahme wahrscheinlich, daß Transporte mit Menschen, die für diese (Vernichtungslager) bestimmt waren, auch über L. geleitet wurden, das ja an der Ostbahnstrecke lag« – dann wird das Gespenstische durch zwei nüchterne Beschreibungen heraufbeschworen. Familienidylle und Vernichtungslager – und die, die in die Lager verschleppt wurden, hatten wahrscheinlich auch ähnliche Familienfotos, die sie mit ähnlichen Kommentaren vorzeigten.

Diese minuziöse Beschreibung einer Kindheit, eines Werdegangs, einer Entwicklung setzt voraus, daß man, was hier in den Vordergrund geschoben wird, das Unmerkliche, das Unauffällige, ergänzt durch das, was man wissen sollte, aus Filmen, Dokumenten, Prozessen; es ist nicht Sache des Autors, das mitzuliefern. Es wird von Christa Wolf sogar – und damit verletzt ein Autor, der in einem sozialistischen Land lebt, fast schon ein Tabu – weder die Flucht verschwiegen noch deren Umstände, es wird nicht verschwiegen, daß da auch – und auch von sowjetischen Soldaten – geplündert wurde, daß Frauen allen Grund hatten, sich zu verstecken, daß es da ein Alarm- und Warnsystem gab, um die Frauen und Mädchen in ihrer Flüchtlingsunterkunft zu schützen. Die ökonomischen, politischen, psychologischen Um- und Zustände – das Leben der Nelly Jordan wird bis zu ihrem siebzehnten Lebensjahr erzählt, reflektiert, rekonstruiert – bis in die verlorenen Tagebücher, in denen das Bekenntnis zum Führer stand. Es wäre zu wünschen, das manche heute Fünfzigjährigen sich dieser Reise in die Erinnerung anschlössen, den Weg der Nelly Jordan mit ihrem vergleichend: ein unauffälliges Leben, in dem es keine Sensationen gab; wahrscheinlich nicht einmal die blasphemischen Grimassen anläßlich der Konfirmation, die möglicherweise typisch waren für Mädchen dieser Jahrgänge, waren sensationell.

Es ist mir bei »Kindheitsmuster« zum ersten Mal bei der Lektüre eines Buches von Christa Wolf der Gedanke gekommen, daß sie eigentlich in die Tradition einer Innerlichkeit gehört, die nicht nur eine deutsche ist. Das mag merkwürdig klingen, kommt auch mir überraschend vor und erscheint mir doch der Überlegung wert. Innerlichkeit kombiniert mit einem weiteren Begriff, der sich mir aufdrängte: ostdeutsch, eine Eigenschaft, die wir – jedenfalls meine Altersklasse, soweit sie westdeutsch bestimmt war, durch Vorurteile programmiert – nie wahrgenommen haben. Es hat lange gedauert, bis mir die Qualitäten – und damit auch der Verlust – des Ostdeutschen bewußt geworden sind. Vielleicht hat die nackte Politisierung, gelegentliche Demagogisierung des Wortes »Flüchtling« diesen Prozeß mitverzögert. »Kindheitsmuster« ist der Versuch, eine ostdeutsche Kindheit nicht zu rekonstruieren, sondern wiederzufinden, und nicht nur diese Kindheit; mit ihr, an ihr, in ihr die geschichtliche Zeit, in die sie eingehängt war, die Zeit zwischen 1933 und 1945, zwölf Jahre, die weitgehend der Amnesie derer verfallen sind, die sie erlebt haben. Vielleicht wäre Amnestie möglich, wenn Amnesie – eine Krankheit – aufgegeben oder geheilt wird. Ein aus dem KZ Entlassener fragt die kluge und sensible Frau Jordan: »Wo habt ihr bloß gelebt?«

GÜNTER KUNERT
ZWEIGE VOM SELBEN STAMM
(Christa Wolf in Freundschaft)

Im Akt, eine historische Gestalt sich zum Thema zu erwählen und schreibend sich mit ihr zu vereinen, ist Selbstentblößung unausweichlich, auch wenn dabei »nur« der Erwählte in seinem Wesen, seiner Existenz enthüllt wird. Obgleich: Die Wahl ist keine aus freiem Willen. Wahlverwandtschaft erwächst aus vielerlei Übereinstimmungen, aus geheimen und offenkundigen Gründen, letztere meist in zeitgeschichtlichen Analogien bestehend, aus denen jedoch bloß bedingt Rückschlüsse auf die verborgeneren Motive möglich sind.
Keine Absicht, ein Psychogramm Christa Wolfs zu entwerfen. Zu unmittelbar würde womöglich anhand ihrer beiden letzten Arbeiten die Folgerung, zu groß das Risiko leichtfertiger Analyse. Gefragt soll trotz solcher Bedenken aber doch werden: Warum Heinrich von Kleist und warum Karoline von Günderrode? Warum diese zwiefache, tiefinnerliche Verstörung literarisieren?

Warum im gegenwärtigen historischen Augenblick der Rekurs auf einen so fernliegenden?
Flucht: Den Vorwurf wird man zu erwarten haben, unberechtigt, wie ich meine. Im Gegenteil: Nicht Rückzug ist das Motiv, eher ein Vorausgreifen; sich des geschichtlichen Bodens versichern wollen, auf dem wir alle stehen, unbedingt deutsch zu nennen, immer noch voller Abgründe und Sümpfe bis zum Horizont denkbarer Künftigkeit. Und außerdem: Verdeutlichung bestimmter Konstellationen, Kenntlichmachung von Verflechtungen, Aufdecken eines konstanten Musters, das eine trostlose Ähnlichkeit mit jenem aufweist, das in der »Strafkolonie« die Maschine dem Verurteilten auf den Rücken zeichnet. So gezeichnet sind wir alle; nach Art des Apparates.
Der Titel von Christa Wolfs Erzählung »Kein Ort. Nirgends.« apostrophiert oder besser: leitmotiviert den inneren wie äußeren Zustand von Heimatlosigkeit und Fremdheit Heinrich von Kleists. Aus allen Bindungen gefallen, familiären, sozialen, beruflichen und nicht zuletzt: geschlechtlichen, gelingt es ihm nicht, obschon ehrgeizig und »ruhmbegierig«, wie Hölderlin von sich sagte, in den kulturellen Kontext seiner Epoche sich einzupassen: auch hier nur Abstoßung, Mißverständnisse, Peinlichkeiten, Scheitern. Freundschaften, ohnehin nicht viele, helfen kaum dagegen. Dazu die Verzweiflung an der versteinerten Lebensart Preußens, an diesem aus Schwäche rabiaten Absolutismus, seiner Leisetreterei gegenüber der Besatzungsmacht, seiner Reformunwilligkeit; die Enttäuschung an der Französischen Revolution, nachdem sie ins »Enrichissez vous« einmündet – nichts, woran man sich halten, was festen Stand für die Füße liefern könnte.
Den früheren Kleist, den des Jahres 1804, den noch nicht gänzlich verzagten, stellt Christa Wolf für einen Nachmittag in eine literarische Teegesellschaft, umgibt ihn mit Gegenspielern, bis auf die Günderrode, ihm in ihrer Sonderstellung, ihrem Abweichlertum ähnlich, um mittels authentischer Stellvertreter einen Diskurs zu halten. Was immer zur Sprache kommt, zwei Themen grundieren die Dialoge (und inneren Monologe): Geist und Macht beziehungsweise Denken und Handeln sowie das (zur Kunstausübung bestimmte) Individuum und die Gesellschaft respektive Weltlauf und Lebenslauf. Wir sehen: Eine Versuchsanordnung; eigentlich eine Aufführung mit verteilten Rollen, die, gerade weil historisiert (ohne die Probleme zu historisieren), um so reiner und schlackenloser Antworten ans Licht fördert, auf Fragen, die sich uns täglich

stellen. Die Antworten sind nicht tröstlich, sie sind endgültig. So heißt es von Kleists Lippen: »Bei seiner ersten Grenzüberschreitung, sagt er, habe er die Erfahrung gemacht, wie sich sein Vaterland besser ausnahm, je weiter er sich von ihm entfernte; wie allmählich der Druck einer selbstauferlegten, doch uneinlösbaren Verpflichtung gegen dieses Land von ihm wich, wie ihn das erleichtert habe, daß er auch wieder schlafen konnte und zu neuem Lebensmute kam. –« Und später:
»Soll der Staat meine Ansprüche an ihn, soll er mich verwerfen. Wenn er mich nur überzeugen könnte, daß er dem Bauern, dem Kaufmann gerecht wird; daß er uns nicht alle zwingt, unsere höheren Zwecke seinen Interessen zu unterwerfen. Die Menge, heißt es. Soll ich meine Zwecke und Ansichten künstlich zu denen der ihren machen? Und vor allem: Was ihr wirklich zuträglich wäre, ist noch die Frage. Nur stellt sie niemand. Nicht in Preußen.«
Nun – damit ist sie gestellt. Mitten in Preußen. Denn unübersehbar bleibt ihre Aktualität, die darin besteht, daß sie bis heute unbeantwortet ist und einfach dadurch, daß die besagte Menge selber niemals um die Zuträglichkeit des ihr Verordneten ausgeforscht wurde. Das Ergebnis kennen wir: Die Fortsetzung der deutschen Misere mit anderen Mitteln.
Kleists Leiden, zumindest eines des Kleist-Syndroms, ist, nicht zur Sprache bringen zu dürfen, oder doch nur verwandelt in Dichtung, was ihn quält. Die starre Konvention verbietet, sich von der Seele zu reden oder zu schreiben, wessen diese Seele im Übermaß voll ist. Die Tabus sind keineswegs allein politischer oder gar staatlicher Herkunft, da sind grausamere, die ebenfalls alles Intime, Persönliche erdrücken, die innere Figuration des Eros, der, bricht er doch einmal durch wie in der »Marquise von O. . . .«, sofort den Skandal nachsichzieht. Es gibt ein Übermaß innerlichen Druckes, das der Unmittelbarkeit bedarf; bei dem die Transformation ins gezügelte Wort nicht genügt: Es vergiftet den ganzen Menschen, kann er sich dessen nicht entledigen.
»Kleist hat die Vision eines Zeitalters, das sich auf Gerede gründet anstatt auf Taten«, schreibt Christa Wolf. »Und da sitzen wir immer noch und handeln mit den Parolen des vergangenen Jahrhunderts, spitzfindig und gegen unsere stärkere Müdigkeit ankämpfend, und wissen: Das ist es nicht, wofür wir leben und worum wir sterben könnten. Unser Blut wird vergossen werden, aber man wird uns nicht mitteilen, wofür.«
Weil diejenigen, welche es immer wieder vergießen, auch nicht

wissen oder nur zu wissen meinen. Gespenstisches Schema, Grundplan des Weltgetriebes, verbildlicht und versinnbildlicht in der Vorstellung von einer Maschine, ihrem Konstrukteur, ihrem Mechaniker entzogen und verselbständigt.
Kleist und Günderrode, Zweige vom selben Stamm, spüren ihre geistige und seelische Nähe, ohne die konventionsbedingte Barriere zwischen sich überwinden zu können. Kleists »Frauenbild«, zumindest in Christa Wolfs erzählerischer Interpretation, hindert ihn daran – wobei ich eher glauben möchte, daß der unaufhebbare Egozentrismus des Schreibenden die Berührung verhindert. Eine unvorstellbare Gravitation des innersten Kerns bindet die entscheidenden, beziehungsschaffenden Worte, die emotionalen Emanationen: dem Gesetz solcher Schwerkraft, einer außergewöhnlichen, unterworfen, können sie nicht nach Außen dringen: Naturwissenschaftlicher Vergleich für den Autismus und die Kälte des Dichters, eine höllische Kälte, die im »Doktor Faustus« noch moralisch statt phänomenologisch betrachtet wird. Alle, die schreiben, kennen sie. Ganz entgeht ihr keiner.
Ausweg aus den Spannungen, aus dem erkannten Unglück, das man mit Beihilfe der Umwelt, des Denkens, der kritischen Reflexion, diesen Komplizen der Negation, sich bereitet hat (die Umwelt negiert uns funktional, wir sie rational) wäre, sich entweder geistig oder körperlich abzutöten. Kleist und Günderrode haben die letztere Konsequenz vorgezogen, entsprechend einer Sentenz aus dem berühmten Buch Jean Amérys, der seiner eigenen Einsicht gefolgt ist: »Der Freitod ist ein Privileg des Humanen.« Aber das Geheimnis liegt tiefer, klingt kaum mehr so apodiktisch-trotzig und wird schneidend-schmerzhaft in fast Kleistscher Formulierung angedeutet:
»Er ist absurd (der Freitod, GK), nicht aber närrisch, da doch seine Absurdität die des Lebens nicht mehrt, sondern verringert.«
Amérys Freitod steht in unlöslicher Verbindung zum Schlußmachen Kleists, zum Ende der Günderrode, zu dem so vieler anderer Dichter und Schriftsteller, die sich der Potenzierung und blinden Mehrung des Absurden verweigerten.
In einer Folgearbeit Christa Wolfs, einem umfangreichen Essay über die Günderrode, dessen Titel »Der Schatten eines Traumes« eine Gedichtzeile der nahezu vergessenen Autorin ist, wird deren Suizid hauptsächlich auf die mißlingende Emanzipation dieser Frau als Frau zurückgeführt, damit gleichfalls als Dichterin, versteht sich. Sie stirbt an der Liliputanerhaftigkeit der von ihr geliebten

Männer, an deren traditionellem Verständnis von Weiblichkeit, dem *sie* nicht Genüge tun konnte. Mann sein wollen: Wunsch, der geäußert wird, auf menschliche Gleichheit zielend, aber das nicht allein. Ein Ansatz zur Uneindeutigkeit des Geschlechts zeigt sich, wie bei Kleist übrigens, was vielleicht mit der Fähigkeit zum Identitätswechsel mit der Psyche des biologisch anderen, im Werk gestaltet, zusammenhängt; eine Voraussetzung des Schreibens. Nicht Sexualität, die gerade von der Eindeutigkeit aller primären und sekundären Unterschiede lebt, prägt sich darin aus, sondern ein Eros, Begrenzungen aufhebend, der Verschmelzung zugetan, den schwebenden Möglichkeiten.

Der Mechanismus, der die Vernichtung der beiden Menschen produziert, ist jedoch prinzipiell derselbe, und wenn Christa Wolf unwiderleglich darauf verweist, wie dieses Mädchen Karoline in ihrer patriarchalischen Welt, wo die Patriarchen bloß noch deformierte Untertanen, sozial zerstückelte Existenzträger sind, während die Frauen, am Vorabend der industriellen Revolution und immer noch ans Haus gefesselt, die gleichartige Parzellierung des Ichs bisher nicht erlitten, sich zur Gänze geben könnten und möchten, so zeichnet sich darin Kleists Schicksal noch einmal und nur mit anderen Strichen ab. Auch was er zu geben hatte, wurde zurückgewiesen. So wie die Herren Savigny und Creuzer nacheinander die ihnen angetragene Liebe Karolines aus ihrer eigenen Ohnmacht heraus ablehnten, so stieß Preußen, und was es als Synonym enthält, Kleist von sich. Scheint das keine unglaubliche Absurdität, bei der einem das Lachen vergeht? Lohnt es, diese zu mehren?

Solche Erkenntnis bewegt die Erzählerin und Essayistin. Auch sie, wer nicht, hat das Spiel vom Nichtmehrsein und Selbstverschwinden gespielt, gedanklich zumindest, doch bis zu welcher Limitation bleibt unerschließbar. Der Moment des Übertrittes ins Nichts, mächtig die todesbereite Fantasie anregender Fluchtpunkt, findet keine Darstellung, keine Beschreibung. Nur Ahnungen bekunden sich:

»Wir wissen zuviel. Man wird uns für rasend halten. Unser unausrottbarer Glaube, der Mensch sei bestimmt, sich zu vervollkommnen, der dem Geist aller Zeiten strikt zuwiderläuft. Die Welt tut, was ihr am leichtesten fällt: Sie schweigt.«

Und die letzte Zeile auf der letzten Seite der Erzählung:

»Wir wissen, was kommt.«

Nämlich nichts anderes als das, was immer schon gewesen ist. Ob an Kleist, ob an der Günderrode, Majakowski, Tucholsky, Celan, Améry, an den zahllosen anderen Namenlosen durften wir ablesen, daß unsere Hoffnungen blind waren. Das blinde Tier Mensch, unselig mit sich selber verstrickt in unauflöslichen Widersprüchen, umarmt immer wieder Bilder ohne Bestand. Bilder, von denen er Lösungen und Erlösung erwartet. Bilder, die sich nicht erfüllen können, weil es eben Bilder sind.

Christa Wolfs Denk- und Darstellungsweise ist konsequenter geworden, entschlossener, ja: radikaler. Ihre fragwürdige Fähigkeit, im Relativsatz die Aussage des Hauptsatzes zu relativieren, sogar zu neutralisieren, die Wahrheit des Erkannten erschrocken zu verwischen, hat abgenommen. Die Angst erhält Kontur und wird nicht länger, wie im »Kindheitsmuster« als ein Agens affirmiert. Es gibt keine Entschuldigungen mehr vor dem eigenen Blick, weder historische noch gesellschaftliche, keine falsche Einsicht in vorgetäuschte Notwendigkeiten: So frei wie in dieser Erzählung, diesem Essay war sie nie vordem.

Plädiert sie, unter anderem, für eine neue Literaturgeschichtsschreibung? Literaturgeschichte als Märtyrergeschichte?

Ich bin nahe daran, das zu bejahen, obgleich mir nur allzubewußt ist, daß die Ursachen und Verursacher des Martyriums dadurch unbeeinflußbar und unbeeindruckt in ihrer Intransigenz verharren. Das enthebt uns jedoch nicht, den zerstörerischen Mechanismus wieder und wieder zu benennen, mit seinen vielen und wechselnden Namen, wie Christa Wolf es getan hat. Ihr Günderrode-Aufsatz endet nicht im Lamento, wohl aber mit dem Hinweis auf einen Zustand, der bis heute nicht aufgehört hat, das Beste in den Menschen zu vernichten:

»Die rigorose Arbeitsteilung zeitigt ihre Ergebnisse. Die Produzenten der materiellen und die der geistigen Werte stehen einander fremd an verschiedenen Ufern gegenüber, daran gehindert, gemeinsam lebbare Umstände hervorzubringen. Der Zerstörung, die nicht immer offensichtlich ist, sind sie alle ausgesetzt. Dichter sind, das ist keine Klage, zu Opfern und Selbstopfern prädestiniert«.

GÜNTER DE BRUYN
»SIE, KLEIST, NEHMEN DAS LEBEN GEFÄHRLICH ERNST«

> »Das Unglück, Herr Hofrat, von Bindungen abzuhängen, die mich ersticken, wenn ich sie dulde, und die mich zerreißen, wenn ich sie löse.«
> (Christa Wolf »Kein Ort. Nirgends«)

Nichtübereinstimmung mit der Welt, in der zu leben man gezwungen ist, wird in besonderem Maße von dem als schmerzlich empfunden, der Übereinstimmung stark ersehnt. Wege, diesem Schmerz zu entgehen, führen entweder in selbstverleugnende Anpassung an die Ordnung oder in deren realitätsverleugnende Idealisierung. Daneben gibt es die Flucht: in die Fremde, ins Abseits, in die Gleichgültigkeit, in den Tod. Nicht nur die Leute, die in der Kunst Stellvertretung suchen, sondern auch die Kunst selbst verlangen vom Künstler, sich dem Schmerz zu stellen und – für andere – zu sagen, was er leidet.

Kleist, zum Beispiel, hat alle Wege und Abwege versucht: die Selbstvergewaltigung durch ein Staatsamt, die Fremde, das Abseits der Insel im Thuner See, den Traum von einem idealen Staat. Aber da er gebunden war an das, was er floh, konnte keine Flucht glücken bis zu den Schüssen am Wannsee. Er tötete sich, weil es ihm nicht gelang, sein schlechtes Gewissen zu töten. Seiner Ketten zu spotten, war ihm nicht gegeben. Aus den Schmerzen aber, die sie ihm bereiteten, wuchs sein Werk.

Hätte Christa Wolf früher als sie es tat zu schreiben begonnen, wäre bei ihr, so ist anzunehmen, Realität von Idealisierung überwuchert worden. In ihrem Essay »Lesen und Schreiben« steht: »Eine Welt, die nicht zur rechten Zeit verzaubert und dunkel war, wird, wenn das Wissen wächst, nicht klar, sondern dürr.« Der Satz ist auf die Lektüre des Kindes bezogen, kann aber auch als Schlüssel gelten für ihre Art des Erlebens. Er verteidigt *Ver*zauberung – der Erschütterung wegen, die *Ent*zauberung hervorruft. Das ist Verteidigung eigner Erfahrung, der moralische Wesen wie sie sich durch Produktivität stellen müssen.

In Christa Wolfs Erzählung »Kein Ort. Nirgends.« ist zu Beginn von Vorgängern die Rede. Gemeint sind zwei Autoren, die Nichtübereinstimmung mit ihrer Welt in den Tod trieb: Karoline von Günderrode und Heinrich von Kleist. Angeregt durch eine Jahrzehnte nach Kleists Tod geäußerte Vermutung, entsteht Christa Wolfs Vision einer Begegnung der beiden im Jahre 1804. Er kommt aus Preußen, zu dem er so steht, wie das Motto-Zitat es zusammenfaßt; sie ist ein Fräulein vom Rhein.

Historisches, das für sie keinen Zeitbezug hätte, würde sie langweilen, sagte Christa Wolf in einem 1974 veröffentlichten Gespräch. Sieht man von dem für den Film geschriebenen »Till Eulenspiegel« ab, ist dies ihre erste Erzählung mit historischem Stoff. Im Gegensatz zu fast allen anderen Prosaarbeiten von ihr kommt Autobiographisches hier nicht vor. Trotzdem wird die Nähe der Autorin spürbar, weil sie ihre Figuren aussprechen läßt, was sie zu sagen hat. Zeigte »Kindheitsmuster«, wie Christa Wolf wurde, so diese Erzählung wie sie ist.

Aus der Stimmung, die Christa Wolfs Bücher erzeugen, kommt man schwer wieder heraus. Die Melodie ihrer gedankenschweren, manchmal lyrischen Prosa, deren Sätze, Halbsätze und Worte dauernd die Grenze zum Unsagbaren berühren, geht einem lange nach. Es ist eine suggestive Sprache, die das Bedürfnis zur Folge hat, sich des eignen Ichs zu versichern.

Besonders der, dessen Weltsicht der Christa Wolfs ähnlich ist, hat Suggestion zu befürchten. Je größer die Liebe zu ihren Büchern ist, desto stärker wird sich zu distanzieren versuchen, wer die Trauer, die zurückbleibt, nicht ertragen kann oder das nicht, was in der Erzählung, auf Kleist bezogen »Hang zum Absoluten« heißt. Eine Art Selbsterhaltungstrieb wird da wirksam, der gefördert wird durch die Selbstdarstellung der Autorin. Die Stärke, mit der sie ihr Ich in ihr Werk einbringt, fordert das des Lesers dazu heraus, sich zu behaupten, was auch heißt: sein Anderssein zu betonen. Der Wahrhaftigkeit der Autorin setzt der Leser die seine entgegen. Während er Identifizierung ablehnt, vollzieht er sie, indem er, dem Vorbild folgend, sich der Selbsterkenntnis öffnet – ganz im Sinne der Autorin, die (in »Kindheitsmuster«) die mangelnde Bereitschaft, sich selbst kennenlernen zu wollen, als die Todsünde unserer Zeit bezeichnet hat. Ablehnungen, die Christa Wolf erfährt, sind sicher oft diktiert von der Angst vor dieser Ehrlichkeit sich selbst gegenüber. Denn selbstgemachte Legenden von sich zu zerstören, kann weitreichende Folgen haben: für den Einzelnen und für eine Ordnung, die sich einreden will, sie sei deshalb allein schon gut, weil sie besteht. Die Heftigkeit, mit der – bei allem behaupteten Verständnis für Sensibilität – auf sensible Moralität reagiert wird, könnte einen wider besseres Wissen an Wirksamkeit wortgewordener Moralität glauben machen.

In dem schon erwähnten Interview spricht Christa Wolf davon, daß es darauf ankomme, »die Welt einer menschenwürdigen Moral und nicht die Moral der Menschen einer noch wenig menschenwürdigen Welt anzupassen.« Alle ihre Bücher handeln davon, auch ihre neue Erzählung, die in der Vergangenheit spielt und auf Gegenwart zielt. Ein reflektierendes Ich kommt in ihr nicht vor, doch hinter den Bildern, die von Kleist und der Günderrode entworfen werden, wird das der Autorin deutlich. Seine Konturen könnte man darstellen aus Zitaten, zu denen auch der Satz gehören müßte: »Welch Trost, daß man nicht leben muß.« Es wäre das Bild einer Gefährdeten, um die Angst zu haben nötig wäre, hoffte man nicht, daß Gestaltung Gefahren des Innern bannen kann.

Vor zehn Jahren hat Christa Wolf (in »Lesen und Schreiben«) einen Ideal-Autor entworfen, der unter anderem »nüchtern und optimistisch« sein sollte. Beides zusammen ist sie dies nie gewesen und heute ist sie davon weiter entfernt denn je. Die Leiden der Welt, die sich in ihr zu sammeln scheinen, lassen Nüchternheit nicht zu, und neueste Erfahrung gibt zu Optimismus nicht Anlaß, eher zu Zorn oder Trauer. In der Erzählung, in der die beiden, die sich in dieser Welt nicht zu helfen wissen, angesichts des Todes zu lachen beginnen, keimt Bitterkeit auf, gedeiht aber nicht. Es ist kein Lachen der Weltverachtung; denn die Freiheit, die die beiden vor sich zu haben meinen, ist die, »die Menschen zu lieben und uns selbst nicht zu hassen«. Diese Freiheit aber gibt in einer menschenunwürdigen, ständig bedrohten Welt für Menschen, wie Christa Wolf sie darstellt, nur der Tod. Der Standort der Autorin ist jenseits aller Illusionen.

Illusionslos sein aber heißt für sie nicht hoffnungslos sein. »Wenn wir zu hoffen aufhören, kommt, was wir befürchten, bestimmt«, läßt sie die Dichterin sagen, die sich zwei Jahre später den Dolch ins Herz stoßen wird. Daß das Unheil nur vielleicht kommt, nicht bestimmt, wenn die Hoffnung nicht stirbt, ist ein Glaube, kein Wissen. Berge kann der zwar nicht versetzen, aber er kann fähig machen zum Weiterleben, zum Weiterschreiben, auch wenn Hoffnung auf Vervollkommung des Menschen »dem Geist aller Zeiten strikt zuwiderläuft« und der Hoffende wirklich keinen Ort findet als den Ehrenplatz zwischen den Stühlen.

Selbstzeugnisse

CHRISTA WOLF
ÜBER SINN UND UNSINN VON NAIVITÄT

Ihr Ansinnen, lieber S., so schlicht es scheinen mag, macht mir zu schaffen. Vielleicht, wenn ich dafür die Gründe suche, kann ich Ihnen doch noch Genüge tun. Von Anfang an hatte ich keine Lust, diesen kleinen Artikel zu schreiben, dessen pünktliche Lieferung Sie aber nach empfangener Zusage billigerweise erwarten konnten. Man weiß ja auch von klein auf, daß man sich manchmal zwingen soll, etwas gegen seine Lust zu tun, da dachte ich wohl, dies wäre eine Gelegenheit, mich zu zwingen. Das Ergebnis – die übliche Zettelwirtschaft auf dem Schreibtisch, die üblichen, zu Häufchen von unterschiedlicher Stärke sortierten Manuskriptanfänge auf dem Fußboden – gab mir diesmal nicht ein Gefühl von Ungeduld und Zuversicht, sondern von Mißlingen. Nur durch die Erfindung einer Überschrift – derselben, die auch Sie gewiß sonderbar finden – wurde der vorzeitige Abbruch der Arbeit verhindert, weil sie mir die Chance zu einer allgemeinen, daher ausweichenden Erörterung des Gegenstandes zu geben schien.

Inzwischen ist mir klar geworden, daß Sie auf Mitteilungen erpicht sind, die ich entschlossen bin, Ihnen vorzuenthalten, und daß genau diese Diskrepanz die Quelle meiner Unlust ist und bleiben muß. Ahnen Sie eigentlich, was Sie einem zumuten? Die Geschichte einer beliebigen literarischen Arbeit erzählen – das hieße ja nicht mehr und nicht weniger als Rechenschaft geben über die ganze Lebensperiode, die ihr vorausging; hieße die Wurzeln gewisser als »eigen« betrachteter Motive, so zaghaft sie angeschlagen sein mögen, zurückverfolgen bis zu ihrem Ursprung, hieße ihr Entwicklung markieren, sie von fremden Einflüssen trennen und so die Spuren sichern, die zu einem selber führen – doch wer könnte, und vor allem: wer *wollte* das? Und wie dann, um des Himmels willen, die Andeutungen filtern, bei denen es bleiben müßte, wie fast immer?

Ferner: Sollte man gewisse Dinge nicht mit dem Mantel der Nächstenliebe bedecken? »Erstlingswerk«! – Übrigens gibt es das überhaupt nicht. Immer noch frühere Versuche in immer noch jüngeren Jahren fallen einem ein, von halb und dreiviertel ausge-

führten Roman- und Dramenplänen über Tagebücher, politische und private Gelegenheitsdichtungen, gefühlsgesättigte Briefwechsel mit Freundinnen bis hin zu den kindlichen Märchenerfindungen, Rache- und anderen Phantasien, Tag- und Nachtträumen und dreisten Lügengeschichten für den praktischen Gebrauch – jene lebenswichtigen Vorformen naiver Kunstausübung, deren Entzug für das Kind verheerende Folgen hätte und aus denen das Bedürfnis wachsen kann, sich schreibend auszudrücken. Was immer noch nicht viel besagen will, denn Sie als Lektor wissen wohl, wie weit verbreitet dieses Bedürfnis ist und die Anfälligkeit gegen gewisse Grund-Erfahrungen, denen nun mal jeder standzuhalten hat, auch: Schwäche, Ohnmacht, Angst, Schmerz, Zorn, Scham, Stolz, Mitleid, Trauer, Glück, Verzweiflung, Freude, Triumph. Die man, ginge es nach den besorgten Eltern, zwar fühlen, doch nicht zu stark fühlen soll, damit nicht, gottbehüte!, eine Daueranfälligkeit für Hirngespinste und Schwärmerei daraus werde.
Aber eine Kindheit, zwischen private Trivialität und öffentlichen Fanatismus gespannt, kann womöglich keinen anderen Ausweg finden als eine geheime Überspanntheit und den Versuch, ihr mit einem handgreiflichen Beruf zu begegnen: zum Beispiel Lehrerin, was ich bis zum einundzwanzigsten Jahr in alle Fragebögen schrieb. Daß ich mich danach jahrelang am Rande einer Tätigkeit bewegte, zu der ich mir eine Fähigkeit nicht einmal in Gedanken anmaßte, läßt sich nicht nur aus der Tatsache erklären, daß sehr junge Menschen selten Prosa schreiben können. Hier wirkte jene Hemmung, über die später, in anderem Zusammenhang, noch zu reden sein wird und die natürlich nur durch starke Erschütterungen zu überwinden war, und nicht auf einmal. Kurz und gut, Sie werden es selber wissen, wie aus einem lauen Bedürfnis ein Zwang werden kann, der sich über alle Gebote hinwegsetzt, denen man etwa sonst noch unterworfen ist – einfach dadurch, daß er einen das Mittel an die Hand gibt, wenigstens vorübergehend mit sich selbst übereinzustimmen.
Kein Gedanke an Leserschaft, ganz im Gegenteil: Die frühen Produkte werden in einem sicheren Versteck aufbewahrt, da es sich um allvertraulichste Angelegenheiten handelt, deren Doppelzüngigkeit sich nicht deutlicher verraten könnte als durch die Tatsache, daß sie weder ganz und gar offenbart werden noch unartikuliert bleiben wollen. Dieser ausgesucht infame Widerspruch, den man sich nicht zu harmlos vorstellen soll, setzt ein Perpetuum mobile in Gang, welches in einem niemals zu ermittelnden Prozentsatz der

Fälle jenes Gebilde hervorbringt, das Sie in Ihrer Anfrage »Erstlingswerk« nennen.
Wenn aber der Schreiber es bei sich selbst so nennen würde, wäre er schon verloren, denn er befindet sich in dem prekären Stadium zwischen zwei Stufen der Naivität und soll sich hüten, zu fest auf einen Boden zu stampfen, dessen Tragfähigkeit sehr zu bezweifeln ist. Übrigens erhebt sich hier die erste in einer längeren Kette von Gewissensfragen, nämlich die, ob jene erste Arbeit, die das Glück oder Pech hatte, veröffentlicht zu werden, zur Veröffentlichung geschrieben wurde und ob diese Absicht die Haltung des Schreibenden bei der ihm schon vorher vertrauten Tätigkeit verändert. Beide Fragen müssen mit ja beantwortet werden, die letzte mit dem Ausdruck des Bedauerns. Beim Übergang vom laienhaften zum berufsmäßigen Schreiben gehen in dem schreibenden Subjekt, während es zum Autor wird, Veränderungen vor (nennen wir nur den Verlust von Naivität im Sinne von Unschuld), die um so gefährlicher werden, je später man sie bemerkt, und denen nur durch energische und schonungslose Gegensteuerung einigermaßen zu begegnen ist ...
Da sehen Sie selbst, wohin wir geraten, wenn man sich Ihre Bitte nur versuchsweise durch den Kopf gehen läßt. Sie brauchen sich gar nicht zu rechtfertigen. Ich habe schon verstanden, welche Auskünfte Sie »in Wirklichkeit« haben wollen: die üblichen. Welche von Ihren Arbeiten wurde als erste veröffentlicht? (Die *Moskauer Novelle,* wenn man von Buchbesprechungen und Aufsätzen zur Literatur absieht.) Wann? (1959.) Wo und unter welchen Umständen wurde sie geschrieben? (In der Stadt Halle an der Saale, in einer stillen Straße namens Amselweg, durch die der Chemiegestank von Leuna und Buna zog, an einem hellen Schreibtisch, der vor ein Fenster gerückt war, das mir den Blick auf unseren Balkon und einen leicht verwilderten Garten ermöglichte, in dem unsere Kinder laut mit den Kindern unserer Nachbarn spielten; die Namen der Nachbarn und die Namen der Kinder könnte ich Ihnen aufzählen, auch ihre Eigenschaften, aber welche Jahreszeit ich draußen sah, wenn ich aufblickte, das habe ich vergessen.) Vor allem nun: Woher nahmen Sie den Stoff zu dieser Erzählung, was heißen soll: was daran ist »erlebt«, was »erfunden«, wo hätte also der neugierige Leser den »autobiographischen Kern« des Erzählten zu suchen, der doch im allgemeinen, wie man weiß, zu Literatur verarbeitet wird? (Diesen Versuch, mich zu unfreiwilligen und überdies unwichtigen und irreführenden Geständnissen zu verlei-

ten, schlage ich mit dem Hinweis ab, daß sich die Mühe des »Verarbeitens« nur lohnt, wenn sie nicht später durch leichtfertiges Ausplaudern zunichte gemacht wird.) Dann wenigstens: Gab es nicht für die eine oder andere der Figuren Vorbilder im Leben, und wenn ja, welche? (Kein Kommentar.) Wie alt waren Sie denn, als Sie das schrieben? (Schon beinahe dreißig.) Kannten Sie Moskau? (Zu wenig, wie Sie an dem Text leicht feststellen können, falls Sie Moskau besser kennen, wie jetzt ich, ohne daß es mir einfallen würde, darüber zu schreiben.) So nennen Sie doch ein paar der wichtigsten Motive, die zur Niederschrift dieser Geschichte geführt haben!

Ihre Zudringlichkeit (auch wenn ich sie mir nur eingebildet habe) stieß auf eine so zuverlässige Sperre, daß mir tagelang gar nichts einfiel und ich die Angelegenheit für erledigt erklären wollte, bis mir die unselige Idee kam, jenes Produkt, von dem gegen meinen Willen noch einmal die Rede sein sollte, nach vierzehn Jahren wieder zu lesen. Daß die Lektüre genauso peinlich war, wie ich sie mir vorgestellt hatte, brauche ich Ihnen nicht zu versichern. Ebensowenig, daß ich mir hier nicht das billige Unvergnügen machen will, mich über den für jedermann offenliegenden Mangel an formalem Können zu mokieren, über ungeschickte Sätze, verunglückte Bilder, hölzerne Dialoge, naturalistische Beschreibungen – alles das, was auch in guten Büchern vorkommt und was man halb zu Recht das »Handwerk des Schreibens« nennt, das angeblich ein jeder lernen kann. Mehr schon bestürzte mich ein Zug zu Geschlossenheit und Perfektion in der formalen Grundstruktur, in der Verquickung der Charaktere mit einem Handlungsablauf, der an das Abschnurren eines aufgezogenen Uhrwerks erinnert, obwohl doch, wie ich ganz gut weiß, die Vorgänge und Gemütsbewegungen, welche Teilen der Erzählung zugrunde liegen, an Heftigkeit und Unübersichtlichkeit nichts zu wünschen übrigließen.

Da zeigt sich (beinahe hatte ich begonnen, es zu vergessen), wie gut ich meine Lektion aus dem germanistischen Seminar und aus vielen meist ganzseitigen Artikeln über Nutzen und Schaden, Realismus und Formalismus, Fortschritt und Dekadenz in Literatur und Kunst gelernt hatte – so gut, daß ich mir unbemerkt meinen Blick durch diese Artikel färben ließ, mich also weit von einer realistischen Seh- und Schreibweise entfernte. Das beginnt mich nun doch zu interessieren, außerhalb und jenseits Ihrer Fragestellung. Wie kann man mit fast dreißig Jahren, neun Jahre nach der Mitte dieses Jahrhunderts und alles andere als unberührt und ungerührt von

dessen bewegten und bewegenden Ereignissen, etwas derart Traktathaftes schreiben? (Traktat im Sinne der Verbreitung frommer Ansichten, denn allerdings läßt sich dieser Liebesgeschichte zwischen einer Deutschen und einem Russen, wie sie da säuberlich in Grenzen gehalten und auf das Gebiet der seelischen Verwirrungen gewiesen wird, eine gewisse fromme Naivität nicht absprechen. Verzicht soll ja gar nicht beschimpft werden, nur müßte man ihn nicht moralisch motivieren, wenn die geltenden Gesetze – wir schreiben das Jahr 1959 – ihn sowieso erzwingen.)
Aber fürchten Sie nicht Selbstbezichtigungen oder ein Herausreden mit Unvermögen. »Angeboren, natürlich« (dies laut Hermann Pauls Wörterbuch die ursprüngliche Bedeutung des Wörtchens »naiv«) mag einem zwar jenes oben erwähnte Bedürfnis sein, sich schreibend zu äußern. »Talent« aber hat von alters her keine Eigenschaft bezeichnet, sondern (lat.-griech. talentum) ein bestimmtes Gewicht und danach eine bestimmte Geldsumme und ist seit dem Gleichnis von den »vertraueten Centnern« (Matth. 25,14) im übertragenen Sinn angewendet worden: das Pfund, mit dem man zu wuchern hat. So daß es an einem jeden selber liegt, dem auch nur einige Gramm des Pfundes »vertrauet« sind, ob er sie verkommen oder sich vermehren läßt. Talent als ein Prozeß, als eine Herausforderung, ein Stachel, dem man auch die Spitze abbrechen kann.
Das ist es übrigens, was in jenem Text passiert sein muß: Auf dem Weg über Kopf, Arm, Hand, Federhalter, Maschine auf das Papier scheint nicht nur, wie bei Literatur nötig, eine Verwandlung, sondern ein Verlust an Energie stattgefunden zu haben. Anscheinend wurden da aus Angst vor schwer kontrollierbaren Sprengkräften eindämmende Erfindungen zu Hilfe geholt, Bauteile, die zu einer Geschichte verknüpft werden konnten: Dies ist die Geburtsstunde der Fabel (Fabel im alten Sinn von »Gerede« als Gegensatz zum wahrheitsgemäßen Bericht). Fabel-Wesen finden in ihr, wenn sie sich nur ein bißchen hineinzwängen, ein gutes Unterkommen, trocken und überwindig, und lernen es, fabelhaft miteinander umzugehen und eine handliche Moral zu erzeugen.
Nicht daß ich die eminenten Beziehungen zwischen Literatur und gesellschaftlicher Moral leugnen wollte; nur sollte die gesellschaftliche Moral eines Autors sich nicht darin erschöpfen, daß er seiner Gesellschaft möglichst vorenthält, was er von ihr weiß; obwohl es doch eine Zeit gab – man vergißt zu schnell! –, da gewisse, nach vorgefertigten Rezepten hergestellte Abziehbilder unter dem Stem-

pel »Parteilichkeit« laufen konnten und wir, Anwesende immer eingeschlossen, uns an einen recht fahrlässigen Gebrauch dieses Stempels gewöhnten.
Zur Sache. Vielleicht wußte man es nicht besser? Auffällig ist doch, daß die gemischten Gefühle, die beim Wiederlesen der Erzählung in mir aufkamen, gerade durch die fast völlige Abwesenheit gemischter Gefühle in dem Text hervorgerufen wurden. Treu und Glauben, Liebe, Freundschaft, Edelmut und Geradlinigkeit – sind es nicht die klaren, reinen, unzweideutigen, weder durch Hinter- noch durch Abgründe bedrohten Gefühle, die uns an Kindern rühren und bei Erwachsenen als Zeichen ihrer Naivität erheitern (das Wort in der simplen, nicht durch Friedrich Schiller beeinflußten Bedeutung genommen: als Einfältigkeit, in der es heutzutage am häufigsten gebraucht wird)? Was um alles in der Welt sollte einen daran so entsetzen, daß man sich Mühe geben muß, den heillosen in einen vielleicht doch noch heilsamen Schrecken zu verwandeln?
Eben dies: daß man es nicht besser (jedenfalls nicht *viel* besser) wußte, es doch aber besser hätte wissen können und müssen. Im Jahre *neunundfünfzig* konnte man doch schon ein paar Informationen über den realen Hintergrund des Lebens einer sowjetischen Familie haben oder über die Schwierigkeiten in den Beziehungen zwischen zwei Völkern, von denen das eine noch vierzehn Jahre vorher das andere hatte ausrotten und versklaven wollen – da genügt es nicht, schlechtes Gewissen auf die eine und Großmut auf die andere Seite zu setzen. Wie überhaupt Gewissen, wenn es nur als *schlechtes* Gewissen auftritt, nicht genügt, sowenig die frömmsten Wünsche genügen, wenn sie als Realität geboten werden. Und es kann nicht einmal einer Liebesgeschichte erlaubt sein, von einem Ereignis, wie es zum Beispiel der 20. Parteitag war, nur ein paar Reflexe in einer Idylle aufzufangen. So könnte ich fortfahren mit dem übrigens undurchführbaren Versuch, noch einmal in diese Geschichte hineinzukriechen, sie andauernd mit Zwischenrufen, hämischen Bemerkungen und Korrekturforderungen zu unterbrechen, wenn nicht die seit vierzehn Jahren zunehmende Erfahrung in Sachen Selbstzensur mich hindern würde, das in ungebrochenem Ton zu tun.
Mit dem Wissen allein ist es ja nicht getan, und wie einfach wäre es doch, wenn nur äußere Umstände einen hindern könnten, »alles« zu sagen, was man weiß; denn wenn auch wahr ist, daß geschrieben wird, um bisher Unbekanntes auszusprechen, so kann man doch

auch in jeglicher Literatur – selbst großer Autoren – nachweisen, daß sie dazu gebraucht wurde, manches zu verdecken. Und gerade diese Auseinandersetzung des Autors mit sich selbst, die zwischen den Zeilen, hinter den Sätzen stattfindet: an die Grenze des ihm Sagbaren zu kommen und sie womöglich an einer unvorhersehbaren Stelle zu überschreiten, und es doch nicht zu können, nicht zu *dürfen*, weil er ein selbstgesetztes Tabu nicht ungestraft berühren kann, gegen das jedes Verbot eines Zensors belanglos wird: diese Hochspannung macht den Reiz des Schreibens aus und, wenn man sie erst entdeckt hat, den Reiz des Lesens, auch wenn sich der Leser nicht bewußt werden muß, was ihn, über die Schicksale der Romanfiguren hinaus, so mitgenommen hat.

Ein neuer Ansatz: Ein gewisses Maß an Selbst-Täuschung – Naivität –, das dauernd ausgeschöpft wird und sich dauernd neu füllt, scheint uns zum Leben nötig. Auch soll hier weder bestritten noch etwa bemäntelt werden, daß dieses Maß in der Jugend größer sein muß als späterhin, wenn Ent-Täuschungen mehr Nüchternheit hervorgebracht haben, ein Vorgang, der nicht beklagenswert ist. Nur ist dreißig Jahre nicht mehr Jugend. Und ich wüßte ganz gerne einige Gründe für die Spät-Reife meiner Generation, die auch Ihnen nicht entgangen sein wird.

Dies ist nun eine Behauptung, gegen die ich mich damals, vor vierzehn Jahren, sicher gewehrt hätte. Doch glaube ich zu wissen, wovon ich spreche. Achten Sie nur einmal darauf, worüber Angehörige meiner Generation fast nie von sich aus reden und welche Gesprächsstoffe, wenn sie doch gestreift werden, öfter Affektausbrüche auslösen, so wissen Sie mehr über jene »unbewältigten« Einlagerungen in unsere Lebensgeschichten, die das Selbständig- und Erwachsenwerden beeinträchtigen. Natürlich glaubte ich, was ich schrieb: die »Wandlung« der Generation, zu der ich gehöre, sei »vollzogen«. Und wahr ist: die Umwälzung der bewußten Denk-Inhalte (dies mußte ja die erste Stufe dieser Wandlung sein) war eine erschütternde, die ganze Person ergreifende Erfahrung, und wer sich jene Untaten, zu denen wir alle ausersehen gewesen und denen wir ohne unser Verdienst knapp entgangen waren, ernsthaft vor Augen hielt, konnte, wie der Reiter über den Bodensee, an dem Schock nachträglich zu Boden gehen. Da ist wohl damit zu rechnen, daß eine tiefe Unsicherheit, ein fast unausrottbares, wenn auch häufig unbewußtes und durch rastlose Tätigkeit überdecktes Mißtrauen gegen sich selbst in vielen Angehörigen dieser Generation zurückgeblieben ist, das sich in ihrem gesellschaftlichen Verhalten

– darunter in ihrer Literatur – ausdrücken muß.
Denn mit dem tiefen, nachhaltigen Entsetzen vor der Barbarei, die, solange von uns geleugnet, von unserm Land ausgegangen war, ist es nicht getan; auch nicht mit einer Ernüchterung, die sich nur auf vergangene Geschichtsabläufe bezieht. Wenn die Denk-Fehler erkannt, bereut, unter nicht geringer Anstrengung korrigiert waren, Ansichten und Meinungen, das ganze Weltbild sich radikal verändert hatten – die *Art* zu denken war nicht so schnell zu ändern, und noch weniger waren es bestimmte Reaktions- und Verhaltensweisen, die in der Kindheit eingeschleust, die Struktur der Beziehungen eines Charakters zu seiner Umwelt weiter bestimmen: die Gewohnheit der Gläubigkeit gegen übergeordnete Instanzen, der Zwang, Personen anzubeten oder sich doch ihrer Autorität zu unterwerfen, der Hang zu Realitätsverleugnung und eifervoller Intoleranz. Zu erklären ist das ja alles, nur würde ich es gerne einmal erklärt *lesen:* Das alte hypertrophe Selbstbewußtsein (dem ja ein tiefes Minderwertigkeitsgefühl zugrunde lag), verdientermaßen zerstört, war nicht einfach durch ein fertiges neues zu ersetzen. Um aber doch weiterleben zu können, griff man begierig auch nach nicht vollwertigen Ersatz-Teilen, einem neuen blinden Glaubenseifer zum Beispiel (in einer Zeit, die, das brauche ich Ihnen nicht zu belegen, gerade von Sozialisten ein dialektisches Denken gefordert hätte) und der anmaßenden Behauptung, ein für allemal im Mitbesitz der einzig richtigen, einzig funktionierenden Wahrheit zu sein. Wovon auch jener Text, der hier immer noch besprochen wird, Zeugnis ablegt: indem er sich rührend bemüht, untergründige Bedrohungen durch Leidenschaften oder Trauer mit Hilfe von Rationalität abzuwehren, und indem er Veränderungen behauptet und voraussetzt, die erst zu beweisen gewesen wären. Was alles beides ihm nicht vollkommen gelingt, und das macht jene Durchlässe und Brüche, die doch zu Hoffnung Anlaß geben.
Sie werden mir glauben: dies ist kein Lamento und keine Beschuldigung. Eher ein Selbstverständigungsversuch, Vor-Formulierung von Problematik in abstrakter Form, die konkret in der Literatur wohl noch aufzuarbeiten ist. Nun ist die Prosa ja eine derjenigen Gattungen, die, auf Nüchternheit und Souveränität angewiesen, für Naivität keine Verwendung zu haben scheinen. Zugleich aber lebt sie, wie alle sogenannte Kunst, aus jenem Vorrat an ursprünglichem Verhalten, für das in der Kindheit der Grund gelegt wird. Ihre Bedingungen sind spontanes, direktes, rücksichtsloses Reagieren, Denken, Fühlen, Handeln, ein unbefangenes (eben

doch »naives«), ungebrochenes Verhältnis zu sich selbst und zu seiner persönlichen Biographie – genau das, was wir eingebüßt haben.

Nun ist es eben dieser Widerspruch, der mitbestimmt, wie wir leben und auch, wie wir schreiben. Man kann ihn ignorieren oder leugnen, ihn verharmlosen oder überspielen, sich gegen ihn versteifen, ihn beklagen und verfluchen. Man kann sich vor ihm in unproduktive Lebensmechaniken flüchten und an ihm zerbrechen, auch ohne es selbst zu wissen. Aber wie man es (oder sich) auch drehen und wenden mag, ein freies, schöpferisches Verhältnis zu unserer Zeit ist nur aus der Verarbeitung dieses Konflikts zu gewinnen, der das Zeug in sich hat zu modellhaften Darstellungen, da er ja nicht nur eine Generation betrifft. Nicht, um unnötigerweise gesellschaftliche Kräfte an die Vergangenheit zu binden, sondern um sie produktiv zu machen für die Gegenwart, hat eine andauernde unerschrockene Arbeit gerade an jenen Vergangenheitskomplexen stattzufinden, deren Berührung schmerzt. Ein Vorgang, der, mit Konsequenz betrieben, zu literarischen Entdeckungen führen könnte, auf die wir nicht gefaßt sind.

Denn vierzehn Jahre sind eine zufällige Zeitspanne. Wie sollen wir ahnen, eines wie fernen oder nahen Tages wir die Gutgläubigkeit unserer heutigen Äußerungen – zum Beispiel auch dieser Seiten – ungläubig bestaunen werden. Das soll so sein. Schon im Entstehen zerstörte Hoffnungen brächten jede Produktion und damit die Hoffnung selbst zum Erliegen, während heute, da jedes Wort komplizierteren und strengeren Tests unterworfen wird als früher, die Arbeit zwar mühevoller und langwieriger, aber doch keineswegs unmöglich geworden ist. Neue Arten von Nachrichten erfordern neue Entschlüsse und Techniken, sich wirksam einzumischen. Noch finden wir keine Worte, wenn wir zu hören bekommen, das fast zwölfjährige »militärische Engagements« der USA in Indochina sei eines Morgens »Punkt fünf Uhr« »beendet« worden, und zwar nach dem Abwurf von insgesamt 6,6 Millionen Tonnen Bomben für mehr als 30 Milliarden Mark auf die Länder Vietnam, Laos und Kambodscha, mit, wie es heißt, »geringem Erfolg«. – Da nützt uns unser gutes altes Wort »Wahnsinn« wenig, und es wird eine harte Arbeit werden, die Anführungszeichen in solchen Sätzen aufzulösen. Für jede eingreifende, nicht nur mechanische Tätigkeit brauchen wir aber wieder jenes Grundvertrauen in uns selbst.

So ende ich, zu Ihrer und meiner Überraschung, mit einem Lob der Torheit. Jener Torheit, die viele Gesichter hat, darunter solche, die ganz gut mit Einsicht und Erfahrung zusammengehen. Jener Torheit, auf deren Boden die großen Experimente gedeihen und Frivolität, Zynismus, Resignation nicht aufgehen. Die uns instand setzt, Häuser zu bauen, Bäume zu pflanzen, Kinder in die Welt zu setzen, Bücher zu schreiben – zu handeln, so anfechtbar, ungeschickt und unvollkommen, wie uns eben möglich. Was doch allemal vernünftiger ist als eine Kapitulation vor den verschiedenen, manchmal schwer kenntlichen perfekten Techniken der Destruktion.

(August 1973)

DISKUSSION MIT CHRISTA WOLF

nach Lesungen aus »Kindheitsmuster« in der Akademie der Künste der DDR, Oktober und Dezember 1975 (Auszüge)

Frage: Mich würde interessieren, welches der Anlaß für ein solches Buch ist. Haben Sie dafür einen Auftrag erhalten oder von sich aus geschrieben?
Christa Wolf: Es müßte aus der Lesung eigentlich hervorgegangen sein, daß so ein Buch nicht durch einen äußeren Auftrag entstehen kann. Ich habe sehr lange – seit ich schreibe – immer den Plan gehabt, so etwas zu schreiben. Nicht *das* natürlich, aber etwas, das die Zeit meines Lebens umfaßt oder doch versucht, ihr näherzukommen, die ich auch heute – auch, nachdem ich es geschrieben habe – immer noch als sehr schwer aufklärbar empfinde. Trotzdem könnte ich zum Anlaß vielleicht noch etwas Genaueres sagen. Er ist ausgedrückt in den Worten eines polnischen Autors, die mir entsprechen. Ich habe, wie er, den Eindruck, daß wir über die Zeit, über die wir schon so ungeheuer viel gelesen, gehört und zum Teil auch geschrieben haben, im Grunde immer noch sehr wenig wissen – ich meine die Zeit des Faschismus in Deutschland –, und daß die Frage »Wie war es möglich, und wie war es wirklich?« im Grunde nicht beantwortet ist. Ich weiß natürlich, daß das auch in einem solchen Buch nicht geschehen kann. Ich bin keineswegs so vermessen, das zu denken. (. . .)
Ein wenig stört mich, daß viele unserer Bücher über diese Zeit enden mit Helden, die sich schnell wandeln, mit Helden, die eigentlich schon während des Faschismus zu ziemlich bedeutenden

und richtigen Einsichten kommen, politisch, menschlich. Ich will keinem Autor sein Erlebnis bestreiten. Aber mein Erlebnis war anders. Ich habe erlebt, daß es sehr lange gedauert hat, bis winzige Einsichten zuerst, später tiefergehende Veränderungen möglich wurden. (...)

Frage: Warum haben Sie gerade dieses Thema gewählt? Wäre es nicht wichtiger, über die Gegenwart zu schreiben?

C. W.: Glauben Sie, daß ich hier nicht über die Gegenwart schreibe? Sehen Sie, solange Menschen leben, die diese Kindheit hatten, die diese Jahre als Kinder oder junge Menschen erlebt haben, ist das alles in ihnen. Unsere Zeitgenossen leben damit. Und ich glaube – ich bin sogar ganz fest davon überzeugt –, daß, was diese Zeit betrifft, von uns allen vieles uns selber und anderen bisher nicht gesagt ist; ich hatte seit Jahren das deutliche Gefühl, daß ich diesen Beitrag, den ich selber leisten muß, um danach anderes schreiben zu können, noch nicht geleistet habe. Es gibt da auch gewisse Gesetze der Berufsmoral. Wenn man eine bestimmte Sache noch nicht gesagt hat, darf man nicht zu anderem übergehen. Ich habe schon öfter gesagt, ich sage es hier noch mal: Das ist eine Erfahrung von mir, daß die Menschen meines Alters sehr wenig über diese Zeit miteinander und mit ihren Kindern reden, und auf eine nicht sehr offene Weise. Das ist zum Beispiel ein Grund für dieses Buch, und ich glaube sehr, daß das »Gegenwart« ist. Denn Gegenwart ist ja nicht nur, was heute passiert. Das wäre ein sehr enger Begriff der Gegenwart. Gegenwart ist alles, was uns treibt, zum Beispiel heute so zu handeln oder nicht zu handeln, wie wir es tun.

Frage: Sie sagten, daß die faschistische Vergangenheit noch nicht bewältigt ist, moralisch und geistig, und ich stimme Ihnen da vollkommen zu. Das ist viel zu wenig nachgeprüft, wie gerade der jüngeren Generation, die das nicht miterlebt hat, ein reales Bild von dieser Zeit gegeben werden kann. Ich kann Ihnen auch nur zustimmen und finde es wirklich sehr gut, daß Sie einen Schritt gewagt haben in diese Richtung. Trotzdem bewegt mich eine Frage. Ich fürchte, daß durch die essayistische Form und die ziemlich komplizierte Art der Darstellung dieser Zeit vielleicht doch in erster Linie die Leserschichten erreicht werden, die sich sowieso stärker geistig mit diesen Dingen befassen. Ich will hier nicht etwa für irgendwelche primitiven Romane plädieren. Aber mich würde interessieren: Wieso sind Sie abgegangen – sagen wir, gegenüber Ihrem ersten Roman – von der traditionellen Art des Romans mit Fabel, mit

Handlung, womit man, glaube ich, breitere Leserschichten erreichen kann? (...)

C. W.: (...) ich bin überhaupt nicht darauf aus, irgendeine Sache künstlich zu komplizieren, ungeachtet dessen, wieviel Leute übrigbleiben, die meinen Assoziationen dann folgen können. Das ist nicht mein Standpunkt zum Schreiben, in keiner Weise. Sondern ich bin der Meinung, man soll es so einfach wie möglich machen. Nur, die Frage stellt sich dann doch bei bestimmten Themen: Wie einfach geht es?

Ich mache sehr viele Anfänge. Ich habe zu diesem Manuskript länger als ein Jahr gebraucht, um überhaupt einen Anfang zu haben. Ich habe sehr viele Seiten liegen, die andere Erzählweisen ausprobieren und die mich alle nicht befriedigten. Man weiß ja nicht so genau, was man will. Man hat nur einen Erzählton im Ohr und eine Atmosphäre, so etwas ... Und einen Erzählraum, den man gern ausfüllen möchte. Und wenn man anfängt, dann schreibt man, zum Beispiel linear. Das war sehr dünn nach meiner Meinung – »dünn« in dem Sinne: der Raum wurde nicht ausgefüllt. Es war eine Linie, aber kein Raum. Und erst nach und nach – sehr lange habe ich gebraucht – habe ich herausgefunden, daß ich zum Beispiel mit hineinnehmen mußte, wie das Manuskript entstand, was ich ungern getan habe. Oder Überlegungen über das Gedächtnis: Wie erinnert man sich eigentlich, woran erinnert man sich, warum an manches ja, an manches nicht. Es wurde dann eine der Aufgaben, die ich mir stellte, das Erinnern mitzudiskutieren. Und so kam es nach und nach – drei, vier solcher »Ebenen«: Auch diese Fahrt nach Polen, die nun beschrieben wird durch die Kapitel durch, weil es mir wichtig war, zu zeigen, wie es ist, wenn man heute in eine Stadt kommt, die jetzt polnisch ist, die aber die Heimatstadt ist. Das ist ein Erlebnis, das sehr viele Menschen bei uns haben und das noch kaum artikuliert wurde und auch seine Zeit brauchte, diese Jahrzehnte, glaube ich, um artikuliert zu werden. Heimweh spielt eine Rolle. Dadurch erst, durch diese verschiedenen Ebenen, die sich zusammentaten, merkte ich, es kann ein Gegenwartsbuch werden.

Das ist der Grund für die Struktur des Buches. Diese Grundlage konnte ich dann nicht mehr einfacher machen.

Frage: Frau Wolf, ich freue mich, daß Sie versuchen, die Vergangenheit so darzustellen, daß man sich damit identifizieren kann und daß Sie eine Beziehung zu unserer Gegenwart schaffen. Sie schaffen es dadurch, ein Verständnis gerade für die Jüngeren zu erreichen,

so als ob die Probleme gegenwärtig wären. Genauso schaffen Sie es, eine Distanz zu unserer Generation zu erreichen, so daß man sein eigenes Erleben noch einmal mitmacht, aber nicht mehr hineinverwickelt ist. Ich freue mich, daß ich das mal gehört habe.
C. W.: (. . .) Mein Zugang zur Literatur, der Zwang zum Schreiben, ergibt sich daraus, daß ich sehr stark, sehr persönlich betroffen war und bin von der Geschichte, von der Geschichte unseres Volkes, unseres Staates und von allen Ereignissen, die ich seit meiner Kindheit bewußt erlebt habe. Es scheint mir, daß es nötig ist, daß es nützlich sein könnte – abgesehen davon, daß es für mich nützlich ist –, wenn man versucht, die Schichten, die Ablagerungen, die die Ereignisse in uns allen hinterlassen haben, wieder in Bewegung zu bringen. Darüber kann man – ich weiß das – verschiedener Meinung sein, nicht wahr? Man wird natürlich auch hören: Laß ruhen, wozu das, es stört uns, wir brauchen das jetzt nicht. Das ist ein alter Streit. Ich werde das wahrscheinlich bei jeder neuen Sache wieder zu hören bekommen.
Meine Meinung ist jedoch, daß Literatur versuchen sollte, diese Schichten zu zeigen, die in uns liegen – nicht so säuberlich geordnet, nicht katalogisiert und schön »bewältigt«, wie wir es gern möchten. Ich glaube nicht, daß wir die Zeit des Faschismus in diesem Sinne »bewältigt« haben, auch wenn es in unserem Staat in unvergleichbarer anderer und gründlicherer Weise geschehen ist als zum Beispiel in der Bundesrepublik. Ich spreche jetzt von einer anderen Art der Bewältigung: die Auseinandersetzung des einzelnen mit seiner ganz persönlichen Vergangenheit, mit dem, was er persönlich getan und gedacht hat und was er ja nicht auf einen anderen delegieren kann, wofür er sich auch nicht mit Massen von Menschen, die dasselbe oder Schlimmeres getan haben, entschuldigen kann. Hier versagt die Soziologie, die Statistik. Hier geht es um persönliche und gesellschaftliche Moral und die Bedingungen, die beide außer Kraft setzen.
In diesem Sinne ist es nicht bewältigt. Das sehe ich an den Fragen junger Leute, und das sehe ich an dem Schweigen meiner Altersgenossen und der Älteren. Und sich dieser Fragen, dieses Schweigens anzunehmen – das kann nur Literatur. Das ist kein Vorwurf gegen andere Medien, gegen Berichte und Chroniken etwa, die das nicht tun, denn das ist nicht ihre Aufgabe. Aber es ist, glaube ich, wirklich Aufgabe von Literatur, etwas Bewegung hineinzubringen in die inneren Schichten, mit deren Unbeweglichkeit man sich gern beruhigt, indem man Erstarrung mit wirklicher Ruhe verwechselt,

die nur aus einer inneren Freiheit kommen kann. (...)
Frage: Mich hat gewundert diese Vermischung von – sagen wir: Essay und Dichtung und vor allem die Stärke, die Zuwendung zum wissenschaftlichen Bereich, zur Psychologie. Ich glaube, das ist etwas Neues, was auch viele junge Menschen ansprechen wird. Meine Frage ist: Haben Sie darin Vorbilder (...)?
C. W.: Ich bin ein bißchen in Verlegenheit. Wenn man sagt: Ich habe darin keine Vorbilder, ist es natürlich dumm, denn man hat das natürlich nicht erfunden. Wenn ich jetzt aber sage, daß Musil zum Beispiel es so etwa gemacht hat, dann hört es sich an, als ob ich Musil zum Vorbild hätte. Das stimmt aber nicht, obwohl Musil für mich schon ein Autor von großem Interesse ist, einer von vielen. Aber ich habe den Eindruck, diese Schreibart ist aus einer gewissen Notwendigkeit entstanden, ich habe lange nach ihr gesucht. Ich glaube nicht, daß ich es immer so machen werde. (...)
Frage: Mich interessieren die verschiedenen Versuche, diese Geschichte zu erzählen. Sind diese Versuche angestellt worden unter dem Aspekt des Autors, wie man diese Geschichte am besten in den Griff bekommt, oder sind sie angestellt worden unter dem Aspekt der Zielgruppe: »Wie sage ich es meinem Kinde heute«? Ich habe das Gefühl, daß eine ganze Menge jüngerer Leute – vor allem der Jahrgänge 1935 bis 1945, die noch in dieser Zeit geboren sind, aber fast keine Erinnerung mehr an sie haben – wirklich nichts mehr von dieser Zeit wissen wollen, die den Kopf in den Sand stecken. Ich weiß es aus meiner eigenen Familie. Ich weiß nicht, inwieweit das repräsentativ ist und wie weit es da Untersuchungen gibt. Ich könnte mir aber vorstellen, daß solche Leute doch mehr angesprochen werden durch die verschiedenen Ebenen, durch die Bezugnahme auf Chile etwa, weil es eben ein Buch ist, das sowohl in der Gegenwart spielt als auch sich mit diesen vergangenen Dingen beschäftigt. Könnte man das so sagen?
C. W.: (...) Die Versuche sind nicht gemacht worden im Hinblick darauf, wer es lesen soll, sondern im Hinblick auf den Stoff, auf das Material. Eine Art Selbstversuch; nämlich man muß sich zu dem Material in eine Beziehung bringen, und darum ging es. Ich sah vor mir, was da war und was da ablaufen mußte, aber ich hatte die Beziehung dazu noch nicht. Und die herzustellen, das war der Sinn der Versuche. Man merkt es ganz genau, wenn man den Ton hat und wenn man anfängt zu reden, daß man sich selber zuhören und glauben könnte. Später hört das wieder auf, da hat man es wieder verloren, muß neu danach suchen. Das ist die eigentliche Anstren-

gung des Schreibens, wenn es nicht zu einem routinehaften Vorgang entarten soll.
Die zweite Sache: mit den jüngeren Leuten. Ja, das ist wirklich schwer zu sagen. Ich weiß es auch nicht, ob gerade die Leute, die Sie meinen, besonders wenig von dieser Zeit wissen oder wissen wollen. Es wäre möglich, daß die Schule ihnen die echte Fragehaltung gegenüber dieser Zeit abgewöhnt hat. Das könnte sein. Ich habe mir Geschichtsbücher von uns angeguckt, speziell über diese Zeit, und habe gefunden, daß da Gott sei Dank – das ist ja wirklich unser großer Fortschritt – nichts Falsches steht. Es steht dort, wie es war. Andererseits weiß ich von jungen Leuten, daß sie das wie jeden anderen Stoff zur Kenntnis nehmen und nicht angehalten sind durch Lehrer, die übrigens gerade in meinem Alter sein mögen, diesen Stoff emotional aufzunehmen, mit einer tieferen Anteilnahme als etwas anderes: zum Beispiel die Karte im Geschichtsbuch der neunten Klasse, auf der alle Konzentrationslager verzeichnet sind. Ich habe erlebt, daß junge Leute von dreizehn, vierzehn Jahren in Buchenwald über den ehemaligen Appellplatz gehen und dabei essen und ihre Kofferradios anstellen. Da ist doch etwas in ihnen nicht geweckt worden; ich spreche nicht von Schuldgefühl, sondern von Mitgefühl. Das frage ich mich natürlich. Diese Karte über die KZs in den Büchern, und es wird alles richtig berichtet. Und doch habe ich beobachtet, daß diese Karte keine andere Emotion ausgelöst hat als irgendwelche anderen Geschichtskarten im selben Buch.
Ja: Tatsächlich möchte ich das Vergessen schwieriger machen. Das kann man natürlich verurteilen, und ich weiß, daß es viele verurteilen werden, nach dem Motto: Wenn über eine alte Geschichte endlich Gras gewachsen ist, kommt bestimmt ein junges Kamel, das es wieder runterfrißt. Aber das ist genau meine Funktion. Ich bin hier das Kamel, das das Gras von dieser alten Geschichte runterfrißt – mit voller Absicht. Das möchte ich, das will ich. Ob das nun andere wollen oder nicht wollen, das konnte ich beim Schreiben allerdings nicht fragen.
Frage: Sie bringen zum Ausdruck, daß versagtes Mitgefühl unserer Generation in der Kindheit umschlägt in Angst später; daß man nur auf seine materielle Existenz aus ist, daß man sich heute nicht mehr solidarisieren kann mit den Menschen . . . Ist das Ihre Frage, der Abbau der Angst, die man sich damals eingehandelt hat? Diese Angst, deren Folge das Vergessen ist? Das verdrängt die Angst, mit seinen Kindern und mit jungen Leuten so darüber reden zu kön-

nen, daß sie auch emotional ergriffen werden und das merken, daß uns das überhaupt nicht lächerlich war, wenn Adolf Hitler damals zu uns gesprochen hat, sondern daß da etwas los war bei uns, das uns ergriffen hat. Ist der Weg des Schreibens für Sie eine Möglichkeit, diese Angst zu überwinden, und was schlagen Sie den Menschen vor, die nicht die Möglichkeit des Schreibens haben, diese Angst abzubauen?

C. W.: Sie haben unheimlich genau gefühlt, worum es auch geht. Das ist so, ja, für mich ist das ein Weg, Angst zu überwinden. Oder, falls sie nicht zu überwinden ist, sie mir bewußt zu machen und mit ihr leben zu können, ohne durch sie eingeschränkt zu werden.

Ich will etwas genauer sein, weil es ein Kernproblem dieses Buches ist, wie Angst entsteht. Ganz am Ende gibt es ein Kapitel, das beginnt: Ein Kapitel Angst – und wird noch einmal aufrühren und zusammenfassen, was alles für Ängste auf schauerlichste Art in uns aufgebaut wurden. Zum Beispiel die Angst gegenüber anderen Völkern. »Der Russe« als Angstfigur: Wie war das überhaupt möglich, wie hat man das geschafft, und auch: Auf welche Weise werden solche realen Ängste abgebaut. Man verliert die Angst vor Menschen – Völkern, Gruppen, die man kennenlernt. Das ist ein verhältnismäßig – ich sage verhältnismäßig – einfacher psychologischer Vorgang. Da kann man ein falsches Bild, ein Angstbild, durch Korrigieren verlernen. Es ist ein für die heutige von verzerrten Angstbildern geprägte Menschheit bedeutsamer, vielleicht lebensrettender Vorgang.

Anders wiederum ist es mit der Angst, die keinen Grund zu haben scheint und von der sehr viele, glaube ich, von Zeit zu Zeit befallen sind. Und da ist es viel schwieriger, zu finden, wo das mal angefangen hat und warum sich das solange hält. Und warum Angst bei ganz bestimmten Signalen immer wieder da ist. Warum zum Beispiel viele Leute unserer Generation so eine schreckliche Angst vor Autoritäten haben. Wann hat man ihnen das nur eingeimpft? Warum können bei uns so viele Leute sich nur unter Angst gegen Autoritäten aufrichten, »Männermut vor Königsthronen« so schwer zeigen? Das hat doch Gründe. Darum finde ich auch, daß dies ein Gegenwartsbuch ist, weil es versucht, mitzubeschreiben, was vorher war, ehe die Leute sich so verhielten, wie sie sich heute verhalten.

Ja, ich sehe auch, daß ein Schreibender oder Malender oder sonst in der Kunst Tätiger im Vorteil ist. Denn er hat eine Möglichkeit, sich mit Konflikten auseinanderzusetzen, die wirksam ist. Aber ich glaube eigentlich, daß jeder das kann, der wirklich will und es braucht, indem er es mit sich selber und in Gesprächen mit anderen tut. Nur, warum sprechen wir so wenig miteinander? Warum eigentlich? Aus Angst natürlich. Aber wovor denn, um Gottes willen? Doch meist nicht vor irgend jemandem, der uns irgendwas tun könnte. Angst vor uns selber, daß wir irgend etwas herauslassen könnten, was der andere nicht vergißt, womit wir uns ihm in die Hand geben würden. Er sollte es möglichst vergessen, aber er vergißt es nie, und dann sagen wir es lieber erst gar nicht und sitzen zusammen und reden über das Wetter und über Klatschgeschichten und reden niemals – ich übertreibe, viele haben hoffentlich Leute, mit denen sie reden –, aber viele Leute reden niemals, glaube ich, über das, was sie wirklich beunruhigt. Und das finde ich schlimm. (...)

Frage: Wenn ich Sie recht verstanden habe, geht es Ihnen darum, zu fragen: Was ist eigentlich mit uns geschehen? Das heißt: Wie konnte es dazu kommen? (...) Die Frage: Was ist mit uns geschehen? Wie konnte es dazu kommen? war mir noch nirgends beantwortet. Und darüber hinaus die Frage, welche mich mehr noch bewegt als die erste: Kann das nicht wieder passieren?

C. W.: Zum ersten Teil Ihrer Frage kann ich jetzt nicht viel sagen. Ich sagte am Anfang, daß ich mir nicht vorstelle, daß ich hier die Frage: wie konnte das geschehen? beantworte. Das eigentlich nicht. Eher vielleicht die Frage: Wie sind wir so geworden, wie wir sind? Das ist eigentlich eine Frage, der ich etwas näherzukommen suche. Ich denke, daß etwas davon im Laufe des Buches aufdämmern wird. Denn ich glaube, daß es manches, was unsere Generation heute tut oder nicht tut, noch mit der Kindheit zusammenhängt. Wenn die Kindheit wirklich eine wichtige Zeit im Leben eines Menschen ist, dann sollten wir nicht so tun, als ob wir, als wir sechzehn waren, als der Faschismus zu Ende war, nun »neue Menschen« werden konnten. Und daß eine so verbrachte Kindheit ohne Folgen bleiben kann.

Aber nun zur zweiten Frage: Ja, ich denke, das kann hier nicht wieder passieren. Doch wie man sieht, ist die Welt als Ganzes ungeheuer gefährdet in bezug auf faschistische und faschistoide Einflüsse. Und die Gründe, warum es hier nicht wieder passieren kann, sind in erster Linie historischer Art, glaube ich. Ich will mich hier nicht zum Propheten aufschwingen, aber es sind hier die Bedingungen dafür nicht da. Während es an vielen Stellen der Welt,

wie wir gesehen haben, Bedingungen gibt, die einen Ausbruch von nackter Gewalt und Brutalität und ihre Etablierung als Staatsform nicht nur erlauben, sondern offenbar für lange Zeit verfestigen können. Das sind wirklich historisch bedingte Vorgänge.
Etwas anderes ist jetzt Ihre Frage nach den subjektiven Momenten. Da gibt es im Manuskript auch verschiedene Hinweise darauf, daß ich mit den Gefährdungen einzelner Leute – manchmal ist es nur Gedankenlosigkeit, manchmal aber auch mehr – durchaus sehr vertraut bin, auch bei uns hier. Da gibt es noch vielerlei: Gedankenlosigkeit, Unwissen, ungelebtes Leben. Da treten plötzlich noch Züge in den Leuten hervor, die einen erschrecken lassen, auch bei uns. (...)
Frage: Sie sagten, die Vergangenheit sei noch nicht bewältigt. Ist sie denn überhaupt zu bewältigen? Es ist doch so – wir sind beim Thema Vergangenheit –, da sind die Jugendlichen doch vollgestopft bis obenhin. Die Jugendlichen lesen und interessieren sich dafür, obwohl sie da noch gar nicht gelebt haben. Aber gerade die Älteren, an die es vielleicht adressiert ist, interessiert es überhaupt nicht. Die meisten sprechen nicht davon.
C. W.: Ich habe auch oft den Eindruck, daß es so ist. Die ältere Generation, die älter ist als ich bin, die diese ganze Frage der Schuld ja im Grunde auf sich hätte beziehen müssen, ist am weitesten ausgewichen, die ist am schwersten zu bewegen, darüber zu reden oder vielleicht auch zu denken. Was sie denken, wissen wir ja nicht. Unsere Generation, die zu jung war, um im direkten Sinne schuldig zu werden, im Sinne von Handlungen schuldig zu werden, hat die ganze Last dieser Schuld an sich erlebt und erfahren. Das glaube ich wohl sagen zu können. Und die noch Jüngeren, die stehen natürlich jetzt in uns schon ihren Eltern oder Erziehern gegenüber und sagen: Was war denn eigentlich los, wie war denn das, was habt ihr da eigentlich gesehen, getan und gedacht? Es ist schon etwas kompliziert. Und wenn Sie so fragen: Ist es zu bewältigen? Dann kann ich nur glatt sagen: Nein. Sechs Millionen ermordeter Juden sind nicht zu bewältigen. Es ist nicht zu »bewältigen«, daß zwanzig Millionen sowjetischer Menschen umgebracht worden sind. Das alles ist nicht zu bewältigen.
Zuruf: Hat denn das Schreiben darüber einen Sinn?
C. W.: Das müßte ich eigentlich Sie fragen. Für mich hat es einen Sinn. Ich will ja auch noch weiterleben. Ich lebe nicht nur bis heute. Es kann durchaus sein, daß ein Teil der Leser findet, daß der Bedarf durch Bücher, die es darüber schon gibt, gedeckt ist und daß es

dann unnötig wäre. Darüber kann ich nicht urteilen. Aber es wäre eine Anmaßung, das schreibend zu »bewältigen«.
Aber eine andere Frage ist, (...) ob man in sich selbst dauernd mit den Erfahrungen leben soll, die man im Grunde vergessen möchte, ob das einen Sinn hat, ob das dazu beiträgt, daß man produktiv bleibt. Meine Erfahrung ist, man braucht es, um produktiv sein zu können. Wobei darin Gefahren liegen, die ich auch ganz gut kenne: Wenn man an so einer Sache arbeitet, wird sehr viel aus der Vergangenheit in einem frei. Es kommen viele Träume vor in diesem Buch, in der Zeit, in der man an einem derartigen Stoff arbeitet, da träumt man nicht gut, klar. Es wird Angst frei, von der man gar nicht gewußt hat, daß sie noch da ist, und die sich auch auf die Gegenwart bezieht und die man jetzt erst versteht: Warum man in der Gegenwart vor Dingen Angst hat die im Grunde nicht gefährlich sind. Aber es hat sich an ganz bestimmte Vorgänge, die z. B. mit Autorität verknüpft sind, Angst gebunden. Und wenn man sich das nie klarmacht und nie lernt, dagegen bewußt anzuleben, wird die Angst bleiben.
Frage: Sie haben zu Anfang gesagt, daß Sie sich im wesentlichen – so habe ich es jedenfalls verstanden – an die Altersgenossen und Altersgenossinnen wenden, die alles so wie Sie erlebt haben, und daß Sie die Frage offen lassen, ob die Jugend, das heißt diejenigen, die das nicht erlebt haben, das auch so versteht. Und aus dem, was Sie uns heute vorgelesen haben, kann man entnehmen, daß Sie im wesentlichen versuchen, bei den Menschen, die das erlebt haben, die Erinnerungen mit Hilfe von Assoziationen einer neuen Wertung zuzuführen. Nun ergibt sich für mich die Frage, ob Sie daran glauben, daß es wirklich eine Information, eine Erfahrungsvermittlung von einer Generation zur anderen gibt; denn man macht immer wieder die Erfahrung, in den verschiedensten Lebensbereichen, daß junge Leute sehr bereitwillig und auch mit dem Bestreben sich der Vergangenheit nähern, Informationen ganz differenziert aufzunehmen, und es dort doch eigentlich nicht begreifen, wo man nur intellektuell aufnimmt. Aber man kann eigentlich nur etwas richtig verstehen, was man so assoziativ in sich befestigt, als Erinnerung befestigt hat, als Emotion durchlebt. Und in diesem Sinne noch mal die Frage: Glauben Sie, daß diese ganz umfassende differenzierte Erfahrung eigentlich weitergebbar ist?
C. W.: Das ist eine ziemlich schwierige Frage.
Frage: Ehe Sie antworten, noch Solidarität als Stichwort. Es ist Ihnen sicher aufgefallen, daß die Jugendlichen, als der Putsch in

Chile war, eigentlich erst ein paar Tage brauchten, um das zu verarbeiten, um zu einer Solidarität zu kommen.
Ich glaube, Sie sprechen mit Ihrem Buch ein Problem an, und zwar: Solidarität – ist das nicht weitestgehend aus unserer Sicht, zum Beispiel gerade auf Chile zugeschnitten, Rationalität? Ist uns das überhaupt emotional zugänglich – vom geographischen Abstand her, von der nationalen Entwicklung, vom Volkskolorit? Und damit stellt sich auch die Frage: Ist für uns heute überhaupt die Frage des Faschismus begreifbar in dem Sinne, wie Sie sie dort aufwerfen? (...)
Ihr Buch wird anscheinend in den Lesern vieles wieder hervorbringen und aufrühren. Ich frage trotzdem: Ist der Faschismus emotional für uns Jüngere verständlich? Denn darum geht es Ihnen ja. Ich meine, daß es rational klar ist, woher das kommt, ökonomisch, politisch, sozial – das ist geschenkt, das haben wir uns an den Schuhsohlen abgelaufen; das sollte man zwar auch immer wieder mal hören, dagegen bin ich gar nicht. Aber emotional ist das, glaube ich, uns nicht zugänglich.
Frage: Ich möchte noch dazu sprechen: Die Frage der fehlenden Emotionalität, die hier beklagt wird, bei der Solidarität, das ist meiner Meinung nach nicht auf Entfernung und solche Dinge, nicht auf verschiedenes Volkskolorit zurückzuführen, sondern ganz wesentlich auch auf die strenge Kanalisierung dieser Solidaritätsbewegung.
C. W.: Ja, das glaube ich auch. – Das haben Sie richtig herausgefühlt aus diesem Kapitel – das ganze Buch ist so –, daß ich versuche, die rein rationale Vermittlung von Wissen oder Erfahrung zu durchbrechen –, und zwar nicht, weil ich etwa antirational wäre; das bin ich sicherlich nicht. Aber weil ich auch diese Erfahrung habe. Ich habe mir in dieser Zeit natürlich sehr viel überlegt: Wann und wodurch hast du denn wirklich etwas nicht nur verstanden, sondern wann ist wirklich etwas Neues in Bewegung gekommen, eine Qualität in der Möglichkeit, zu leben und zu handeln. Das waren immer Situationen, in denen eine Emotion in Bewegung gesetzt wurde. Und mir scheint, daß wir in bezug auf die Vergangenheit – eben besonders auf dieses Stück unserer Vergangenheit, aber auch auf andere Abschnitte der Zeit, die wir erlebt haben – Emotionen zu weitgehend herausgefiltert haben. Die stehen neben den Erkenntnissen, man ist mit ihnen allein. Das hängt damit zusammen, daß die Einsicht, sich geirrt zu haben, leichter zu tragen ist als Scham, und daß überhaupt zutreffende Erkenntnisse nicht so

schwierig zu erwerben sind wie »richtige« Gefühle. Das eine ohne das andere macht aber merkwürdig gespaltene Menschen, wie wir sie ja um uns sehen.
Ich sprach über unsere Geschichtsbücher: Wie wird dort der Faschismus behandelt. Eines Tages fragte unsere jüngere Tochter uns: Wer war eigentlich dieser Eichmann? Da waren wir entsetzt, daß sie das nicht wissen konnte. In ihrem Geschichtsbuch war dieser Name wirklich nicht genannt. Es ist also kein Versuch unternommen – auch in den Deutsch-Büchern wohl nicht –, daß man gerade junge Leute auf diesen Typ eines sogenannten »Schreibtischmörders« aufmerksam macht. Daß man erklärt, welche historische Entwicklung so einem Typ zur Macht verhelfen kann. Wie eine solche Erscheinung überhaupt entstehen konnte auf deutschem Boden. Es gibt einen Ausspruch eines Polen, Kazimierz Brandys: Faschismus gibt es überall auf der Welt, aber die Deutschen sind seine Klassiker gewesen.
Ich muß sagen, daß das einer der Sätze war, die mir einen entscheidenden Stoß für dieses Buch versetzt haben. Ich habe sofort verstanden, daß er recht hat. Es ist wahr. Einen Hitler-Typ, einen Diktator, den kann man sich fast überall – natürlich national gebunden – vorstellen. Aber Himmler und Eichmann, das sind schon spezielle Erfindungen, die hier auf einem ganz bestimmten Boden, unter ganz bestimmten Bedingungen sich entwickeln und zur Macht kommen konnten. Das muß man wirklich, glaube ich, wieder durchdenken und versuchen zu durchleben.
Es ist eine Frage, die ich auch nicht schlüssig beantworten kann: Wie weit kann eine Generation der nächsten ihre Erfahrungen vermitteln? Aber vorher ist doch die Frage: Wie weit versucht sie es überhaupt? Sie kann es bestimmt weitergehend, als sie es bis jetzt tut, als wir es tun oder als es die Generation vor uns es mit uns getan hat.
Ich persönlich hatte Glück. Ich habe, als ich noch ziemlich jung, aber doch schon erwachsen war, Menschen getroffen, die keine Nazis gewesen waren und die mir mehr über diese Zeit erzählt haben, als in der Zeitung stand, stehen konnte, oder in den Geschichtsbüchern, oder als sie selbst in ihren Büchern schrieben, denn es waren zum Teil Schriftsteller. Und das war für mich sehr wichtig. Aber es hat – das ist mir jetzt erst klargeworden beim Schreiben –, es hat dazu geführt, daß zwischen den Lebensepochen der Kindheit – sagen wir: bis sechzehn Jahre – und einer neuen Etappe, wo sich, oberflächlich ausgedrückt, ein »neues Weltbild«

formiert hatte, eine Art Niemandsland liegt, und daß diese beiden Epochen, die jede für sich ziemlich deutlich und klar sind, getrennt sind durch einen Streifen von merkwürdiger Farblosigkeit. Das sind alles Probleme, die hängen mit der Emotionalität zusammen. Und damit, was man wirklich erlebt und erfährt durch Emotionen. Bei uns ist es üblich, ich meine auch im Elternhaus, die Erziehung möglichst nicht über starke Gefühle laufen zu lassen. Bloß nicht zuviel Gefühl! Bloß nicht exaltiert werden! Bloß nicht in Tränen ausbrechen, wenn da Leute umgebracht werden auf dem Bildschirm, und bloß nicht das Abendbrot dabei unterbrechen!
Das ist ein Zug der Zeit, und das ist genau der Zug, der die Jüngeren hindert, Assoziationen zu empfangen, und die Älteren, sie weiterzugeben. Wie weit es zu durchbrechen ist, weiß ich nicht. (...)
Frage: Ich möchte noch eine weitere Frage stellen. Und zwar möchte ich aus dem sicherlich vielen bekannten Artikel von Fritz Cremer zitieren: »Ich meine, als Kommunist hat man die Pflicht, offen über die schwierigsten Probleme zu diskutieren. Bei uns machen einige Künstler Zugeständnisse an die offizielle Politik. Andere versuchen, eigene Wege zu gehen, und kommen dadurch in Widerspruch zur offiziellen Meinung ... Ich meine, das sind die ernsten Gründe.« Dazu möchte ich Sie fragen: Kennen Sie auch diese Schwierigkeiten? Sind Sie selbst schon in Schwierigkeiten zur offiziellen Politik gekommen? Rechnen Sie bei Ihrem neuen Buch mit einer Kritik? Wie würden Sie der Kritik begegnen?
C. W.: (...) Wissen Sie, wenn Sie mich das vor – sagen wir, vier, fünf Jahren gefragt hätten, dann hätte ich sicher heftig und temperamentvoll darauf reagiert. Inzwischen reagiere ich etwas besonnener, und zwar nicht, glaube ich, weil ich nun auch »eingefangen« bin durch das, was Sie da die »offizielle Politik« nennen oder was Fritz Cremer vielleicht meint – ich glaube, vor vier Jahren, oder wann hat er dieses Interview gegeben? Der Zeitpunkt ist wichtig. Es ist wichtig, ob es heute oder vor vier Jahren gesagt wurde. Denn inzwischen würde auch Fritz Cremer das so nicht mehr sagen, »offizielle Politik« und das, was man in der Kunst ausdrücken will, in einen absoluten Gegensatz stellen, weil gerade in den letzten vier Jahren, wie Sie vielleicht wissen oder nicht wissen, sich doch ein größerer Spielraum eröffnete – das ist in dem Zusammenhang vielleicht kein gutes Wort: Mehr Möglichkeiten gegeben sind, Probleme aufzugreifen, Konflikte zu gestalten, die wir vorher nicht ausdrücken konnten oder nicht *so* ausdrücken konnten. Aber: Es

hindert doch keiner einen, zu schreiben. Insofern kann man das Verhältnis zwischen Kunst und Politik nicht unhistorisch, statisch sehen – man muß es konkret historisch untersuchen.
Aber das schafft die Grundfrage nicht aus der Welt. Die Grundfrage ist nicht die, ob eine »offizielle Politik« dies oder jenes verbietet. Das ist vorgekommen und wird immer vorkommen, aber das ist eine, finde ich, oberflächliche und langweilige Fragestellung. Heute konnten Sie lesen im Zusammenhang mit der Inszenierung des »Tasso«, daß Goethe den Tasso in den 80er Jahren geschrieben hat und erst 1807 an seinem Weimarer Hof aufführen konnte. Er hat sich auch nicht siebenundzwanzig Jahre lang ergrimmt, ist böse umhergegangen und hat gesagt: Ich kann den »Tasso« nicht aufführen! Das ist keine Haltung. Eine produktive Haltung ist viel schwieriger zu erwerben und zu entwickeln. Man kann leicht sagen: Jetzt werde ich die aber strafen, jetzt mache ich nichts mehr. Viel schwieriger ist etwas anderes: produktiv bleiben und gerecht. Ob ich Kritik erwarte? Natürlich erwarte ich Kritik. Und zwar erwarte ich alle möglichen Sorten von Kritik, darunter hoffentlich auch produktive, die die echten Punkte findet, die kritisierbar sind. Aber auch, wenn die nicht ist, dann wird Kritik sein, und es wird alles Mögliche gesagt werden, was ich Ihnen heute zum Teil schon sagen könnte, weil es sich nämlich immer wiederholt. Aber das alles ist nicht so wichtig. Wichtig ist, daß man sich selbst im Zusammenhang mit Leuten, zum Beispiel, wie sie heute abend hier sitzen, aber auch mit viel kleineren Kreisen, mit denen man oft zusammen ist, mit einzelnen Lesern, eine schöpferische Haltung erwirbt und bewahren kann. Das heißt auch, daß man nicht entmutigt ist oder jedenfalls nicht auf die Dauer entmutigt ist von meist vorübergehenden Dummheiten, die auftreten und die auch zeitweise sehr mächtig sein können, auch bösartig. Mir brauchen Sie es nicht zu erzählen, es ist so, ich weiß es.
Andererseits: Man selbst lebt nicht so furchtbar lange. Und wenn man vier oder fünf Jahre seines Lebens damit verbringt, sich über Hemmnisse zu ärgern, dann sind diese fünf Jahre weg, und das muß man irgendwann verstehen. Irgendwann muß man begreifen, daß man dazu da ist, ganz bestimmte Sachen zu sagen – deren Wert ich übrigens nicht überschätze, was mich betrifft; aber daß man die eben sagen muß, ganz egal, was gerade der oder jener Politiker oder die oder jene Zeitung davon denkt oder hält. Egal auch, was die Mehrheit der Leser darüber denkt. Und es sind wirklich nicht die schlechtesten und nicht die unberühmtesten unserer Kollegen,

die in der Vergangenheit oftmals Jahre und Jahrzehnte haben warten müssen mit Sachen, die für sie sehr wichtig waren und die sie in der Zeit geschrieben haben, die dafür keine Verwendung hatte.
Also ich finde, das ist wirklich, nachdem wir keine kleinen Kinder mehr sind, unsere eigene Angelegenheit: eine gewisse Souveränität zu zeigen und den Raum, den wir hier bei uns ja haben und den ich vor allem als ein fruchbares Spannungsverhältnis von Autor und Lesern sehe, ganz auszuschreiten. Und darüber können wir uns nicht beklagen, daß wir die Möglichkeit nicht hätten, in ein produktives Verhältnis zu denjenigen zu treten, die das, was wir machen, interessiert. Die natürlich nicht immer nur zustimmen, aber die das eben wissen wollen, die sich daran reiben wollen, die dazu etwas zu sagen haben, oder die dann auch sagen wollen: Nein, das ist es nicht, was ich darüber denke. Das ist ja ihr gutes Recht. Und da hat man das Gefühl, daß etwas eingreift, daß da nicht zwei glatte Flächen aneinander vorbeirutschen, sondern daß irgendein Zahnrad eingreift, daß da etwas sich mitbewegt – indirekt, wie eben Literatur überhaupt nur wirken kann.
Und es ist meine Meinung, daß man sich zu dieser Öffentlichkeit achtungsvoll verhalten sollte. Ich spreche jetzt mal nicht von »offizieller Politik«, ich spreche von »Öffentlichkeit«. Und Öffentlichkeit ist bei uns ziemlich gut entwickelt – die sich allerdings nicht in der Zeitung so artikuliert, wie man es sich wünschen würde und wie sie wirklich vorhanden ist, aber an vielen anderen Stellen, darunter auch in Leserpost. Ich habe mich nie isoliert gefühlt, auch in Zeiten nicht, in denen mein Name nicht in der Zeitung erschien. Und deshalb auch nie das Bedürfnis, diesen Lesern untreu zu werden. Das ist die eine Seite. Die andere Seite ist – das will ich nicht herabmindern –, daß eine Zeit, in der sehr massiv dumme, kunstfremde und feindliche Meinungen herrschen und immer und überall vertreten werden, natürlich hemmend wirkt auf die Produktion – auch dann, wenn man versucht, sich dagegen zu wappnen. Da verbraucht man einfach zuviel Kraft, um sich dagegen zu wenden, anstatt die Kraft zu einem produktiven Weitergehen nutzen zu können. Da wird man auch leicht unkritisch gegen sich selbst; denn wenn man sich andauernd gegen dumme Vorwürfe wehren muß, dann kommen die Kritiken, die richtig, die berechtigt sind, die man verarbeiten müßte, schließlich auch nicht mehr an. Man wird unkritisch zu seinen Kollegen, denn wenn der immerzu kritisiert wird aus Gründen, die man nicht teilen kann, sagt man

ihm auch nicht mehr die Kritik, die man an seiner Sache hätte, die man vielleicht sagen sollte. Und es geht ihm mit mir natürlich auch so.

Damit will ich nur sagen, daß eine solche Zeit, wie wir sie ja gekannt haben, kunsthemmend und entmutigend gewesen ist. Nur finde ich, man soll dazu kein larmoyantes Verhältnis haben und sich vorstellen, daß der Kampf um den Realismus in der Kunst irgendwann aufhören oder leicht sein wird. (...)

Frage: Sie sagten, daß Sie auch einen Beitrag zur Vergangenheitsbewältigung unserer Geschichte leisten wollen. Warum nehmen Sie dann die Beispiele aus der aktuellen Zeitgeschichte aus dem Bereich der Länder Chile, USA und Vietnam; warum nicht auch sozialistische Länder?

C. W.: Ich sagte schon, daß in anderen Kapiteln auch Beispiele dafür kommen. Das ist nicht so einseitig. Allerdings kam in der Zeit, in der ich das Buch schrieb, die Haupterschütterung in bezug auf faschistische und faschistoide Entwicklung, für die ich besonders offen war, die mich besonders betrafen, aus diesen Ländern. Das habe ich aufgenommen. Und was mich auch sehr beschäftigt hat und noch beschäftigt: ein Besuch in den USA und was ich dort glaubte, sehen zu müssen: das sind Dinge, die auch mit der eigenen Biographie gerade in dieser Zeit zusammenhängen. Aber ich verstehe, was Sie meinen, und Sie haben vollkommen recht damit, daß das, was in unseren Ländern uns beschäftigt und worüber wir innerlich in Spannung sind und womit wir uns auseinandersetzen – daß das natürlich gestaltet werden muß. Es ist nur eben die Frage, wann, wie und wo. Von mir aus, glaube ich, kann ich sagen, daß ich dem nicht ausweichen will.

CHRISTA WOLF

EIN SATZ

Danksagung nach Empfang des Bremer Literaturpreises 1977

Jetzt sollte ich sagen: Ich danke Ihnen. Ein simpler deutschsprachiger Satz, hierher gehörig. Subjekt, Prädikat, Objekt. Was fehlt ihm denn, oder mir? Ich weiß nicht, ob Sie es hören können: Er klirrt. Als hätte er einen feinen Sprung.

Das greift um sich: Sprünge in den Wörtern, Risse durch die Sätze, Brüche über die Seiten, und die Satzzeichen – Punkte, Kommas –

Klüfte und Gräben. Nicht zu reden von den Fratzen der Fragezeichen, vom rätselhaften Verschwinden der Ausrufezeichen. Eine Sprache, die anfängt, die üblichen Dienstleistungen zu verweigern. Worauf das hinweist, woher es kommt und wozu es führen mag – dies zu erörtern bin ich nicht hier; es ist schwierig und langwierig, entzieht sich auch bis auf weiteres der wörtlichen Rede. Den einen Satz aber – »ich danke Ihnen« – den ich ertappt habe und dingfest machen kann, will ich mir vornehmen, und zwar, weil es kein schwerer Fall zu sein scheint, mit Hilfe der Kleinen Grammatik der Deutschen Sprache, die ich seit langem besitze und selten benutze. Erstes Hauptkapitel: Der Satz.
»Lebendiges Sprechen«, lese ich da gleich – ein Stichwort, das ich hier nicht gesucht hätte –, »lebendiges Sprechen wird aus einer Sprechsituation geboren, d. h. aus einer Lage, die wegen bestimmter innerer und äußerer Voraussetzungen zu einer sprachlichen Äußerung führt.«
Vortrefflich, das hilft weiter. Situation, Lage, Voraussetzungen – die äußeren jedenfalls – könnten zwingender kaum sein. Umblätternd erfahre ich, der kürzeste vollständige Satz, den das Deutsche kennt, sei der Imperativ der zweiten Person. Hier lautet er: Sprich! Lebendiges Sprechen. Ja, wie denn. Gewiß, ich weiß, am ehesten noch in Vor-Sätzen wie diesem: »Ich will mein Herz nicht mehr binden und rädern, frei soll es die Flügel bewegen, ungezügelt um seine Sonne soll es fliegen, flöge es auch gefährlich, wie die Motte um das Licht.« Heinrich von Kleist; und man weiß, wohin solche Reden führen; nämlich zum Tode nicht nur, sondern auch zu gewissen Nach-Sätzen: »Es ist nichts trauriger anzusehen, als das unvermittelte Streben ins Unbedingte in dieser durchaus bedingten Welt.« Johann Wolfgang von Goethe, natürlich, und man weiß: Er hat ja recht, und man möchte nicht Schiedsrichter sein müssen zwischen diesen beiden Sätzen, die selbstverständlich nicht in der Grammatik stehn, zu der ich also zurückkehre.
Auf festen Boden, zwischen nüchterne Paragraphen, die wohl imstande sein sollten, den Zweifel aus meinem Satz herauszutreiben.
§ 56: *Das Subjekt:* »Das Untergelegte.« In unserem Fall ein Personalpronomen: »Ich«. »Begabt mit der Kraft, ein Verb an sich zu binden.« Dem Satz untergelegt, damit es ihn zuverlässig trage. – Nun: Die Geschmacklosigkeit, zu fragen: Wer bin ich? werde ich nicht besitzen. Doch: Wer bin ich denn für Sie? Genauer: Für wen halten Sie mich? Glauben Sie zu wissen, wen Sie auszeichnen, oder

wissen Sie es? Und: Täten Sie es noch, wenn Sie es wüßten? – Ich frage.

§ 63: *Das Prädikat:* »Das öffentlich Ausgerufene.« Eben. Dabei kamen Massenmedien in den Alpträumen der alten Lateiner noch gar nicht vor; die Öffentlichkeit meines Satzes erschwert ihm sein Dasein; krankhafte Sensationsgier und unbedenkliche Interpretationswut zerstören die Bedingungen für unbefangene Aussagen.

»Danken« – ein Vollverb, jener Gruppe von Verben angehörend, die persönliches Verhalten ausdrücken: Danken und übelnehmen; beipflichten und widersprechen; gefallen und mißfallen; begehren und entsagen; nützen und schaden; vertrauen und mißtrauen; huldigen und schmähen, nachgeben und widerstehn; helfen und wehetun: Gäbe es ein Tätigkeitswort, das von diesen allen etwas in sich hätte! Darauf ist die Sprache nicht gefaßt. – Oder doch? Die Reibung, der Wider-Spruch, sind nicht ins Wort, sie sind in den Satz eingebaut. »Gott weiß, daß oft dem Menschen nichts anderes übrig bleibt, als Unrecht zu tun.« (Kleist) Schmerzlichster Widerspruch, auf die Allerhöchste Autorität angewiesen, um nicht vor Angst zu vergehn – und auf eine kompliziertere Satzstruktur als unser Sätzchen. Denn in der hierarchisch geordneten Sprache macht der Haupt-Satz andere Satzglieder, ganze Neben-Sätze von sich abhängig, regiert sie nach Herzenslust, unterwirft sie sich, kann binden und lösen – nach Regeln, an deren Verfestigung er sehr interessiert zu sein scheint.

§ 84: *Das Objekt:* »Das Entgegengeworfene.« Nicht ohne Schuldgefühl lasse ich mir Muster-Sätze vorhalten, in denen, genau wie in dem bescheidenen Satz, der zur Debatte steht, »ein Dativ-Objekt dem Verb entgegenkommt oder von ihm betroffen wird«. »Das Kind gehorcht den Eltern.« »Die Gesetze dienen dem Menschen.« »Er vertraut seinem Freund.« Das klirrt und scheppert mir, unter uns gesagt, ganz gehörig, doch dieses Eingeständnis mag überflüssig sein. Bleiben wir bei »Ihnen«, dem Dativ-Objekt unseres Satzes, das mir, ich sage es rundheraus, fremd ist. Ich kenne Sie nicht. In welchem Sinne, möchte ich wissen, kommen Sie meinem Dank entgegen? In welch anderem Sinn könnte er Sie treffen? Begegnen sich, und sei es flüchtig, unsere Ansichten und Absichten in einem Wort? Ich weiß es nicht, hoffe es. Subjekt und Objekt sind einander nicht gewiß, das kann ja sein; die tieferen Sprünge kommen doch erst, wenn man die Stimme hebt, Gewißheit vorzutäuschen.

Ich stocke. Habe ich den Anlaß, den Satz, die Sprechsituation

überanstrengt? Sind wir alle nicht oftmals heilfroh, wenn wir glatte, verbindliche Sätze aneinander vorbeigleiten lassen können? Und die Nichtübereinstimmung von Anlaß und Befinden – das, was wir »gemischte Gefühle« nennen – so neu ist das ja nicht. Erfrischend immerhin das ungebrochene Behagen des alten Wieland, den meine Grammatik mit einem Beispielsatz für das Genitivobjekt zitiert: »Ich genieße meines Reichtums und andere genießen ihn mit mir!« Wie schön! möchte ich rufen.
Aber wenigstens wissen wir jetzt, warum ein schlichter Satz mir nicht glatt von der Zunge geht: Ich zweifle, ob er genau dem Sachverhalt entspricht, richtiger: dem Personenverhalten, den »inneren Voraussetzungen.« »Vor allem eins, mein Kind, sei treu und wahr« – den Kinderschuhen sind wir entwachsen, nicht ohne Einübung in die Kunst des Lügens, die ja zu den Überlebenstaktiken gehört. Dennoch, und weil wir uns heute auf Literatur beziehen, und weil Literatur auf die Dauer nicht taktisch sein kann, wenn sie überleben will: Gilt also und soll weiter gelten, was die Grammatik als ein Beispiel für vielfältige Möglichkeiten des Satzgefüges anführt: »Es hört doch jeder nur, was er versteht?«
Beziehungsweise: Ein jeder liest nur, wie er's lesen will? Verkennende Kritik, umdeutendes Lob, und dies, das ist das bedenklichste oftmals nicht in böser oder guter, sondern in »ehrlicher« Absicht, die aber unbekümmert bleibt um die Voraus-Setzungen des jeweils andern. Man kennt einander nicht, und warum? Die Fähigkeit zum Urteil ist von der Lust am Vor-Urteil, die Fähigkeit zum Nachdenken vom Zwang zum Wunsch- und Verwünschungsdenken aufgezehrt. Wir leisten uns das Vergnügen, ungerecht zu sein, und zahlen, kaum merken wir es noch, den Preis: daß wir uns selbst nicht wirklich kennenlernen. Wie es scheint, ist es nicht. Aber ein Heer von öffentlichen Ausrufern will uns glauben machen, daß der Schein nicht trügt. Wollen wir uns denn noch so sehen, so loben, tadeln, auch bedanken, vor allem aber: erfahren, wie wir sind? »Um zu begreifen, daß der Himmel überall blau ist, braucht man nicht um die Welt zu reisen«, liefert meine Grammatik als erweiterte Infinitivkonstruktion.
»Aufrichtig zu sein, kann ich versprechen, unparteiisch zu sein aber nicht.« Treffliches Goethesches Beispiel für eine Satzverbindung. Wenn da jeder, dem öffentliche Rede obliegt, von sich wüßte und gelegentlich sagte! Überhaupt gefallen mir Sätze mit »aber«, sie lassen sich schwerlich zu Lehr-Sätzen erhärten; Literatur, die nicht Sprüche klopft, sondern Widersprüche hervortreibt, kann auch

zum »Aber«-Sagen ermutigen – auf die Gefahr hin, daß die feinen und unfeinen Risse in den Grund- und Lehrsätzen sehr spürbar werden, und daß man das vielleicht schwer erträgt. Nun stellte sich bisher jedem Aber immer wieder ein Dennoch gegenüber: »Sei dennoch unverzagt. Gibt dennoch unverloren.« Dies mitten im Dreißigjährigen Krieg, als die Dichter noch Lebensregeln gaben: Paul Fleming, der, im gleichen Gedicht, die unglaubliche Zeile wagt: »Was du noch hoffen kannst, das wird noch stets geboren.« Drei Jahrhunderte. Natürlich: Die Zeit selbst ist es, die den Zweifel heraustreibt, sehr weit heraus, tief in die Sprache hinein, daß sie – den verwickeltsten Umständen und jeder Feinheit eigentlich gewachsen – doch nun oft, allzu oft, kapituliert. Nicht die klirrenden und schwer atmenden Sätze sind ja die gefährlichen. Die einschläfernden, plattgeschlagenen, bis auf die Knochen abgenutzten, die herrischen und die schmeichelnden sind es, die Lug und Trug betreiben, also Mord und Totschlag. – Es zieht meine Grammatik, in deren Labyrinth ich mich lange verlor, mächtig zu den Partizipialsätzen hin. »Fanatisch sein Recht verfechtend, wurde Michael Kohlhaas zur tragischen Gestalt«: Ja, als sein Recht schon sein und vieler Leute Leben aufgefressen hatte, so daß er sich nicht mehr befragen durfte, wohin es ihn trieb, und warum. Zweites Beispiel: »Und tiefer suchend, fror ich mehr, und dann gestorben, kam ich hier ins Schattenreich.« Brecht. Erfrieren, Ersterben, Selbstverlust als Folgen »tieferen-Suchens«?
Ich wundere mich nicht, daß wir Angst haben, uns über »die dunkle, unenthüllte Tiefe der Sprache« zu beugen, von der Humboldt spricht, und Anteil zu nehmen an ihren Schicksalen: Da es uns so schwer fällt, uns für uns selbst zu interessieren. Unpersonen trifft keine Anrede mehr. In unpersönlichen Sätzen gehen sie miteinander um, effektiv, unverbindlich. Sprache, die leerläuft, Zweck wird, anstatt Mittel zu sein: Böser Zauber in einer entzauberten Welt. Ohne Anteilnahme kein Gedächtnis, keine Literatur. Ohne Hoffnung auf Anteilnahme keine lebendige, nur gestanzte Rede; keine ruhigen, klaren Aussagesätze, weil an die Stelle der Tatsachen Behauptungen treten; keine Frage-Sätze (»Was ist das, was in uns lügt, mordet und stiehlt?« Büchner); kein Zwiegespräch, nur strikte Monologe; kein Selbstbekenntnis, aus Furcht vor der eifernden Meute; keine Klage (»Ach, das Leben wird immer verwickelter und das Vertrauen immer schwerer!« Kleist); kein Mitleid (»Wenn das Deine Mutter wüßt, das Herz im Leib tät ihr zerspringen.«) Keine Sprache, die unsern notwendigsten, auch

gefährdetsten Denk- und Fühlwegen folgen, sie festigen könnte. Keine Weisheit, keine Güte. Und kein Satz, der offen bleibt, offen wie eine Wunde. Dafür – anwachsende Teilnahmslosigkeit versuchsweise vorausgesetzt – mehr Sätze, die uns im Halse steckenbleiben, die uns in ihn zurückstoßen werden. Die unausgesprochenen Sätze sind die, nach denen nicht dringlich gefragt wird. An ihrer Stelle immer häufiger Er-Satz, Zu-Sätze, Bei-Sätze, Auf-Sätze, Fort-Sätze.

Was tun? Anteil nehmen, reden, schreiben. Das Buch, das Ihnen einen Preis wert ist, erinnert unter anderem eine Kindheit in einem Deutschland, das, ich erhoffe es leidenschaftlich, für immer vergangen ist. Auch heute wachsen Kinder auf, in den beiden deutschen Staaten. Fragen wir uns denn ernst genug: Wie sollen die, wenn sie groß sind, miteinander reden? Mit welchen Wörtern, in was für Sätzen, und in welchem Ton?

Meine Damen und Herren, ich danke Ihnen.

»ICH BIN SCHON FÜR EINE GEWISSE MASSLOSIGKEIT«

Christa Wolf im Gespräch mit Wilfried F. Schoeller

Frage: Durch Ihr Werk zieht sich die Frage nach der Teilhabe des Einzelnen an der gesellschaftlichen Wirklichkeit. Sie haben dafür immer wieder neue Antworten gefunden. In Ihrer Erzählung »Der geteilte Himmel«, 1963, haben Sie, glaube ich, versucht, den Alltag literarisch zu überhöhen. Inzwischen, scheint mir, hat der Abstand dazu erheblich zugenommen.

Christa Wolf: Abstand? Ich weiß nicht genau, ob es Abstand ist. Bestimmt hat der kritische Abstand zugenommen. Aber auch eine stärkere Sicherheit meiner selbst innerhalb dieser Realität. Das kann auch bedeuten: stärkerer Abstand, stärkeres Fremdwerden, Verfremden.

Schreiben ist immer überhöhen, das soll nicht vermieden werden. Es handelt sich um eine Kondensierung dessen, was wir erleben. In diesem Sinne hat der Abstand nicht zugenommen; ich erfahre die Realität noch genauso scharf – vielleicht noch schärfer in mancher Hinsicht als früher.

Frage: 1968 galt Ihr »Nachdenken über Christa T.« einem Versuch der Selbstfindung, der an der Wirklichkeit scheitert. Da scheint der Konflikt im Umgang mit der äußeren Wirklichkeit verschärft.

Christa Wolf: Ja, ganz sicher verschärft. Aber ich scheue solche Worte wie scheitern ...
Frage: Scheitern aus einem Ungenügen an der Realität, wie Christa T. es empfand.
Christa Wolf: Das ist für mich ein ganz zentrales Problem: Was ist scheitern überhaupt, und woran mißt man Erfolg? Ich möchte das Wort »Scheitern« für Christa T. überhaupt nicht benutzen. Es ist gegen dieses Buch oft als Vorwurf gebraucht worden. Aber ich weise es nicht aus diesem Grund zurück. Ich messe vielmehr Scheitern und Erfolg an vollständig anderen Maßstäben als zum Beispiel die Wirtschaft oder die Politik. Das gerade kann die Literatur in unseren Gesellschaften vielleicht leisten – ohne größere Wirkung selbstverständlich: Sie bietet eine der wenigen Möglichkeiten, einmal andere Maßstäbe einzuführen, menschliche, die nicht aus Wirtschaft, Politik und ähnlich großen Komplexen genommen sind. Insofern scheitert Christa T. nicht, wenn sie mit ihrer Selbstverwirklichung (nehmen wir das abgegriffene Wort) nicht zu Rande kommt, wenn sie nicht erreicht, was sie will, oder bis zum Ende nicht ganz genau weiß, was sie will. Aber sie hat in dieser Zeit wirklich gelebt, wie sie es kann und will. Ich weiß nicht, was man sonst als Selbstverwirklichung bezeichnen kann.
Die andere Sache: das Ungenügen an der Realität. Sicher ist es schärfer geworden mit der stärkeren eigenen Bewußtheit, einem Mehr an schärferen Erfahrungen vielleicht. Aber es bedeutet nicht, und man wird aus meinen Büchern nicht lesen können: ein Zurückweichen vor der Realität. Bis jetzt glaube ich, mich dieser Realität zu stellen, so daß zwar eine Dauerspannung besteht, aber keine resignative.
Frage: Mir geht es vor allem um den Abstand zwischen dem, was gemeinhin mit öffentlichen Worten als Realität deklariert wird und seine Anforderungen stellt, und den Figuren in Ihrem Werk. Meine Frage: Haben Sie – als ihre Erfinderin – Ihre Figuren in ihrem Abstand zu den pragmatischen öffentlichen Worten inzwischen eingeholt?
Christa Wolf: Ob ich genau den gleichen Abstand habe? Weiß ich nicht genau. Auf jeden Fall gebe ich Ihnen recht, daß ich diesen Abstand sehr stark empfinde, daß, so glaube ich, bestimmte öffentliche Bekundungen die Realität nicht zutreffend beschreiben oder jedenfalls nicht so zutreffend beschreiben, daß die Literatur nicht etwas ganz anderes versuchen müßte.
Frage: Früher, im »Geteilten Himmel«, war diese Wirklichkeit

etwas Vorläufiges. Sie war gleichsam in der Aura des Utopischen ...
Christa Wolf: ... ja, das stimmt.
Frage: ... und mir scheint, daß diese Aura bis zu »Kindheitsmuster« ganz verschwunden ist.
Christa Wolf: Ich weiß nicht, ob man die beiden Bücher in diesem Punkt vergleichen kann. Darum fällt es mir etwas schwer, diese Frage zu beantworten.
Frage: Mir geht es um die Frage, ob sich eine Bewegung weg von der Utopie feststellen läßt.
Christa Wolf: Darf ich die Frage etwas von meinem letzten Buch wegrücken. Da fällt es mir wirklich schwer zu antworten. Grundsätzlich: Mein Verhältnis zur Utopie – nicht das meiner Figuren – wird eher stärker und bewußter, weil die Realität sich verfestigt, etabliert hat.
Das ist wahr: Bestimmte Strukturen sind ganz fest geworden und ihre Veränderbarkeit kann man nicht voraussehen, soweit es überhaupt wünschenswert ist – das lasse ich offen. Jedenfalls sehe ich mich einer verfestigten Wirklichkeit gegenübergestellt, und ich sehe gerade im Schreiben eine Möglichkeit, Utopie überhaupt noch einzuführen, Elemente von Hoffnung, um dieses altmodische Wort ruhig zu gebrauchen. Daran halte ich sehr fest. Ganz im Gegensatz zum Pragmatismus, auch zu pragmatischen Anforderungen an die Literatur, bin ich sehr daran interessiert, auch in späteren Arbeiten dieses Element von Utopie weiter einzuführen.
Frage: Christa T. versuchte, dem Wunsch nachzuleben, auf eine andere Art in der Welt zu sein, – so ein Zitat aus Ihrem Buch. Nun besteht wohl in Ihrer Gesellschaft wie bei uns eine Tendenz – da gibt es allmählich eine fatale Koinzidenz –, eine Literatur, wie Sie von Ihnen gerade skizziert wird, auszugliedern, also intellektuelle Prozesse, die in jedem Fall das Bestehende in Frage stellen, so daß die Schriftsteller immer mehr zu dem werden, was Sie in Ihren Büchern beschreiben: Außenseiter.
Christa Wolf: Ich leugne nicht, daß ich diese Außenseitererfahrung durchaus kenne und daß sie ein schwer zu verarbeitender Prozeß ist. Nur laufen diesen Erfahrungen auch immer gegenteilige zu. Ich kann diese Situation nicht mit der eines Autors bei Ihnen vergleichen, weil ich darüber einfach zu wenig weiß.
Zum Beispiel erfahre ich hier, bei uns, sehr stark die Anforderungen von Lesern. Ich will nicht behaupten, daß es Hunderttausende sind. Aber das kann Literatur auch nicht erwarten. Aber daß dieses

Element in der Gesellschaft überhaupt da ist, gibt mir immer wieder das Gefühl nicht nur des Gebrauchtwerdens, sondern auch des Nicht-Außenseiters. Oder ich würde in einer so großen Gruppe von Außenseitern leben, daß man dieses Wort schon nicht mehr gebrauchen kann. Eine Ausgliederung gibt es deshalb nicht. Es findet eine Polarisierung statt. Es sind jetzt Meinungsverschiedenheiten da, die offen ausgetragen werden, zu denen sich auch Leser bekennen – so oder so. Das ist eigentlich ein ganz positiver Prozeß.

Frage: Bemühen wir uns einen Augenblick um eine politische Sicht im pragmatischen Sinn: Wir haben, wozu es keine Alternative gibt, den Status quo und mit ihm in beiden deutschen Staaten eine wohl ähnliche Entwicklung: Diejenigen, die in ihrem Staat versuchen, über das Bestehende, das sich unabänderlich, gewissermaßen geschichtslos setzen will, hinauszudenken, werden ausgegliedert, dem anderen Lager zugeschlagen. So kann das Utopische als etwas Schrilles zunehmen, aber auch die Außenseiterposition muß sich verschärfen.

Christa Wolf: Ich weiß es nicht. Ich fühle mich überfordert, in diesem Punkt Prognosen zu stellen. Da gab es schon öfter Überraschungen. Ich selbst sehe mich nicht als Außenseiterin und möchte es nicht werden. Es kann sein, daß ich dazu gezwungen werde, aber dann gegen meinen Willen und gegen alles, wofür ich lebe und schreibe.

Das liegt mir nicht.

Andererseits hat gerade die deutsche Literatur in ihrer Geschichte, besonders seit Beginn der bürgerlichen Phase, immer wieder diese Erfahrungen gemacht, daß sie ausgegliedert, ausgestoßen wurde. Und die nächste Phase der Entwicklung des Landes, der Gesellschaft, hat genau diese Autoren gebraucht und das, was sie bewahrt haben. Ich bin mir nicht sicher, daß es so sein wird. Vielleicht braucht uns die nächste und die übernächste Generation überhaupt nicht. Vielleicht will sie keine Geschichte mehr haben, dann gibt es auch keine Geschichten mehr. Nur glaube ich das nicht.

Ich habe mich entschlossen, so zu schreiben, als ob meine Literatur noch und immer wieder gebraucht würde. Das heißt: radikal, ganz radikal – nicht schrill. Radikal und so umfassend wie möglich mit dem Verständnis auch für die anderen. Denn ich verstehe es, warum Menschen, die ein völlig anderes Leben führen als meine Kollegen und ich, so oft an uns Anstoß nehmen. Ich hoffe, daß ich es schaffe, daß die Brücke zwischen der Alltagsnormalität, die ich sehr achte, und dem Leben, das ich führen muß, nicht abbricht. Und ich habe bis jetzt auch keinen Grund, dies anzunehmen.

Frage: »Bücher sind Taten«, hat Heinrich Mann in einer schwierigen Situation der Weimarer Republik gesagt, – ein in Ihrem Land viel zitierter Satz. Sie selbst aber haben sich, wenn ich das richtig sehe, nicht so sehr als eine »eingreifende« Schriftstellerin verstanden. Ist das Bewußtsein, daß Sie mit Ihrer Literatur etwas bewirken, gewachsen?

Christa Wolf: Nein. Ich glaube nicht, daß Bücher direkt etwas im politischen Feld bewirken. Es ist ein Mißverständnis zu glauben, daß sie das überhaupt sollen. Selbstverständlich gibt es Zeiten, in denen Autoren, die auf bestimmte Weise ganz bestimmte Themen behandeln, etwas bewirken können. Aber eine solche Situation ist jetzt nicht – und schon lange nicht, und sie wird wohl auch auf längere Zeit nicht sein.

Eine Merkwürdigkeit: Ich bin manchmal versucht zu behaupten, Literatur bewirke gar nichts, widersetze mich aber dann selbst diesem falschen Maßstab, denn die Literatur als Ganzes bewirkt scheinbar nichts, aber wenn sie nicht wäre, möchte ich zum Beispiel überhaupt nicht leben. Insofern muß sie doch etwas bewirken. Das heißt: sie gibt mir – und ich weiß, daß ich da kein Ausnahmemensch bin – eine Tiefe, eine zusätzliche Dimension im Leben, die es mir überhaupt möglich macht, mich auf den nächsten Tag zu freuen. Dies scheint mir denn doch eine Art von Wirkung, die gar nicht überschätzt werden kann – nur auch nicht gemessen. Ich wüßte nicht, mit welchen Maßstäben.

Frage: Kommen wir noch einmal auf das Verhältnis von Utopie und Literatur zurück. Wenn Sie nach wie vor darauf bestehen, daß Literatur eine der wenigen Möglichkeiten ist, Utopisches zu setzen, ist dann die Literatur nicht zu einer Art Asyl geworden – von einem Sammelbecken solcher Möglichkeiten, einem öffentlichen Austragungsort, zum Asyl?

Christa Wolf: Nein, so sehe ich das nicht. Vorübergehend kann die Öffentlichkeit darauf verzichten, von der Literatur Gebrauch zu machen. Dann ist die Literatur vielleicht eine Art von Tresor, in dem man etwas aufhebt, wovon man sich später wieder bedienen kann, wenn man will. Aber Literatur ist immer öffentlich, immer aktiv und in meinem Verständnis nie ein Rückzugsgebiet.

Frage: Sie wollen sich den Widersprüchen der Realität, dem Ungenügen an ihr, durch Produktivität stellen. Woher kommt eigentlich das Zutrauen, daß man die Kraft dazu hat?

Christa Wolf: Das Zutrauen ist keineswegs gleichbleibend stark, im Gegenteil. Ich kenne Phasen, in denen ich das Zutrauen zu mir verliere, aber auch ein gewisses Zutrauen dazu, daß mein Beitrag überhaupt verwendbar ist für die Art von Realität, wie sie jetzt heranwächst.

Ich weiß nicht, ob dies das Letzte ist, was ich dazu sagen möchte; ich glaube, sicher nicht. Man kann ad hoc so schwer formulieren, man nimmt die Formulierung, die obenauf liegt. Obenauf liegt nun bei mir die Antwort: Ich habe noch eine solche Reserve von Zutrauen, von Produktivitäts-Antrieb aus dieser starken Identifikation mit dieser Gesellschaft und aus der starken Betroffenheit von allem, was diese Gesellschaft betrifft, ich kann mich nicht herausziehen. Und dieses Auf-alle-Fälle-Mitbetroffensein gibt neben vielem, was manchmal bis zur Verzweiflung reichen kann, auch diesen Produktivitätsschub. Es gibt noch so vieles, was ich schon weiß und noch nicht gesagt habe. Das ist eine große Herausforderung.

Frage: Der Einzelne, das Ich und die Gesellschaft, – ein Grundthema Ihrer Arbeiten. Ist dieses Ich gegenüber dem herrschenden kollektiven Selbstverständnis nicht schon die Abweichung, die Spannung?

Christa Wolf: Die Spannung gewiß. Das ist mir schon seit »Christa T.« bewußt, zumindest seit den Reaktionen darauf. Ich muß einfach akzeptieren, daß ich eine solche Spannung darstelle. Aber ich habe nie gesehen, daß ich ein der Gesellschaft absolut gegenübergestelltes, von ihr abweichendes, um keinen Preis mit ihr in Übereinstimmung zu bringendes Wesen sei. Ich sehe eher, daß man in einer Gesellschaft, die im Grunde Produktivität erfordert (wie auch immer sie diese in bestimmten Phasen abweist), dieses Spannungsverhältnis fruchtbar machen kann. Dies macht den Versuch meiner Figuren in den Büchern aus – ob Christa T. oder Kleist und die Günderrode in der Erzählung »Kein Ort. Nirgends«: Im Grunde sind sie am tiefsten mit ihrer Zeit verbunden und weichen deshalb ab, weil sie sich nicht anpassen können, d. h. nicht glatt und reibungslos werden und für die Zeit im tieferen Sinne ganz nutzlos.

Frage: Soweit ich das sehe, gibt es in dem Staat, in dem Sie leben, einen außerordentlichen Stolz auf das Erreichte, um nicht zu sagen: eine Saturiertheit, die utopische Ansprüche abweist. Wenn nun Literatur, wie Sie sagten, ein Tresor für Utopisches ist: wird sie dann heute nicht stärker an den Rand gedrängt als zu Zeiten des »Geteilten Himmels« (1963) oder der »Christa T.« (1968)?

Christa Wolf: Was Sie von Stolz sagen, stimmt. Sie treffen bei uns mehrere Arten von Stolz an, darunter einen sehr berechtigten, der nicht Übermut und Hochmut ist; sicher auch einen primitiven, vordergründigen Stolz, der sich nach außen hin wahrscheinlich unangenehm ansieht, aber auch so etwas wie »In-sich-Gehn«. Die Generation, zu der ich gehöre, die um die fünfzig ist, hat in den letzten Jahren angefangen, zurückzublicken und zu fragen: Was haben wir eigentlich gemacht. Es handelt sich ja um die Generation, die das meiste in diesem Staat gemacht hat in den letzten zehn, fünfzehn Jahren. Sie hat die Stellen eingenommen. Nun differenziert sie sich und bietet damit ein Abbild der Differenzierung dieser Gesellschaft überhaupt. Sie treffen also in unserer Generation alles an: alle Ämter, alle Funktionen, alle Lebenshaltungen. Da alles vertreten ist und da wirklich Widersprüche vorhanden sind, keine Einhelligkeiten, sondern sehr starke Konflikte, glaube ich: da genau liegt Hoffnung für Literatur. Darin liegt begründet, daß so viele von uns diese Hoffnung aufrechterhalten und sich nicht in eine Randstellung drängen lassen, indem sie festhalten an ihren Vorstellungen über die Gesellschaft, indem sie unbeirrt weiter daran arbeiten. Diese Ausgangsbasis finde ich ganz produktiv.
Ich wüßte z. B. nicht, was man der bürgerlichen Gesellschaft noch abgewinnen sollte: an Hoffnung, an Stoff auch. Es ist eigentlich alles schon gesagt und kann nur variiert werden. Ich stelle mir vor, daß man, wenn man in Westdeutschland lebt, untersuchen müßte, woher der Terrorismus kommt und die barbarische Reaktion darauf, woher der Ausbruch von Barbarei in dieser saturierten Gesellschaft plötzlich. Das Thema könnte sicher noch reizen.
Aber auch bei uns gibt es Widersprüche, die manchmal zerreißend sind und ausweglos erscheinen können. Dennoch ist wohl die Möglichkeit gegeben, sich dem zu stellen. Ich habe fast nie das Gefühl einer unproduktiven Situation.
Frage: Aus den Erfahrungen der letzten Jahre gesehen: Erscheinen die Intellektuellen bei Ihnen nicht doch als eine Avantgarde ohne Hinterland?
Christa Wolf: Das sind sie ja in der deutschen Geschichte oft gewesen. Vielleicht ist jetzt in der Bundesrepublik eine solche Situation. Aus dem, was ich selbst erlebe und von meinen Freunden weiß, sage ich für hier: Es ist nicht ganz so. Da wir gemeinsame Ziele haben, sie auch gemeinsam formulieren und keine einsamen esoterischen Ideale verfechten, identifizieren sich doch eine Menge Leute damit, wie ja auch wir selbst diese Ziele nicht geschaffen

haben, sondern sie aus der Gesellschaft heraus und ihren eigenen Ansprüchen nehmen.
Frage: Schreiben und Leben stehen bei Ihnen in einem sehr innigen Zusammenhang. Sie haben ihn immer wieder auch formuliert. Nirgends habe ich etwas über die Grenzen, den Unterschied, die Distanz zwischen beidem erfahren.
Christa Wolf: Wahrscheinlich deshalb, weil es mir so selbstverständlich ist, daß sie nicht deckungsgleich sind. So kommt mir überhaupt nicht die Idee, ich müßte dies formulieren. Aber wenn Sie darauf hinweisen, wird es mir bewußt. Ich kann mir nur nicht vorstellen, daß Schreiben und Leben im Grundsätzlichen auseinanderklaffen. Ich könnte mir nicht denken, daß man als Autor eine bestimmte Moral vertritt, ja moralisiert (was ich, zugegeben, tue), und als Mensch dieser Moral absolut entgegengeht. Ich sehe den Versuch einer dauernden Annäherung, eine Übereinstimmung wird es aber nie geben.
Ansonsten ist mein Leben etwas ganz anderes als mein Schreiben. Doch die Stunden, an denen ich schreibe, sind mein konzentriertestes und wichtigstes Leben, abgesehen von der Zeit, die man mit nahen Menschen verbringt.
Frage: Soweit ich das sehe, haben Sie das Schreiben immer wieder und besonders intensiv als eine Möglichkeit verstanden, über die Figuren gewissermaßen mit sich selbst in Berührung zu kommen. Es gibt wenig Identität der Erzählerin mit ihren Gestalten. Aber ich habe das Gefühl, daß die Identifikation zunimmt: eine Strenge im Umgang mit sich selbst.
Christa Wolf: Die Strenge nimmt zu, das weiß ich, auch wachsen die Anforderungen an mich selbst, die Selbstkritik nimmt zu. Alle diese Schwierigkeiten wachsen, wenn man etwas länger schreibt und nicht dazu neigt, sich selbst apologetisch gegenüberzustehen. Tatsächlich hat die Identifikation mit den Figuren bis zu »Kindheitsmuster« zugenommen. Aber es muß nicht unbedingt so weiter gehen. Ich weiß es zwar noch nicht genau, aber die nächsten Arbeiten werden wohl zeigen, daß eine Identifikation dann über mir fremdere Figuren läuft, daß sie komplizierter wird.
Frage: Bisher sind die Hauptfiguren in Ihrem Werk fast ausschließlich Frauen.
Christa Wolf: Das ist sicher kein Zufall. Am leichtesten identifiziere ich mich mit Frauen. In zunehmendem Maße hat mich, was sich auch in der Erzählung und meinem Essay über die Günderrode niederschlägt, interessiert, wo die Wurzeln der Konflikte liegen, die

Frauen heute haben – des Ungenügens am Leben. Das kann man in der Zeit der frühen Romantik, um 1800 gut beobachten: wo die Gesellschaft, auf Arbeitsteilung hingetrimmt, einen bestimmten Typ von Mensch, der die Ganzheit suchte, einen universalen Glücksanspruch hat, nicht gebrauchen kann. Dort sind die Wurzeln.
Dabei wird es aber nicht bleiben. Ich habe vor, in nächster Zeit über Männer zu schreiben. Darauf freue ich mich schon.
Frage: Frauen waren vom Schreiben ja über Jahrhunderte so gut wie ausgeschlossen. In Ihrer Gesellschaft ist diese Situation fraglos besser geworden. Welche Konflikte bestehen jedoch noch immer?
Christa Wolf: Zum ersten ist es klar und wird in den kommenden Jahren immer deutlicher werden, daß schon zahlenmäßig der Anteil der Autorinnen an unserer Literatur zugenommen hat und weiter zunehmen wird. Ich weiß noch, als ich anfing zu schreiben, war ich noch eine der wenigen Frauen, saß in den Gremien immer als eine der wenigen Frauen. Das hatte seine Vor- und Nachteile. Heute ist das anders; heute gibt es viele Frauen, die das Schreiben als Instrument der Selbstverwirklichung betrachten und dabei zum Teil auch kompromißloser sind als Männer. Neulich sagte mir auch eine Professorin in Polen: »Wir Frauen sind mehr zur Ehrlichkeit veranlagt.« Das hat historische Gründe.
Die Bedingungen für Frauen sind günstiger geworden hier in der DDR. Auch auf diesem Gebiet, das ein absolutes Engagement verlangt, das man Frauen immer abgesprochen hat. Daß sie sich dieses Gebiet erobern und daß sie sich darin bewegen können, ist klar.
Der nächste Teil des Frage wird wahrscheinlich in fünf und zehn Jahren noch genauer zu beantworten sein als heute. Welche neuen Konflikte mögen kommen? Die Reibeflächen werden sehr stark. In dem Moment, in dem diese Frauen, ausgehend von den neuen Möglichkeiten, die sie haben und die sie ganz selbstverständlich nutzen, anfangen, diese Möglichkeiten selbst wieder zu befragen nach ihrem Charakter und ihrem Wert, also ein Wertsystem einbringen, das nicht unbedingt übereinstimmt mit dem, das ihnen ihre Entwicklung ermöglicht hat.
Verstehen Sie: das ist ein sehr diffiziler Widerspruch, der sich wohl in vielen Arbeiten niederschlagen wird, die jetzt von Frauen geschrieben werden, von denen ich einiges kenne. Ich glaube, das wird sehr interessant und unterscheidet sich von dem, was Frauen zum Beispiel in der Bundesrepublik schreiben.

Frage: Um an die Feststellung anzuknüpfen, daß Sie bisher fast ausschließlich Frauen dargestellt haben: Meinen Sie, daß Frauen es im Zusammenhang von Leben und Schreiben leichter haben, ICH zu sagen?
Christa Wolf: Um mir zu erklären, warum auch in unserer Gesellschaft Frauen natürlicher miteinander umgehen, vertrauter, enger und schon eher bestimmte Werte verwirklichen im Umgang miteinander als Männer, da kommt mir als historische Erklärung: Männer wurden durch die Arbeitsteilung und gleichzeitig durch die patriarchalische Struktur der bürgerlichen Gesellschaft mehr als anderthalb Jahrhunderte in die Anpassung, in die Selbstunterdrükkung getrieben. So haben sie die Werte, die ihnen die Industriegesellschaft aufgedrückt hat, voll verinnerlicht. Was Frauen nicht so stark mußten, die einerseits stärker unterdrückt, in den häuslichen Bereich hineingetrieben wurden, anderseits nicht gezwungen waren, diese Art von Werten voll zu akzeptieren.
Und mir scheint (das hat meiner Ansicht nach überhaupt keine biologischen Ursachen, sondern historische), daß Frauen jetzt eher in der Lage sind, anzuknüpfen an Werte, die sie als »natürlich« empfinden, die ihnen menschengemäßer vorkommen, daß sie es da einfach leichter haben. Und daß auch dieses ICH-Sagen, obwohl für den Einzelnen ungeheuer schwer, für die Gesamtheit leichter wird. Bestimmt wird bei uns nicht der Trend eintreten, daß Frauen gegen Männer eine Front bilden. Es kann eine Periode eintreten, in der Frauen Männer in diesem mit Zahlen nicht zu messenden Bereich, wo es nicht um Produktionsziffern geht, nämlich bei der Frage, wie man miteinander lebt, helfen können.
Frage: Die Figuren von der Rita im »Geteilten Himmel« über die Christa T. haben allesamt große Ansprüche formuliert, die von ihrer Umgebung als maßlos diskreditiert worden sind. In der Günderrode haben Sie auch einen solchen »maßlosen« Anspruch aufgespürt. Ist dieses Thema von der Geschichte überholt worden?
Christa Wolf: Nein, keineswegs. Nur hat sich der Inhalt der Ansprüche geändert, und das mit jeder Generation. Was schon erledigt ist: z. B. Gleichberechtigung im ökonomischen Bereich, wird man als Anspruch nicht wieder neu formulieren. Aber die Maßlosigkeit der Ansprüche bleibt und bezieht sich nur auf neue, wichtigere – die eigentlich wichtigen – Gebiete, die man allerdings erst formulieren kann, wenn das andere geschehen ist. Aber ich bin schon für eine gewisse Maßlosigkeit und ermutige mich und andere Frauen dazu, in der Maßlosigkeit ihrer Ansprüche nicht zurückzu-

gehen, sondern die Umgebung auf die Probe zu stellen, wenn sie es aushalten.

(Oktober 1978)

Außenansichten II

KLAUS SAUER
DER LANGE WEG ZU SICH SELBST
Christa Wolfs Frühwerk

Es scheint, als habe Christa Wolf, um die Schriftstellerin zu werden, die sie mittlerweile geworden ist, mühsam erst wieder verlernen müssen, was sie seit Studientagen und in den Jahren danach, als Redakteurin, Lektorin und Kritikerin, von Literatur zu wissen glaubte. Nachdenklichkeit, die es sich schwer macht, ist an die Stelle von Selbstsicherheit getreten, und wer, ausgehend von den jüngsten Texten, die Entwicklung von Christa Wolf rückblickend verfolgt, der sieht sich einem unumkehrbar gewordenen Prozeß der Selbstrevision gegenüber. Die Differenz, die zwischen der »Moskauer Novelle« (1961) und »Kein Ort. Nirgends« (1979) besteht, scheint so groß, daß sich eine Verbindungslinie kaum nachzeichnen läßt. Den komplizierten Prozeß, der dazwischen liegt, hat die Autorin ebenso gegen sich selbst angestrengt wie er von den Rahmenbedingungen her, unter denen sie schreibt und auf die sie sich schreibend bezieht, erzwungen worden ist. Nicht zuletzt hat seinen Verlauf bestimmt, daß Christa Wolf sich auf eine gründliche Reflexion von Erfahrungen eingelassen hat, auf die sie nicht gefaßt war.
Die Rekonstruktion dieses Prozesses fällt schwer, weil unsere Zeitgenossenschaft mit der Autorin Vertrautheit nur vortäuscht. Zwar hat sie sich selber immer wieder kommentiert, aber aus eben diesen Kommentaren wissen wir, wieviel sie von Diskretion in eigener Sache hält. Wir wissen von ihr auch, welche Macht sie der Verführung zur Selbstzensur beimißt. Dabei ist ihr Wille, so aufrichtig wie möglich zu sein, über jeden Zweifel erhaben.
Bündige Urteile über einzelne Texte, einzelne Bücher sind schon deshalb nicht leicht zu haben, weil das Licht, das von später entstandenen Arbeiten auf die früheren fällt, deren Bild ebenso klärt wie trübt. Ohnehin sieht die Autorin da, wo wir, der Konvention folgend, vom Werk und seiner Entwicklung reden, eine Folge von Versuchen, die im besten Fall zum Zeitpunkt ihrer Entstehung das ihr selbst faktisch Mögliche leisteten. So läßt sich auch, wo die nachprüfende Selbstbefragung nicht ausdrücklich und entschieden

verwirft – wie beim ungeliebten Erstling, der »Moskauer Novelle« –, mit hinreichender Klarheit aus dem aktuellen Entwicklungsstand von Theorie und Praxis erschließen, was in den Augen der Autorin jeweils Bestand hat oder nicht. Evident ist, daß schon aus der Perspektive der Schreiberfahrungen von »Nachdenken über Christa T.« (1968) die zum Zeitpunkt ihrer Veröffentlichung als sensationell empfundene Erzählung »Der geteilte Himmel« (1963) kritisch in Frage gestanden haben muß – und nicht ohne Grund ist seinerzeit »Nachdenken über Christa T.« als eine teilweise Zurücknahme von »Der geteilte Himmel« aufgefaßt worden.
Kein Leser muß die ausgesprochenen oder unausgesprochenen Urteile der Autorin über sich selbst teilen, muß ihre Kritik zu der seinen machen. Aber man tut gut daran, auf die Haltung Christa Wolfs gegenüber dem eigenen Werk zu achten: Sie ist nämlich Bestandteil dieses Werks selber geworden. Geworden: denn es war keineswegs von Anfang an ausgemacht, daß Christa Wolf über die Fähigkeit verfügen würde, sich selbst und ihre Arbeit in Frage zu stellen. Als sie zu schreiben begann, lag ihr jedenfalls nichts ferner als der Gedanke an eine Literatur, die nicht zuletzt eine Schule des Zweifels ist – des Zweifels an den allzu vielen öffentlich gehandelten Gewißheiten.

Wer die Aufsätze und Kritiken aus den fünfziger und frühen sechziger Jahren heute wiederliest, kommt an dem späteren Urteil der Autorin über diese Texte nicht vorbei. Er muß sich aber zugleich gegenwärtig halten, daß es sich bei ihnen auch um Dokumente aus der Inkubationsperiode der Schriftstellerin handelt. Das literarische Debüt findet zwar erst 1961 statt, aber schon aus dem Jahre 1956 ist die briefliche Ermutigung Louis Fürnbergs überliefert: »Aber schreib doch, Christa! Natürlich kannst Du's!«[1] Offenbar hat sich für sie damals die Frage nach der Vereinbarkeit von literaturkritischer und schöpferischer Tätigkeit gestellt. Selbst zu schreiben, war wohl schon lange der insgeheim gehegte Wunsch, denn nach ihrem Erstlingswerk befragt, gibt sie zur Antwort: »Übrigens gibt es das überhaupt nicht. Immer noch frühere Versuche in immer noch früheren Jahren fallen einem ein, von halb und dreiviertel ausgeführten Roman- und Dramenplänen über Tagebücher, politische und private Gelegenheitsdichtungen, gefühlsgesättigte Briefwechsel mit Freundinnen bis hin zu den kindlichen Märchenerfindungen, Rache- und anderen Phantasien, Tag- und Nachtträumen und dreisten Lügengeschichten für den praktischen

Gebrauch – jene lebenswichtigen Vorformen naiver Kunstausübung, deren Entzug für das Kind verheerende Folgen hätte und aus denen das Bedürfnis wachsen kann, sich schreibend auszudrükken.«[2] Dieser Hinweis, der übrigens den Äußerungen von Anna Seghers über deren literarische Anfänge gleicht[3], bestätigt, daß Christa Wolf auch eigene Schaffensprobleme mitbedachte, als sie ihre Kritiken und Aufsätze schrieb. Später hat sie von ihnen gesagt, daß sie »von einer damals verbreiteten Einstellung zur Literatur ausgingen, von einer unschöpferischen, rein ideologisierenden Germanistik.« Dennoch wolle sie ihre Existenz nicht verleugnen: »... sie gehören zu meiner Entwicklung.« Und sie hat hinzugefügt: »Entscheidend ist, daß man es zu der Zeit ehrlich gemeint hat, daß es sich um einen ehrlichen Irrtum gehandelt hat (der dadurch nicht gerechtfertigt ist), und nicht um Produkte des Opportunismus.«[4] Wollte man dies Urteil widerlegen, fände man kaum Anhaltspunkte. Denn es ist der Brustton wirklicher Überzeugung, der sich allenthalben ausspricht. Mit einer Entschiedenheit ist Christa Wolf Verfechterin des literaturpolitischen Programms der Gründerjahre der DDR, die ihr keine taktischen Kompromisse erlaubt. Sie vertritt eine Ästhetik Lukács'scher Provenienz, in deren Hierarchie der große, die Epoche umfassend in den Blick rückende Gesellschaftsroman den Spitzenplatz einnimmt. Als Ziel und Aufgabe sozialistischer Kunst steht er auf der Tagesordnung, auch wenn er während des noch im Gang befindlichen Umbaus der alten Ordnung nicht auf Anhieb zustande kommen kann. Noch sind allzu viele Schriftsteller vor allem der älteren Generation in bürgerlicher oder kleinbürgerlicher Ideologie befangen, die es ihnen schwer macht, das Wesen des gesellschaftlichen Neuen, das der Sozialismus bedeutet, nicht nur ganz zu verstehen, sondern dieses Verstehen auch so tiefgreifend in sich zu befestigen, daß es im Kunstwerk seinen Niederschlag in bewußter Gestaltung findet. Den jüngeren, eben erst heranreifenden Autoren aber fehlt es weniger an der politisch-ideologischen Reife als vielmehr an künstlerischer Meisterschaft.

So muß sich der damals schon fast 70jährige Ehm Welk gefallen lassen, anläßlich seines Romans über die Novemberrevolution, »Im Morgennebel«, von Christa Wolf mangelnder Parteilichkeit und der Unfähigkeit, typische Entwicklungen zu gestalten, geziehen zu werden. Mit der Kritik hatte sie aber zugleich auch das Rezept zur Hand: »Die Parteilichkeit des Autors erschöpft sich nicht in der ideologisch richtigen Aussage, in der intellektuellen *Erkenntnis*,

sondern verlangt gerade vom Künstler, daß er auch *gefühlsmäßig*, mit seinem ganzen Wesen, in Sympathie und Abneigung auf der richtigen Seite steht. (...) Große realistische Literatur entsteht, wenn Gefühl und Verstand des Schriftstellers fähig sind, tief und richtig seine Zeit zu erfassen und sich aus der Wirklichkeit die Maßstäbe für sein künstlerisches Schaffen zu nehmen.«[5]
Von dieser orthodoxen Position aus, die die ideologische Arbeit des Schriftstellers an sich selbst zur Grundvoraussetzung künstlerischen Schaffens erklärt, die über die Vermittlung an das Unterbewußtsein die allmähliche Vervollkommnung der literarischen Mittel ermöglicht, konnte Christa Wolf aber konsequenterweise ebenso wenig eine Literatur akzeptieren, die zwar schon die richtigen ideologischen Positionen innehat, aber noch gravierende gestalterische Mängel aufweist. So räumt sie in den zahlreichen Besprechungen von Büchern etwa gleichaltriger Autoren-Kollegen zwar die Legitimität einer Stoffwahl ein, die die Epochenproblematik nur im exemplarischen Ausschnitt aufgreift – ein Weg, den sie mit der »Moskauer Novelle« schließlich selber beschreiten wird. Zugleich aber kritisiert sie einen vordergründigen und oberflächlichen Optimismus, der die konkreten Konflikte beim Aufbau des Sozialismus bagatellisiert und sich mit der Darstellung von im Grunde leicht zu lösenden Komplikationen begnügt. Am Beispiel von Werner Reinowskis Roman »Diese Welt muß unser sein«, der die Kollektivierung der Landwirtschaft behandelt, hebt sie hervor: »Jeder Mensch weiß, daß in der Wirklichkeit sehr viel ›passiert‹. Unter anderem passieren auch menschliche Tragödien; unsere Literatur ignoriert sie, weil sie ›nicht typisch‹ seien; denn typisch sei nur das Positive! Auf diese Weise lassen unsere Schriftsteller, gerade unsere jüngeren Schriftsteller, die in unserem neuen Leben ihre Stoffe finden, um einer falsch verstandenen Definition willen und aus Angst vor genau so falsch orientierten Verlagslektoren, ihre Leser allein, die ja von ihnen auch wissen wollen, wieso denn heute noch Menschen durch eigene oder fremde Schuld zugrunde gehen oder schwere Fehler einzelner Funktionäre großen Schaden anrichten können.«[6] Unschwer erkennt man, daß Einsichten wie diese die Richtung angaben, die später die Stoffwahl von »Der geteilte Himmel« bestimmten.
Und doch muß man sich davor hüten, solche Bemerkungen überzubewerten; in der literaturpolitischen Diskussion der fünfziger Jahre waren sie nicht eben originell. Vieles von dem, was Christa Wolf damals formuliert hat, berührt sich aufs engste mit den

Ausführungen, die Anna Seghers auf den Schriftstellerkongressen jener Jahre zur Entwicklung der DDR-Literatur gemacht hat. Wo sich in der Nuance Unterschiede ergeben, da rühren sie von der größeren Nähe Christa Wolfs zu den Selbstverständigungs- und Arbeitsproblemen der jüngeren Autorengeneration her. So plädiert sie 1957 anläßlich einer Konferenz über das Kriegsthema für die Respektierung der »Besonderheiten und Schwierigkeiten im Schaffensprozeß«: »Ein Autor kann sich einen progressiveren als seinen gegenwärtigen Standpunkt wohl wünschen, aber nicht einfach aussuchen, er muß ihn erarbeiten, erfahren, erleben. (...) Man hilft Schriftstellern meistens nicht, wenn man ihrer Konzeption eines Stoffes abstrakt die eigene Auffassung gegenüberstellt – auch wenn sie von tieferer Einsicht in die Dialektik des speziellen Sujets getragen ist.«[7] Möglicherweise ist Christa Wolf der Widerspruch dieser Feststellung zur eigenen literaturkritischen Praxis damals nicht einmal bewußt gewesen, denn nicht selten hat sie, wie etwa der zitierte polemische Angriff auf Ehm Welk belegt, ihre tiefere »Einsicht in die Dialektik des speziellen Sujets« auf- und angeboten.

Dennoch kann sich die Gesamtbilanz der kritischen Urteile, mit denen Christa Wolf in den fünfziger und frühen sechziger Jahren ihren Beitrag zur Literaturpolitik geleistet hat, auf ihre Weise sehen lassen: Keines ihrer Verdikte, mag es auch überzogen begründet oder aus dogmatisch verengter Perspektive allzu einseitig ausgefallen sein, ist zur Gänze unberechtigt, wie denn auch die positiv aufgenommenen Werke – es sind wenige – zu denen zu zählen sind, die nach wie vor lesbar geblieben sind. Das gilt etwa für Strittmatters »Tinko«, für Karl-Heinz Jakobs »Beschreibung eines Sommers« und, mit Einschränkungen, für Max Walter Schulz' »Wir sind nicht Staub im Wind«.

Bestechlich durch die autoritative Macht der führenden Rolle der Partei auch in literarischen Angelegenheiten ist sie also von Anfang an nicht gewesen. Statt dessen hat sie die hochgesteckten ästhetischen Normen, die ihr während des Studiums vermittelt worden waren, bedingungslos verteidigt und jene Tendenz der DDR-Literaturpolitik in den fünfziger Jahren abzuwehren versucht, die sich wegen des Ausbleibens von Spitzenleistungen mit einer anspruchsvollen, aber parteifrommen Unterhaltungsliteratur abzufinden bereit war.

Es gab aber noch einen dritten Schauplatz, den Christa Wolf offensichtlich mit besonderem Interesse, wenn auch mit einer gewissen Befangenheit für ihre kritischen Feldzüge bevorzugte: die westdeutsche Literatur. Möglichkeiten ideologischer Koexistenz sieht sie keine, schon gar nicht, wenn es sich um Autoren vom Schlage eines Peter Bamm handelt, dessen Pseudohumanismus in »Die unsichtbare Flagge« die sozialökonomischen Voraussetzungen des Faschismus ignoriert.[8] Was sie aber an der bürgerlichen Literatur vor allem beschäftigt haben muß, scheint die Fragestellung gewesen zu sein, warum Bücher, die unter Bedingungen entstanden, die jeder Wahrheitsfindung abträglich sind, dennoch so viel Wahrheit enthalten, und sei es auch nur über den Mangel an Selbstverwirklichungsmöglichkeiten im Kapitalismus. Der Pessimismus, den sie in Hans Erich Nossacks Romanen »Spätestens im November« und »Spirale« findet, erscheint Christa Wolf zwar als zutiefst zukunftsfeindlich; sie erkennt darin aber nichtsdestoweniger eine zutreffende Diagnose der gesellschaftlichen Zusammenhänge, auf die Nossack sich bezieht.[9] Die Frage freilich, ob für die bürgerliche Kunst andere Gesetzmäßigkeiten gelten als für die sozialistische, wirft sie nicht auf. Dabei läge dies nahe, nicht zuletzt, um die Überlegenheit einer Kunstausübung zu beweisen, die nicht in der bloßen Erfahrung befangen bleibt, sondern der Theorie die schlechthin revolutionierende Rolle beimißt.

Von dieser Überlegenheit aber ist sie damals einschränkungslos überzeugt. Mit der Etablierung sozialistischer Produktionsverhältnisse wird auch in der Geschichte der Literatur ein neues Kapitel aufgeschlagen: »Der große Stoff unserer Zeit (...) ist das Werden des neuen Menschen.« So steht es im Vorwort zu der von Christa Wolf herausgegebenen Anthologie »Proben junger Erzähler« aus dem Jahre 1959.[10] Goethes Wort an die jungen Dichter, nach dem man sich »ans fortschreitende Leben« halten soll, wird in den Dienst einer Apologie des eben proklamierten Bitterfelder Wegs gestellt, denn besondere Hoffnung setzte die Herausgeberin, und nicht nur sie, »in jene Gruppe jüngerer Autoren, die den Aufbau des Sozialismus an seinen Zentren als Arbeiter miterlebt haben, denen unsere Gegenwart, diese Übergangszeit mit ihrer Größe und ihren Widersprüchen, zum Grunderlebnis und zum natürlichen Stoff für die Gestaltung geworden ist.«[11] Sie selbst hat dem Bitterfelder Weg nicht nur rhetorisch, auf der 2. Bitterfelder Konferenz, in die sie als Debattenrednerin eingriff, gehuldigt.[12] Schon 1960, während der Vorarbeiten für »Der geteilte Himmel«, hat sie für längere Zeit in einem Waggonwerk hospitiert, aus dem dann in der Erzählung der Erfahrungsraum wird, der für die Hauptfigur Rita

Seidel schließlich wichtiger wird als der geliebte Mann. Kunst, so läßt sich bis zur Mitte der sechziger Jahre resümieren, ist für Christa Wolf zweifelsfrei nicht nur Ausdruck der jeweils herrschenden Produktionsverhältnisse, sondern auch deren Funktion. Mit ihren eigenen Worten aus dem Jahr 1959: »Prüfstein für die Literatur aber wird immer mehr die neue Gesellschaft selbst, die sich bei ihrer kulturellen Revolution der sozialistischen Literatur bedient.«[13]

Folgt man dem späteren Urteil der Autorin, so hat eben diese Überzeugung sich besonders nachhaltig auf ihre erste an die Öffentlichkeit gegebene Arbeit ausgewirkt. Was sie beim Wiederlesen der »Moskauer Novelle« bestürzte, waren nicht primär die handwerklichen Mängel, sondern »ein Zug zu Geschlossenheit und Perfektion in der formalen Grundstruktur, in der Verquickung der Charaktere mit einem Handlungsablauf, der an das Abschnurren eines aufgezogenen Uhrwerks erinnert, obwohl doch, wie ich ganz gut weiß, die Vorgänge und Gemütsbewegungen, welche Teilen der Erzählung zugrunde liegen, an Heftigkeit und Unübersichtlichkeit nichts zu wünschen übrigließen. Da zeigt sich (beinahe hatte ich begonnen, es zu vergessen), wie gut ich meine Lektion aus dem germanistischen Seminar und aus vielen meist ganzseitigen Artikeln über Nutzen und Schaden, Realismus und Formalismus, Fortschritt und Dekadenz in Literatur und Kunst gelernt hatte – so gut, daß ich mir unbemerkt meinen Blick durch diese Artikel färben ließ, mich also weit von einer realistischen Seh- und Schreibweise entfernte.«[14]

Entrealisierend also wirkte sich der Überhang des theoretischen Wissens aus, und so gelang Christa Wolf nicht einmal, den eigenen Maßstäben jener Jahre zu genügen. Denn der Konflikt, den sie in der »Moskauer Novelle« in den Mittelpunkt stellte, erweist sich schon auf den ersten Blick als bloßer Scheinkonflikt. Zu keinem Zeitpunkt der Handlung steht nämlich ernsthaft in Frage, daß die deutsche Ärztin Vera Braun und der sowjetische Übersetzer Pawel Koschkin, die einander fünfzehn Jahre nach dem Ende des 2. Weltkriegs wiederbegegnen, ihrer neu entflammten Liebe wegen ihre bereits bestehenden ehelichen Bindungen auflösen werden. Die Möglichkeit, ihre Zuneigung zu Lasten anderer und damit auf Kosten der Gesellschaft zu verwirklichen, ist für so gefestigte Sozialisten wie es die beiden sind, nicht mehr als eine Versuchung, der zu widerstehen ist. Zwar soll gerade die seelische Verwirrung, in die die junge Deutsche und der schon reifere Sowjetbürger

geraten, dem Nachweis dienen, daß sie keine Bilderbuchgestalten des »neuen Menschen« sind. Aber wie sie aus dem Konflikt herausfinden, bezeugt ihren überlegenen moralischen Rang.
Daß persönlich-individuelle und gesellschaftliche Interessen im Falle ihres Widerspruchs dadurch in Einklang zu bringen sind, daß man zugunsten der gesellschaftlichen auf die persönlich-individuellen Verzicht leistet, hat Christa Wolf in der »Moskauer Novelle« noch dazu in das Licht eines Sühneopfers getaucht. Vera Braun trägt nämlich schwer daran, daß sie bei Kriegsende, als sie als fünfzehnjähriges Mädchen dem zehn Jahre älteren Leutnant der Roten Armee Pawel Koschkin zum erstenmal begegnet war, nicht rechtzeitig vor dem Plan einer Bande herumstreunender junger »Werwölfe« gewarnt hatte, die das Magazin der Besatzungsmacht in Brand stecken wollten. Pawel trug seinerzeit bei den Lösch- und Rettungsarbeiten eine Beeinträchtigung seines Sehvermögens davon, deren Tragweite Vera erst bei der Wiederbegegnung klar wird: Pawel hat sich auf den Dolmetscherberuf beschränken müssen, statt, wie es seiner Neigung entsprach, Medizin zu studieren. Zum Zeitpunkt der Wiederbegegnung mit Vera bietet sich ihm Gelegenheit, zusammen mit seiner Frau als Sprachlehrer in den Fernen Osten zu gehen, eine Möglichkeit der Weiterentwicklung seiner Persönlichkeit, die Vera verhindern würde, entschiede sie sich gegen den Verzicht. Folgerichtig findet Pawel aus seiner Resignation erst heraus, als er und Vera ihre Entscheidung gefällt haben. Für Vera wiederum spielt neben ihrer individuellen Schuld, die gleichsam über sich hinaus weisend die im deutschen Namen begangenen Verbrechen repräsentiert, ihr Enthusiasmus für Moskau, die Heimat des Sozialismus, mit dem sie zum erstenmal durch Pawel in Berührung kam, eine Rolle. Moskau ist für Vera, aus deren Perspektive über weite Strecken hin erzählt wird, der stadtgewordene Sozialismus, ohne daß doch, wie Christa Wolf später zu recht bemerkt hat, spezifische Züge des sowjetischen Lebens in der Novelle vorkämen. Auch ist der Autorin nicht gelungen, daß Gefühlssyndrom aus Liebe, Schuld und Enthusiasmus zu differenzieren, um dadurch innere Spannungen zu erzeugen. Statt dessen ist ein Gebilde entstanden, das die Autorin so charakterisiert hat: »Auf dem Weg über Kopf, Arm, Hand, Federhalter, Maschine auf das Papier scheint nicht nur, wie bei Literatur nötig, eine Verwandlung, sondern ein Verlust an Energie stattgefunden zu haben. Anscheinend wurden da aus Angst vor schwer kontrollierbaren Sprengkräften eindämmende Erfindungen zu Hilfe geholt, Bautei-

le, die zu einer Geschichte verknüpft werden konnten: Dies ist die Geburtsstunde der Fabel (Fabel im alten Sinn von »Gerede« als Gegensatz zum wahrheitsgemäßen Bericht). Fabel-Wesen finden in ihr, wenn sie sich nur ein bißchen hineinzwängen, ein gutes Unterkommen, trocken und überwindig, und lernen es, fabel-haft miteinander umzugehen und eine handliche Moral zu erzeugen.«[15]
Über die »Moskauer Novelle« ließe sich also zur Tagesordnung übergehen, tauchten in ihr nicht Motive auf, die später wichtig werden. Damit sind nicht Handlungselemente gemeint, wie die Erinnerung an die Flucht, die erste Begegnung mit einem Soldaten der Roten Armee, die Tätigkeit als Schreibkraft eines Dorfbürgermeisters. Gemeint sind vielmehr Motive, deren genauerer inhaltlicher Bestimmung, auch im Widerspruch zur ursprünglichen Position, Christa Wolf später beträchtliche Anstrengungen widmen wird. So findet sich in der Feststellung, mit der eine der Nebenfiguren aufwartet und die dem Lebensgefühl jener Generation gilt, die unter der Hitlerdiktatur geboren wurde und aufwuchs, die entscheidende Phase ihrer Reife aber schon unter den Bedingungen des Aufbaus des Sozialismus durchmacht, jene Illusion, die einen der konzeptionellen Angelpunkte von »Kindheitsmuster« ausmachen wird: »Dafür leben die – na, sagen wir ruhig: die Jungen – in unserer Welt wie der Fisch im Wasser. Diese Zeit ist ihr Element, selbstverständlicher Lebenshintergrund, ihnen angewachsen wie ihre Haut. Kein geringer Vorteil, wenn ich bedenke, was es heißt, in einem Leben vom Faschismus in den Sozialismus hinüberzuwechseln.«[16] Was aber, nach einem Wort Pawel Koschkins, den Menschen der Zukunft auszeichnen wird, der unter den Voraussetzungen einer neuen Ordnung heranwächst, das ist, wenngleich sie es später ungleich differenzierter und weniger moralisierend formuliert hat, eine der Utopien Christa Wolfs geblieben: »Mit offenem Visier leben können. Dem anderen nicht mißtrauen müssen. Ihm den Erfolg nicht neiden, den Mißerfolg tragen helfen. Seine Schwächen nicht verstecken müssen. Die Wahrheit sagen können. Arglosigkeit, Naivität, Weichheit sind keine Schimpfwörter mehr. Lebenstüchtigkeit heißt nicht mehr: heucheln können.«[17]

Die »Moskauer Novelle« war noch gar nicht erschienen, als Christa Wolf längst mit den Vorarbeiten für die nächste Prosaarbeit beschäftigt war. Ob, was später unter dem Titel »Der geteilte Himmel« Aufsehen erregte und den Ruhm der Autorin begründete, von Anfang an so konzipiert war, wie wir es kennen, läßt sich mit

Grund bezweifeln. Es scheint, als ob erst die politischen Ereignisse, die Schließung der zum Westen offenen Grenze am 13. August 1961, den Überlegungen der Verfasserin die entscheidende Wende gaben. Aus der 1974 veröffentlichten Tagebuchskizze »Dienstag, der 27. September 1960« geht hervor, daß ursprünglich wohl eine Brigadegeschichte geplant war. Die Autorin notierte seinerzeit »Die Langwierigkeit des Vorgangs, den man schreiben nennt, erbittert mich. Aus der reinen Brigadegeschichte haben sich schon ein paar Gesichter herausgehoben, Leute, die ich besser kenne und zu einer Geschichte miteinander verknüpft habe, die, wie ich deutlich sehe, noch viel zu simpel ist. Ein Mädchen vom Lande, das zum erstenmal in ihrem Leben in die größere Stadt kommt, um hier zu studieren. Vorher macht sie ein Praktikum in einem Betrieb, bei einer schwierigen Brigade. Ihr Freund ist Chemiker, er bekommt sie am Ende nicht. Der dritte ist ein junger Meister, der, weil er einen Fehler gemacht hat, in diese Brigade zur Bewährung geschickt wurde ...«[18]

Die Dreiecksgeschichte hat Christa Wolf ebenso verworfen wie die Brigadegeschichte, wenngleich der Notiz, die über einen Besuch im Waggonwerk berichtet, anzumerken ist, mit welcher Intensität sie sich darum bemüht hat, in die Gedankenwelt der Arbeiter einzudringen und jenes neue Verhältnis zur Arbeit zu erforschen, das sich nach der Umwälzung der Produktionsverhältnisse in der DDR ergeben sollte. Es scheint aber, daß sie bei ihren Begegnungen und Gesprächen damals vor allem die kaum überbrückbare Distanz zur eigenen Erfahrungswelt empfunden hat, die es ihr schwer machte, den Stoff in den Griff zu bekommen. So war es wohl mehr als ein rhetorischer Seufzer, als sie notierte: »Ich höre noch einmal, was sie sagen, dazu, was sie nicht sagen, was sie nicht einmal durch Blicke verraten. Wem es gelänge, in dieses fast undurchschaubare Geflecht von Motiven und Gegenmotiven, Handlungen und Gegenhandlungen einzudringen ... Das Leben von Menschen groß machen, die zu kleinen Schritten verurteilt werden ...«[19] Dennoch wird die Brigadehandlung, vor allem in der Verkörperung durch Rolf Meternagel, für die Stoffbewältigung in »Der geteilte Himmel« ausschlaggebend: Hier, im Umfeld des Arbeitsalltags und im Schnittpunkt jener Lebenslinien, die direkt auf die materielle Produktion bezogen sind, macht Rita Seidel die Erfahrungen, die für sie ausschlaggebend werden und die ihr die Entscheidung gegen den geliebten Mann ermöglichen.

Mit der Wahl der Figur der Rita Seidel, die die Produktionssphäre

gleichsam nur gastweise kennenlernt, also in derselben Manier wie ihre Erfinderin, bewies Christa Wolf im übrigen realistischen Sinn für das ihr erzählerisch Mögliche. Mehr als das Erstaunen darüber, das es tatsächlich Menschen gibt, die ein neues, souveränes Verhältnis zur Arbeit haben, braucht die Erzählerin aufgrund der Figurenkonstellation nicht abzubilden; die sich im Umfeld der Produktionssphäre ergebenden Konflikte und Widersprüche werden zwar berührt, aber nicht in extenso gestaltet – ohne daß sich daraus ein Defizit ergäbe. Hätte Christa Wolf dagegen ihre Hauptfigur nicht nur mit einer Gastrolle im Waggonwerk versehen, wären daraus ganz anders geartete, ungleich schwierige erzählerische Probleme erwachsen.
Die Frage, die sie 1960 notiert hat, deutet an, daß sie schon damals eine Problematik erkannt hat, deren Tragweite sich freilich erst später herausstellen sollte: »Wir kommen auf die Rolle der Erfahrung beim Schreiben und auf die Verantwortung, die man für den *Inhalt* seiner Erfahrung hat: Ob es einem aber freisteht, beliebige, vielleicht vom sozialen Standpunkt wünschenswerte Erfahrungen zu machen, für die man durch Herkunft und Charakterstruktur ungeeignet ist? Kennenlernen kann man vieles, natürlich. Aber *erfahren?*«[20] Doch deutet sich vorerst damit nicht mehr als ein Vorbehalt dagegen an, über Sachverhalte zu schreiben, für deren epische Vermittlung der eigene Erfahrungshorizont nicht ausreicht. Aber das Interesse der Erzählerin war ohnehin nicht nur auf die Produktionssphäre gerichtet. Spätestens nach den Maßnahmen der DDR-Regierung vom 13. August 1961 muß sie sich entschlossen haben, die ohnehin zum Scheitern verurteilte Liebe zwischen den beiden Protagonisten an das Motiv der Teilung zu binden. Daß sie die Grenzmaßnahmen als notwendig empfunden hat, belegt nicht nur die Erzählung selbst, sondern auch die Rede, die sie im Dezember 1962 im Rahmen der Vorbereitungen zum VI. Parteitag der SED auf einer Parteiaktivtagung der Arbeitsgruppen des DEFA-Spielfilmstudios hielt. Zugleich läßt sich ihren Ausführungen entnehmen, daß sie nach dem 13. August 1961 auf eine innenpolitische Wende hoffte: »Wir stehen augenblicklich auf einem Punkt, wo es die Entwicklung fordert, die Grenzen, die dem Humanismus in bestimmten Klassensituationen gesetzt sind, gesetzt sein müssen, zu erweitern – in weit höherem Maße als wir es bisher glaubten, tun zu können. Der 13. August ermöglichte es uns, die Grenzen in unserem eigenen Lande, in unserem Innern, in der Diskussion mit unseren Menschen, in der Arbeit mit ihnen, auszudehnen. Wir

machen jedoch von dieser Möglichkeit in unserer Kulturpolitik zu wenig Gebrauch.«[21] Das, was hier noch verklausuliert umschrieben wird, bringt Christa Wolf schon wenig später, in ihrem Briefwechsel mit der jungen Autorenkollegin Gerti Tetzner, auf die Formel von der »schnell fortschreitenden echten Demokratisierung des öffentlichen Lebens«, von der sie sich auch eine Ermutigung der Autoren beim Schreiben der Wahrheit verspricht.[22] Die Erfahrungen, die sie damals, zu Beginn der sechziger Jahre, im Zusammenhang mit den Kontroversen um »Der geteilte Himmel« machen konnte, mögen sie in der Erwartung bestärkt haben, daß es dazu kommen würde.

Zwei Aspekte ihres Buches, das sie selber als in Übereinstimmung mit der Grundrichtung der DDR-Politik empfand, stießen auf vehemente Ablehnung bei einem Teil der Kritik. Wie »Der geteilte Himmel« die sogenannte nationale Frage behandelte, nämlich nicht nur als Apologie der DDR und der in ihr angelegten Perspektiven, sondern zugleich auch als tief eindringenden und intensiv schmerzenden Schnitt, erschien beispielsweise den Rezensenten der »Freiheit« als schwerwiegendes Mißverständnis der konkreten historischen Situation.[23] Irma Schmidt vertrat im »Neuen Deutschland« die Auffassung, letztenendes demonstriere Christa Wolf mit »Der geteilte Himmel«, »daß die Spaltung Deutschlands und nicht das Wiedererstehen des deutschen Imperialismus ein Unglück darstellt.«[24]

Ebenso verfuhr ein Teil der Kritik mit den Figuren, in denen sich nach Christa Wolfs der Erzählung ablesbarer Meinung das verkörpert, was sich als die führende Rolle der Partei umschreiben läßt. Ihrem Anspruch auf Realismus war es nicht gemäß, mit Figuren aufzuwarten, die in jeder Situation das Richtige tun oder doch für andere den richtigen Rat wissen, im Gegenteil. Aus der Summe der Personen, die in »Der geteilte Himmel« die Partei vertreten oder sich auf sie berufen, ergibt sich ein sehr differenziertes Bild. Es zeigt, wieviel Kraft und Disziplin es bedarf, den Anspruch der Partei darauf, die führende Kraft der gesellschaftlichen Entwicklung zu sein, tatsächlich glaubwürdig durchzusetzen.

Daß die Kritik daran im Grunde von Christa Wolf ein ganz anderes Buch verlangte, als sie hatte schreiben wollen, war kaum der Grund, warum sich in der kurzen, dafür aber heftigen Diskussion über »Der geteilte Himmel« die Befürworter der Erzählung durchsetzten. Vielmehr scheint es, als ob nicht zuletzt die allgemeine politische Konstellation günstig war, in der beispielsweise die für

viele in der DDR geradezu als traumatisch erfahrene, definitive Abtrennung vom anderen Teil Deutschlands noch immer nicht verarbeitet war. Daß »Der geteilte Himmel« in Westdeutschland auf Respekt stieß, ja, wie Wolfgang Werth seinerzeit formulierte, als beinahe programmatisch am Beginn einer sowjetzonalen Nationalliteratur stehend empfunden wurde[25], mag zur Durchsetzung des Buches in der DDR ein übriges getan haben. Mit einem Mal war Christa Wolf in die kleine Spitzengruppe jener Autoren aufgerückt, die künstlerische Kompetenz mit ausgeprägtem politisch-ideologischem Verantwortungsbewußtsein verbanden. Nicht nur der Schriftstellerverband, als dessen wissenschaftliche Mitarbeiterin sie einst begonnen hatte, setzte nun auf sie, sondern auch die Parteiführung, die sie zur Kandidatin des Zentralkomitees berief.
Die Erfahrungen jener Jahre, in denen Christa Wolf zahlreiche Aktivitäten miteinander kombinierte, politische und künstlerische, lassen sich für den Außenstehenden kaum rekonstruieren. Christa Wolf selber hat sie bislang weder essayistisch noch erzählerisch in der Weise aufgearbeitet, daß von daher Rückschlüsse möglich wären. Die Texte, die wir aus jenen Jahren kennen, von der Rede auf der 2. Bitterfelder Konferenz 1964 über die denkwürdige Intervention für Werner Bräunig auf dem 11. Plenum des Zentralkomitees der SED im Dezember 1965, die gleichsam die Perepetie ihrer politischen Karriere darstellt, bis zum Selbstinterview anläßlich des Erscheinens von »Nachdenken über Christa T.« sind aufschlußreich, aber vermitteln doch keinen hinreichenden Einblick in jenen komplizierten Prozeß der Selbstverständigung, der Christa Wolf vor allem darüber belehrt haben muß, daß es ihr je länger desto unzuträglicher war, kulturpolitische Kompromisse einzugehen, zu vertreten und zu rechtfertigen, und zugleich jenem Anspruch zu genügen, dem sie sich immer nachdrücklicher unterwarf: ohne Rückversicherung zu schreiben, auf Entdeckungen aus und bis zu jener Grenze unterwegs, an der die Wahrheit sich definitiv entzieht.
Im Rückblick klingen manche Sätze aus jenen Jahren wie die Vorwegnahme dessen, woran sie arbeitet oder worauf sie planend ihre Überlegungen richtet. Auf der 2. Bitterfelder Konferenz, deren Teilnehmer sie mit einer anekdotisch gewürzten Rede überrascht, zitiert sie einen Vierzehnjährigen, der sich über die schönfärberische Gleichförmigkeit der Jugendbücher bei ihr beklagt und die Wirklichkeit als davon »abweichend« bezeichnet hatte. Darauf Christa Wolf: »Nun habe ich tatsächlich nicht den Mut aufge-

bracht, diesem Jungen die Gesetze des Typischen in der Literatur zu erklären, sondern ich habe gesagt: ›Es sollte ruhig mal einer über das Abweichende schreiben.‹«[26] Und ihr Einspruch gegen Erich Honeckers Diffamierung Werner Bräunigs auf dem 11. Plenum des ZK der SED im Dezember 1965 steht nicht zuletzt im Zeichen einer dezidierten Parteinahme für die spezifische künstlerische Subjektivität: »Dazu möchte ich aber sagen, daß die Kunst sowieso von Sonderfällen ausgeht und daß Kunst nach wie vor nicht darauf verzichten kann, subjektiv zu sein, das heißt, die Handschrift, die Sprache, die Gedankenwelt des Künstlers wiederzugeben. Ich möchte auch sagen, daß der Begriff des Typischen, der in der Diskussion mehrmals gebraucht wurde, auch seine sehr genaue Untersuchung verlangt, daß man nicht wieder zurückfällt auf den Begriff des Typischen, den wir schon mal hatten und der dazu geführt hat, daß die Kunst überhaupt nur noch Typen schafft.«[27] Dagegen setzt Christa Wolf eine neue Schreibweise, die auf die ideelle Durchdringung des Stoffes nicht Verzicht leistet, doch darauf achtet, daß mit dieser Durchdringung nicht zugleich auch ideologische Sperren errichtet werden. Diese Schreibweise findet sich zum erstenmal in dem 1965 entstandenen Text »Juninachmittag«. Schon in den Eingangssätzen dementiert die Autorin mögliche Erwartungen an eine Erzählung herkömmlicher Art: »Eine Geschichte? Etwas Festes, Greifbares, wie ein Topf mit zwei Henkeln, zum Anfassen und zum Daraus-Trinken?«[28] Christa Wolf zeichnet eine Momentaufnahme alltäglichen Lebens, in der Vergangenheit und Zukunft ihre Schnittpunkte haben. Gespräche, Reflexionen, Sinneswahrnehmungen ergeben ein Geflecht von Beziehungen, das zur Umschlagstelle von Hoffnungen, Erwartungen und Befürchtungen wird. Die Möglichkeit der Bedrohung der eigenen Existenz und der des Menschengeschlechts im Ganzen fällt wie ein Schatten auf die scheinbare Idylle. Deren Kehrseite ist Angst. Damit zeichnet sich ein Motiv ab, das später zentral wird. Der Angst und dem, was sie bewirkt und was aus ihr folgen kann, wenn man ihr nicht auf den Grund zu gehen versucht, setzt Christa Wolf sich schreibend aus. Der »Schattenfilm« des nur halb gelebten Lebens der Christa T., der »einst durch das wirkliche Licht der Städte, Landschaften, Wohnräume belichtet« worden ist, macht ihr Angst, wie es gleich zu Beginn von »Nachdenken über Christa T.« heißt: »Als sollte sie noch einmal sterben, oder als sollte ich etwas Wichtiges versäumen.«[29] Und in »Kindheitsmuster« spielt nicht zuletzt die Aufarbeitung der früh erfahrenen Angst als bestimmender Faktor auch des weiteren Lebens die Rolle des unablässig mahnenden Wächters, die Arbeit fortzusetzen, auch wenn das Schreiben über die Angst wiederum neue Angst freisetzt.

Hatte Christa Wolf sich bislang darum bemüht, streng zu episieren, Figuren zu erfinden und Handlungen zu inszenieren, so schlägt sie seit »Juninachmittag« einen anderen Weg ein, der ihr gerade wegen der Betonung der eigenen Subjektivität authentisch erscheint: Sie spricht von sich selbst, überzeugt, daß dadurch auch die Gegenstände, von denen sie handelt, an Deutlichkeit gewinnen. Sie will sich nicht länger unantastbar machen, sich nicht zurückziehen hinter die Scheinobjektivität einer Erzählerfigur. Folgerichtig erfährt sie während der Arbeit an »Nachdenken über Christa T«: »Ich stand auf einmal mir selbst gegenüber, das hatte ich nicht vorhergesehen. Die Beziehungen zwischen ›uns‹ – der Christa T. und dem Ich-Erzähler – rückten ganz von selbst in den Mittelpunkt: die Verschiedenheit der Charaktere und ihre Berührungspunkte, die Spannungen zwischen ›uns‹ und ihre Auflösung, oder das Ausbleiben der Auflösung.«[30] »Nachdenken über Christa T.« bedeutete gegenüber »Der geteilte Himmel« einen immensen Terraingewinn. Während das seinerzeit den Ruhm der Autorin begründende Buch heute kaum anders als historisches Dokument, nicht zuletzt eines bestimmten Entwicklungsabschnittes der DDR-Literatur, zu lesen ist, kommen in »Nachdenken über Christa T.« Momente zum Durchbruch, die noch immer relevant sind.
Hatte Christa Wolf in »Der geteilte Himmel« die Möglichkeit der Selbstverwirklichung des Einzelnen unter den realen Bedingungen der DDR zwar nicht umstandslos, aber doch prinzipiell und mit dem Blick auf Zukunft bejaht, so scheint ihr dies während der Arbeit an »Nachdenken über Christa T.« zweifelhaft geworden zu sein. Mehr als diesen Zweifel hat sie jedoch in das Buch nicht eingebracht. Die wiederholt im Erzählen vorgetragenen Inschutznahmen der Titelfigur ebenso wie die Verteidigung der Stoffwahl gegen vorweggenommene Einwände sind nämlich nicht nur polemisch gegen die Kategorie des Typischen gerichtet, mit der die Ästhetik des sozialistischen Realismus den Vergegenwärtigungsversuch der bestimmenden Faktoren des Geschichtsprozesses belegt. Sie sind auch Ausdruck der Scheu, die Nachzeichnung des zwar nicht als beispielhaft empfundenen, aber doch auf seine Weise für exemplarisch gehaltenen Lebensweges der frühverstorbenen Titelfigur für mehr auszugeben als einen jener Sonderfälle, die sie in

ihrem Diskussionsbeitrag auf dem ZK-Plenum erwähnt hatte. Für diesen Sonderfall erbittet sich die Autorin gleichsam bei sich selber die Lizenz, unsicher, in welchem Maße sich mit seiner Hilfe etwas deutlich machen läßt, was auch andere betrifft. Noch jedenfalls wird nicht ausgesprochen, daß es Entfremdung auch unter den Bedingungen des real existierenden Sozialismus gibt.
Gerade die Erzählform, die Christa Wolf für »Nachdenken über Christa T.« entwickelt hat, läßt erkennen, daß ihr seinerzeit nicht mehr als die Frage, ob es nicht auch unter sozialistischen Gesellschaftsbedingungen Entfremdung gibt, zu formulieren möglich schien. Erst fast ein Jahrzehnt später, in »Kindheitsmuster«, beginnt sie, aus der Einsicht heraus, daß das Zu-sich-selber-Kommen des Menschen ohne die Spurensicherung der eigenen Identität gar nicht möglich ist, jene Selbstbefragung, die noch immer andauert.
Doch schon während der Niederschrift von »Nachdenken über Christa T.« ist Nachdenklichkeit an die Stelle von Selbstsicherheit getreten. Christa Wolf wurde sich bewußt, daß sie mühsam erst wieder verlernen mußte, was sie seit Studientagen und in den Jahren danach, als Redakteurin, Lektorin, Kritikerin, Kulturpolitikerin, von Literatur zu wissen geglaubt hatte.

Anmerkungen

1 Louis Fürnberg: Brief an Christa Wolf vom 15. 6. 1956. In: Hans Böhm (Hrsg.), Fürnberg – Ein Lesebuch für unsere Zeit, Berlin/DDR 1974, S. 420 f
2 Christa Wolf: Über Sinn und Unsinn von Naivität. In: Eröffnungen – Schriftsteller über ihr Erstlingswerk, hrsg. v. Gerhard Schneider, Berlin/DDR und Weimar 1974, S. 165
3 Vgl. dazu Klaus Sauer: Anna Seghers, München 1978 (= Autorenbücher 9), S. 53 f
4 In: Joachim Walther: Meinetwegen Schmetterlinge – Gespräche mit Schriftstellern, Berlin/DDR 1973, S. 129
5 Christa Wolf: Probleme des zeitgenössischen Gesellschaftsromans – Bemerkungen zu dem Roman »Im Morgennebel« von Ehm Welk. In: Neue deutsche Literatur 1/1954, S. 145
6 Christa Wolf: Komplikationen, aber keine Konflikte. (Zu: Werner Reinowski: Diese Welt muß unser sein.) In: Neue deutsche Literatur 6/1954, S. 142
7 Christa Wolf: Vom Standpunkt des Schriftstellers und von der Form der Kunst. In: Neue deutsche Literatur 12/1957, S. 122
8 Christa Wolf: Die schwarzweißrote Flagge. (Zu: Peter Bamm, Die unsichtbare Flagge.) In: Neue deutsche Literatur 3/1955, S. 148 ff

9 Christa Wolf: ›Freiheit‹ oder Auflösung der Persönlichkeit? (Zu: Hans Erich Nossack: »Spätestens im November« und »Spirale« – Roman einer schlaflosen Nacht.) In: Neue deutsche Literatur 4/1957, S. 135 ff
10 Christa Wolf (Hrsg.): Proben junger Erzähler, Leipzig 1959, S. 4
11 Ebda, S. 4
12 Christa Wolfs Rede auf der 2. Bitterfelder Konferenz 1964 in: Zweite Bitterfelder Konferenz 1964 – Protokoll der von der Ideologischen Kommission beim Politbüro des ZK der SED und dem Ministerium für Kultur am 24. und 25. April im Kulturpalast des Elektrochemischen Kombinats Bitterfeld abgehaltenen Konferenz, Berlin/DDR 1964, S. 224–234
13 Vgl. Anmerkung 10, S. 4
14 Vgl. Anmerkung 2, S. 168
15 Ebda, S. 169
16 Christa Wolf, Moskauer Novelle: In: Romanzeitung 204, Berlin/DDR 1966, S. 75
17 Ebda, S. 75
18 Christa Wolf: Dienstag, der 27. September 1960. In: Neue deutsche Literatur 7/1974, S. 22
19 Ebda, S. 20
20 Ebda, S. 13
21 Der Gegenwart verpflichtet. Bericht über die Diskussion auf der Parteiaktivtagung des DEFA-Studios für Spielfilme. In: film. 1/1963, S. 1–24
22 In: Was zählt, ist die Wahrheit – Briefe von Schriftstellern der DDR, Halle 1975, S. 11
23 Dietrich Allert/Hubert Wetzel, in: Die Freiheit, Halle, v. 31. 8. 1963
24 Irma Schmidt: Veränderung bewirken und sich mitverändern. In: Neues Deutschland v. 17. 12. 1963
25 Wolfgang Werth: Die neue Stimme von drüben – Bemerkungen zu Christa Wolfs Erzählung »Der geteilte Himmel«. In: Deutsche Zeitung 1963, Nr. 231
26 Vgl. Anmerkung 12, S. 231
27 Gute Bücher – und was weiter? Diskussionsbeitrag auf dem 11. Plenum des ZK der SED, 16. bis 18. 12. 1965. In: Dokumente zur Kunst-, Literatur- und Kulturpolitik der SED, hrsg. v. Elimar Schubbe, Stuttgart 1972, S. 1009
28 Christa Wolf: Ein Juninachmittag. In: Nachrichten aus Deutschland, hrsg. v. Hildegard Brenner, Reinbek 1967, S. 216
29 Christa Wolf: Nachdenken über Christa T., Darmstadt und Neuwied 1968, S. 8
30 Christa Wolf, Selbstinterview. In: Lesen und Schreiben, Darmstadt und Neuwied 1972, S. 76 f

ANDREAS HUYSSEN

AUF DEN SPUREN ERNST BLOCHS
Nachdenken über Christa Wolf

I

»Aber was sind Tatsachen?«[1] Auf diese Frage der Christa T. gibt Christa Wolfs Roman »Nachdenken über Christa T.« die Antwort: »Die Spuren, die die Ereignisse in unserem Innern hinterlassen« (N 218). Dieser Satz hat Kontroversen ausgelöst.[2] Kritiker aus der DDR warfen der Erzählerin vor, sie verherrliche Innerlichkeit und Idylle, sie reduziere die Beziehung von Individuum und Gesellschaft aufs bloß Private, ihr fehle eine objektivierende und kritische Distanz zu ihrer Figur.[3] Schon an Christa Wolfs erstem Roman »Der geteilte Himmel« (1963) wurde kritisiert, daß einige Figuren zu sehr aus individueller Moral heraus leben und arbeiten, daß die führende Rolle der Partei und die Bedeutung des Klassenstandpunkts nicht genügend herausgearbeitet seien.[4] In »Nachdenken über Christa T.« jedoch wird die Frage nach individueller Verantwortung und nach der Rolle des Subjekts im historischen Prozeß noch viel unbedingter und in zugleich problematischerer Weise aufgeworfen. Während eine Rezension von »Der geteilte Himmel« unter der Überschrift »Tragische Erlebnisse in optimistischer Sicht«[5] erscheinen konnte, sprach man jetzt vornehmlich von Resignation und Pessimismus[6], mangelnder Vorbildhaftigkeit[7] und fragwürdiger politischer Ästhetik.[8] Auch im Westen wurde das Scheitern der Christa T. betont, am schärfsten von Raddatz, der den Roman als Geschichte eines Selbstmords las.[9] Die Pessimismusthese kann zahlreiche Belege aus dem Roman beibringen, aber ausschließlich angewandt projiziert sie letztlich politisches Wunschdenken auf beiden Seiten. DDR-Kritiker sind außerordentlich empfindlich gegenüber jeglichem Anzeichen von Pessimismus und Resignation, weil sie sich scheuen, das Problem der Entfremdung in der DDR überhaupt ernsthaft anzugehen. Westliche Kritiker hingegen sprechen entweder unverblümt und froh von Oppositionsliteratur, oder sie projizieren Tauwetter- und Konvergenztheorien[10] in ihre Romaninterpretation, wobei dann die historischen Voraussetzungen zu Christa Wolfs Roman weitgehend vernachlässigt oder verfälscht werden.

Einen interessanten Ansatz zu einer alternativen Interpretation liefert Manfred Durzak. Er behauptet, daß die Kritik, die von Christa Wolf an der gesellschaftlichen Wirklichkeit der DDR geübt

wird, im Grunde einer Erfüllung der Literaturdoktrin der 2. Bitterfelder Konferenz von 1964 gleichkomme. Durzak zitiert da aus Ulbrichts Bitterfelder Ansprache, wo von einer »qualitativen Erhöhung der Rolle aller subjektiver Faktoren«[11] für den Ausbau des Sozialismus die Rede ist. Durzak übersieht jedoch, daß es Ulbricht um die Auswirkung subjektiver Faktoren auf die Produktion im Rahmen des neuen ökonomischen Systems der Planung und Leitung geht, nicht aber um Subjektivität per se. Gerade hier wäre der entscheidende Unterschied zu betonen, der sich in bezug auf die Rolle der Subjektivität zwischen »Der geteilte Himmel« und »Nachdenken über Christa T.« ausmachen läßt.
Während sich die Subjektivität Rita Seidels in direktem Kontakt mit der Objektivität der industriellen Produktionssphäre entfaltet,[11a] ist Christa T. dem Produktionsprozeß total entfremdet. Hier deutet sich ein Wandel im Selbstverständnis der Autorin Christa Wolf an, die ja wie Rita Seidel im Rahmen der Bitterfelder Bewegung in einer Waggonbauerbrigade gearbeitet hat und also genauestens Bescheid weiß über die Probleme der Rolle von Künstlern und Intellektuellen in der sozialistischen Gesellschaft. Dieser Wandel der Christa Wolf ist weder zu verstehen als resignierter Rückzug aus dem Produktionsprozeß in die Innerlichkeit noch als Erfüllung einer angeblich veränderten Doktrin von sozialistischem Realismus. Es handelt sich vielmehr um ein Aufzeigen von objektiven Widersprüchen und unbewältigten Problemen in Vergangenheit und Gegenwart der DDR. Diese Widersprüche aber sind für Christa Wolf nur im Rahmen sozialistischer Gesellschaftspolitik zu lösen. So hat Heinrich Mohr recht, wenn er im Gegensatz zur west-östlichen Pessimismusthese »Nachdenken über Christa T.« als einen »zukunftssüchtigen Erinnerungsroman«[12] bezeichnet und die utopische Dimension des Romans hervorhebt.

2

Utopisches Denken ist im Bereich marxistischer Philosophie untrennbar verknüpft mit dem Namen Ernst Blochs, und an Ernst Bloch, der von 1949 bis 1957 Ordinarius für Philosophie an der Universität Leipzig war, schließt Christa Wolf in der Tat an.[13]
Nicht nur das dem Roman vorangestellte Becher-Motto verweist ja auf Ernst Bloch, wie schon Hans Mayer richtig betont hat[14], sondern auch zwei weitere Kernsätze des Romans, die, zunächst von Christa T. artikuliert, von der Erzählerin zur Kennzeichnung ihres eigenen Standpunktes angeeignet werden. Einmal der zornig

fordernde Schlußsatz des Romans »Wann, wenn nicht jetzt?«, der ungeduldig die Verwirklichung konkreter Utopie verlangt, und dann der Schlüsselsatz des Ganzen: »Die große Hoffnung oder über die Schwierigkeit, ›ich‹ zu sagen« (N 214). Für Christa T. geht es um Selbstverwirklichung in der sozialistischen Gesellschaft: »Sie hat, jetzt spreche ich von Christa T., nichts inniger herbeigewünscht als unsere Welt, und sie hat genau die Art Phantasie gehabt, die man braucht, sie wirklich zu erfassen« (N 66). Eben weil Christa T. überzeugte Sozialistin ist, führt die Schwierigkeit, »ich« zu sagen, sie nicht in Verzweiflung und Nihilismus – wie es in westlichen Romanen so oft geschieht –, sondern wird begriffen als große Hoffnung. Hoffnung auf das Konkretwerden von Utopie als Mittel zur Aufhebung von Entfremdung: das ist es, was Christa T. von ihren Altersgenossen unterscheidet. Hoffnung ist bestimmendes Prinzip ihres Lebens. Deshalb nimmt sie in ihrer Studentenbude einen ihr mißfallenden Wandspruch herunter und stellt ihn der Wirtin vor die Tür. Der Spruch lautet: »Wenn auch der Hoffnung letzter Anker bricht, verzage nicht« (N 55). Ernst Bloch schreibt in der Einleitung zu seinem philosophischen Hauptwerk »Das Prinzip Hoffnung«: *»Docta spes, begriffene Hoffnung,* erhellt so den Begriff eines Prinzips in der Welt, der diese nicht mehr verläßt.«[15] Wo Hoffnung Prinzip ist, kann kein letzter Anker sein, der bricht.

Philosophie der Hoffnung aber ist der Marxismus. »Er ist die Praxis der konkreten Utopie« (PH 16), entwirft das Leben an der Front, wo Hoffnung verwirklicht wird. Die Erzählerin und andere Freunde Christa T.s machen sich unantastbar, unterdrücken Fragen und Zweifel, weniger aus Angst als aus Unsicherheit (N 65). Christa T. aber hat ein ausgeprägtes Bewußtsein von dem Noch-Nicht-Gewordenen in sich selbst und in der Gesellschaft. Die Erzählerin betont, daß der Leser so gut wie nichts von Christa T. wisse, »wenn es mir nicht gelingt, das Wichtigste über sie zu sagen: Sie, Christa T., hat eine Vision von sich selbst gehabt« (N 148). Dies ist nicht im Sinne wirklichkeitsferner Träumereien, sondern als realitätsbezogener Tagtraum vom neuen Menschen gemeint. »Christa T., sehr früh, wenn man es heute bedenkt, fing an, sich zu fragen, was denn das heißt: Veränderung. Die neuen Worte? Das neue Haus? Maschinen, größere Felder? Der neue Mensch, hörte sie sagen und begann, in sich hineinzublicken« (N 71 f.). Die anderen hingegen sagen: »Das bißchen Ich, sagen wir verächtlich auf unserer Treppe. Der alte Adam, mit dem wir fertig sind.«

(N 220). Christa T. meldet da Bedenken an: »Ich weiß doch nicht. Da muß ein Mißverständnis sein. Diese Mühe, uns jeden anders zu machen, bloß, damit wir das wieder loswerden sollen?« (N 220). Christa T. blickt zwar in sich hinein, sagt dann aber »wir«, blickt also auch aus sich hinaus auf die anderen. Es geht ihr nie nur um sich selbst: »Sie hielt viel auf Wirklichkeit, darum liebte sie die Zeit der wirklichen Veränderungen. Sie liebte es, neue Sinne zu öffnen für den Sinn einer neuen Sache« (N 221). Doch der neue Mensch, den die Utopie fordert, läßt auch in der sozialistischen Gesellschaft auf sich warten. Frühe Jugenderfahrungen – der Kater, den der Pächter an die Stallwand knallte – wiederholen sich in der neuen Gesellschaft: die Krötengeschichte. »Das Paradies kann sich rar machen« (N 67); der alte Adam ist immer noch der alte Adam. Um so mehr drängt Christa T. auf Veränderung, erahnt hoffend eine Zukunft, die über das schon Erreichte hinaustreibt, eine Zukunft, die in Blochscher Sprache umschrieben wird: »Die Zukunft? Das ist das gründlich andere« (N 126).

Das ist Christa T.s Gewißheit, denn etwas von diesem gründlich anderen ist in ihr, in der Kindheit geahnt – »Sternkind – kein Herrnkind« (N 24) –, später bewußt und schreibend antizipiert. Etwa im Krötenmanuskript, in dem Christa T. den Schüler Hammurabi seine Tat – er hatte einer Wette wegen einer Kröte den Kopf vom Rumpf gebissen – bereuen läßt, obwohl dieser gar nicht daran denkt zu bereuen: »Diesen Schluß – wie mag sie ihn sich gewünscht haben. Wie stimmen wir im Innersten überein mit allen, die solche Schlüsse, je weniger sie stattfinden, um so heftiger begehren« (N 139). Christa T. leidet daran, daß solche Schlüsse nach wie vor nicht stattfinden. Das führt zu »Erbitterung aus Leidenschaft« (N 166) – so nennt es die Erzählerin an späterer Stelle, wo es Christa T. mißlingt, eine Straßenbahnschaffnerin, die nach ihrer dritten Abtreibung neben ihr im Krankenhaus liegt, zur Änderung ihres Lebens zu bewegen. Die Straßenbahnschaffnerin wird weiterleben in »ihrer müden Hingabe an die Leiden, die der Mann ihr zufügte« (N 165). Aber gerade auf diese Menschen, die Hammurabis und die Straßenbahnschaffnerinnen, kommt es an. Wer kann sie lehren, aufrütteln? Wie können sie das Hoffen lernen, von dem Bloch im Vorwort zu »Das Prinzip Hoffnung« schreibt: »Es kommt darauf an, das Hoffen zu lernen. Seine Arbeit entsagt nicht, sie ist ins Gelingen verliebt statt ins Scheitern. [. . .] Der Affekt des Hoffens geht aus sich heraus, macht die Menschen weit, statt sie zu verengen« (PH 1).

Christa T. lebt aus einem solchen Bewußtsein heraus, aber es gelingt ihr nicht, sich anderen mitzuteilen, andere an ihrer Erkenntnis, an ihrer Vision zu beteiligen. Sie bleibt Außenseiterin in ihrer Gesellschaft, und es ist so nur konsequent, daß sie ausschließlich im Schreiben »über die Dinge kommen« (N 44) kann. »Wirklichkeitshungrig« (N 74) wird sie genannt; und wirklichkeitshungrig geht sie dem nach, was die Menschen verändert, sucht die Front, wie Bloch sagen würde, etwa in der Erfahrung der Bauern mit der Agrarkollektivierung:

»Sie fuhr, sooft sie konnte, mit ihrem Mann über Land. Ihre alte Gier auf Gesichter, wie sie wirklich aussehen, wenn sie eine schlimme oder gute Nachricht empfangen, wenn sie sich anspannen, sich entschließen, zweifeln, schwanken, begreifen, sich überwinden. Sie vergißt sich selbst vor den aufgewühlten Gesichtern der Bauern. Justus muß in die Stuben eintreten. Was meint der Doktor, aber ehrlich, zu den Genossenschaften? Justus hat Tabellen bei sich: Erzeugung von Milch, Schweinefleisch, Getreide. Die Weltspitze im Vergleich zu ihrem Kreis. Christa T. sah: Mehr war noch niemals von ihnen verlangt worden, ein unerhörter Schritt über die Grenze, die ihnen gesetzt schien. Sie wagte, sehr behutsam, hin und wieder ein Wort, meist zu den Frauen, mit denen sie in der Küche stand, die Klein-Anna mit Milch fütterten und nebenher ihr altes Lamento anstimmten, die gewöhnliche Klage über ihr Leben, heftig mit Anklagen durchsetzt, und selten eine schnelle Frage, mit sicherndem Blick zur Stubentür: Wer wird schon an uns denken, ach, das glaub' ich doch nicht, das hat es noch nicht gegeben, es wär' das Neueste ...

Es gibt welche, sagt Christa T., die auf das Neueste neugierig sind, das soll man ausnutzen.« (N 182)

Das Leben dieser Bauern will sie in den Geschichten »Rund um den See« darstellen. Aber ihre Schreibversuche brechen immer wieder im Ansatz ab. Immer wieder steht die Realität ihr »fremd wie eine Mauer« (N 90) entgegen, in der Kindheit wie in der Lehrerinnenzeit, im Studium und noch später in der Ehe. Für die Verwirklichung ihrer großen Hoffnung scheint die Zeit noch nicht gekommen zu sein. Das stürzt sie in Krisen; denn letztlich sieht sie sich immer wieder auf sich selbst verwiesen, was ihr, der Sozialistin, nicht zur Selbstverwirklichung ausreicht. Die Erzählerin begreift diese Widersprüchlichkeit in Christa T.s Leben und läßt milde Kritik erkennen: »Was braucht die Welt zu ihrer Vollkommenheit?

Das und nichts anderes war ihre Frage, die sie in sich verschloß, tiefer noch aber die anmaßende Hoffnung, sie, sie selbst, Christa T., wie sie war, könnte der Welt zu ihrer Vollkommenheit nötig sein.« (N 68)
Und später heißt es dann noch einmal: »Den gefährlichen Wunsch nach reiner, schrecklicher Vollkommenheit in sich nähren. Ganz oder gar nicht sagen und unmißverständlich in sich das Echo hören: gar nicht« (N 185). Und doch sieht die Erzählerin eben hierin Christa T.s Stärke, noch zur Zeit ihrer Todesmüdigkeit: »Soviel ist sicher: Niemals kann man durch das, was man tut, so müde werden wie durch das, was man nicht tut oder nicht tun kann. Das war ihr Fall. Das war ihre Schwäche und ihre geheime Überlegenheit« (N 175 f.). Aber diese geheime Überlegenheit wird nie wirklich produktiv; Christa T. bleibt mit ihr allein. In ihren Schreibversuchen geht sie nie von allerhöchsten Ansprüchen ab und gelangt daher über Fragmentarisches kaum hinaus.
Im Leben freilich läßt sie sich auf einen Kompromiß ein, ganz zuletzt: »Vielleicht darf man im Leben Abstriche machen, schrieb sie« (N 181). Aber noch dieser Kompromiß dient dem Ziel der Selbstverwirklichung. »Man selbst, ganz stark man selbst werden« (N 188) heißt es zu Beginn des Kapitels, in dem Christa T. zum erstenmal ihren Freunden von dem geplanten Hausbau spricht. Wie üblich wird sie nicht verstanden. Erst später, schon zu Besuch im neuen Haus am See, kommt der Erzählerin die Erkenntnis, »daß dieses ganze Haus nichts weiter war als eine Art Instrument, das sie benutzen wollte, um sich inniger mit dem Leben zu verbinden, ein Ort, der ihr von Grund auf vertraut war, weil sie ihn selbst hervorgebracht hatte, und von dessen Boden aus sie sich allem Fremden stellen konnte« (N 193). Anpassung an die Wirklichkeit also, Selbstverwirklichung im Rahmen des ihr Möglichen. Christa T. gräbt sich aus, wie sie sagt, aus Phantasien und Träumen: »Sie wußte ganz gut, daß dieses rohe, winddurchpfiffene Haus weiter von seiner Vollendung entfernt war, als das Traumhaus an jenem glücklichen Abend auf den Skizzen im Strandhotel, das weiß und schön auf dem Papier dagelegen hatte. Aber sie hatte auch erfahren, daß das wirkliche Material sich stärker widersetzt als Papier und daß man die Dinge, solange sie im Werden sind, unerschütterlich vorwärtstreiben muß. Wir sahen, daß sie längst nicht mehr auf ihren Skizzen bestand, sondern auf diesen rohen Steinen.« (N 202)
Diese neue Erfahrung Christa T.s umschreibt Bloch im Kapitel über die Aporien der Verwirklichung als »qualitatives Defizit im

Akt des Verwirklichens selbst« (PH 217). Der Hausbau sollte nicht mißverstanden werden als Rückzug in kleinbürgerliche Idylle, Flucht in die Innerlichkeit. Selbst dem Leben im Haus am See haftet noch Utopisches an, ganz im Sinne Ernst Blochs, der schreibt: »Ersichtlich sind deren Aporien [die Aporien der Verwirklichung] – vom Stückwerk bis zur noch vorhandenen Nichtdeckung auch der besten Verwirklichung mit dem Zielbild – außerhalb des Utopieproblems überhaupt nicht behandelbar. Desto weniger sind sie das, *als ja Utopisches am Verwirklichten so mannigfach übrigbleibt und nach ihm, zu neuen Zielen, wieder hervortritt.«* (PH 221, – meine Hervorhebung)

Das, was bei Christa T.s Versuch der Selbstverwirklichung an Utopischem übrigbleibt, tritt in Christa Wolfs Roman, zu neuen Zielen, wieder hervor. Als Resultat eines Nachdenkens freilich, das für Christa T. zu spät kommt. Trotz Christa T.s frühzeitigem Tode kann aber weder von Verzweiflung, noch von Resignation die Rede sein. Im Gegenteil. In ihrem »Selbstinterview« sagt Christa Wolf: »Ich habe gefunden, daß sie in der Zeit, die ihr gegeben war, voll gelebt hat.«[16] Dem entspricht Christa T.s Überzeugung: »Ich grab' mich aus« (N 191). Dieser merkwürdige Begriff des Ausgrabens spielt auch bei Bloch eine Rolle. Im Kapitel über die Entdeckung des Noch-Nicht-Bewußten heißt es: »Das sogenannte Wesen des Universums also ist noch an und für sich verschlossen im Sinne von: Noch-Nicht-Erscheinung seiner selbst; *diese seine eigene Aufgabe-Natur macht es schwierig.* Das Schwierige aufzuheben, dazu ist nicht nur Erkenntnis nötig im Sinne einer Ausgrabung dessen, was war, sondern Erkenntnis im Sinn einer Planbestimmung dessen, was wird.« (PH 149)

Der Hausbau, dieses Ausgraben dessen, was war, und Erkenntnis dessen, was wird, ist individuell verwirklichte Hoffnung, subjektive Antizipation dessen, was Bloch Heimat nennt, Ziel der Menschheit. Das Haus ist für Christa T. Heimat, und damit hat sie den Punkt erreicht, wo aus ihrem Ahnen ein Wissen geworden ist. Wenn Christa T. nun kurz nach dem Einzug ins Haus am See stirbt, scheint dieser Tod eine Interpretation zu widerlegen, die das Haus als Verwirklichung von Heimat deutet. Doch auch dieser Widerspruch läßt sich deuten. Vergessen wir nicht die Aporien der Verwirklichung, von denen in bezug auf Christa T.s Leben schon die Rede war. Das Haus ist für Christa T. zwar Heimat, aber eben nur für Christa T., Heimat im Blochschen Sinne jedoch kann letztlich nicht individuell, sondern muß in Gemeinschaft angestrebt und erreicht werden. Hier liegt ein unlösbarer Widerspruch in Christa T.s Existenz und in ihrem Verhältnis zu ihrer Gesellschaft, in der die Menschen, wie sie glaubt, das Hoffen und die Unruhe verlernt haben und Heimat verwirken, einer Gesellschaft, die dem Einzelmenschen und dessen konkreten Wünschen die Rolle im historischen Prozeß verweigert, die ihm nach Blochs marxistischer Philosophie zukommt.

Christa T.s Tod, »dieser härteste Gegenschlag zur Utopie« (PH 15), ist jedoch nicht nur Ende, sondern auch Anfang. Sie stirbt zu einer Zeit, da sich die Aufbauphase des Sozialismus in der DDR dem Ende zuneigt, da Hoffnung und Utopie zusehends bürokratisch verwaltet und damit vergessen werden als unabdingbare Voraussetzungen für die Verwirklichung von sozialistischer Heimat. Eine »neue Welt der Phantasielosen«, der »Hopp-Hopp-Menschen« (N 66) macht sich breit, in der Anpassung als Geheimnis der Gesundheit angepriesen wird (N 141). Zu eben dieser Zeit aber beginnt die Beschäftigung der Erzählerin mit Christa T.s Leben. Ein zweites Ausgraben findet statt, auch jetzt nicht nur ein Ausgraben dessen, was war, in der Form des Erinnerungsromans, sondern Erkenntnis im Sinn einer Planbestimmung dessen, was wird, oder doch werden soll. »Denn es scheint, wir brauchen sie« (N 9), sagt die Erzählerin gleich zu Beginn sehr entschieden über Christa T. Dieser Satz zeigt: nicht um empfindsame Erinnerung romantisch verklärter Vergangenheit geht es Christa Wolf, sondern um eine Erinnerung, die dialektisch auf Zukunft zielt. Auch Bloch trifft diese Unterscheidung: »Das fortgeschrittenste Bewußtsein arbeitet derart auch in der Erinnerung und Vergessenheit nicht als in einem abgesunkenen und so geschlossenen Raum, sondern in einem offenen, im Raum des Prozesses und seiner Front« (PH 160 f.). Nicht verlorene Zeit soll in diesem sozialistischen Erinnerungsroman wiedergefunden werden. Im Rahmen marxistisch-utopischen Denkens kann keine Zeit ganz und gar verloren sein. Erinnerung bedeutet in Christa Wolfs Roman nicht ein Vergangenem-Gegenüberstehen, sondern ein Nachdenken über im Vergangenen Noch-Nicht-Gewordenes, das, eben weil es noch werden will, in Gegenwart hineinreicht und auf Künftiges vorweist. Nicht nur im Kunstwerk, sondern gerade auch in der Wirklichkeit. Wiederum passen Blochs Formulierungen zu dem, was Christa Wolf zeigen will:

»Es gibt im Gegenwärtigen, ja im Erinnerten selber einen Auftrieb und eine Abgebrochenheit, ein Brüten und eine Vorwegnahme von Noch-Nicht-Gewordenem; und dieses Abgebrochen-Angebroche-

ne geschieht nicht im Keller des Bewußtseins, sondern an seiner Front.« (PH 10)
Mit Christa Wolfs Worten: nicht Erinnerung als eine Form des Vergessens (vgl. N 7) steht in Frage, sondern Erinnerung als »Neuerschaffung der Vergangenheit« (LS 57), wobei dann das Vergangene in den Prozeßcharakter der Gegenwart eingreift. In ihrem Aufsatz über die sowjetische Schriftstellerin Vera Inber hat Christa Wolf von der Schwierigkeit dieses Unterfangens gesprochen und betont, daß solche Neuerschaffung der Vergangenheit nur genau in jenem vergänglichen Moment möglich sei, »da die undurchsichtige Gegenwart so weit zurückgetreten ist, um durchsichtig, dem Erzähler verfügbar zu sein; aber noch nah genug, daß man nicht damit ›fertig‹ ist« (LS 57). Nach Ernst Bloch kann selbst Vergangenes nur mit Hilfe utopischen Bewußtseins aufgehellt werden. Zur dialektischen Interdependenz von Utopie und Erinnerung, wie sie Christa Wolfs Roman kennzeichnet, schreibt Bloch:
»Das utopische Bewußtsein will weit hinaussehen, aber letzthin doch nur dazu, um das ganz nahe Dunkel des gerade gelebten Augenblicks zu durchdringen, worin alles Seiende so treibt wie sich verborgen ist. Mit andern Worten: man braucht das stärkste Fernrohr, das des geschliffenen utopischen Bewußtseins, um gerade die nächste Nähe zu durchdringen.« (PH 11)

3
Worauf aber zielt dieses Durchdringen des gerade gelebten Augenblicks ab? Welche konkrete Bedeutung hat es für Christa Wolf? Die Erzähltechnik gibt einen Hinweis. Der Roman schildert, wie Hans Mayer richtig betont hat, jegliches Geschehen sowohl als Lebensvorgang wie als Kunstvorgang. Modernste Kunstmittel werden eingesetzt, die immer wieder die Grenze zwischen Erzählen und Erzähltem, Erzählerin und erzählter Figur, Gegenwart und Vergangenheit verwischen, Fragen und Widersprüche auftauchen lassen und weiteres Nachdenken provozieren. Diese Erzähltechnik steht ganz und gar im Dienste des Inhalts und bestätigt Christa Wolfs Aussage, beim Schreiben sei sie sich selbst begegnet: »Später merkte ich, daß das Objekt meiner Erzählung gar nicht so eindeutig sei, Christa T., war oder blieb. Ich stand auf einmal mir selbst gegenüber, das hatte ich nicht vorhergesehen« (LS 76). Hans Mayer hat mit Recht festgestellt, daß die Schriftstellergestalten bei Christa Wolf – und das gilt sowohl vom Subjekt wie vom Objekt des Erzählens – den Vorgang einer Befreiung durch Schreiben behan-

deln.[17] Nur gelingt diese Befreiung Christa T. eben nicht im Schreiben, sondern im Hausbau, und auch da nicht vollständig. Christa Wolf andererseits gelingt eine Befreiung durch Schreiben in dem Sinne, daß sie durch Nachdenken über Christa T. zu sich selbst kommt, sich das Noch-Nicht-Gewordene in sich selbst bewußt macht und die Hoffnung Christa T.s auf das gründlich andere als eigene anerkennt.

Wenn der Erzählerin die Bedeutung von Christa T.s Leben erst nach deren Tod aufgeht, so ist nach den Gründen für diese merkwürdige Verspätung zu fragen. Diese Gründe sind sowohl subjektiver als auch objektiver Natur. Im Titelaufsatz der Sammlung »Lesen und Schreiben« spricht Christa Wolf von der auffällig verzögerten Reife ihrer Generation, die sie mit lückenloser Absperrung von aller Literatur der Zeit während des Dritten Reiches erklärt: »Hintergründig hemmte es, sicherlich erfolgreich, das Erwachsenwerden, das Reifen des kritischen Verstandes und verständiger, nicht von übelsten Vorurteilen und Ressentiments verkrüppelter Gefühle« (LS 192). Die Aufsatzsammlung liefert auch einen konkreten Beleg für dieses verzögerte Reifen des kritischen Verstandes. In einem kleinen Stück »Brecht und andere« berichtet Christa Wolf 1966 über das Verhältnis ihrer Generation zu dem Stückeschreiber Brecht: »Und Spannung war da durchaus: zwischen uns (die wir Anfang der fünfziger Jahre glaubten, alles über Kriege und speziell über den Krieg zu wissen, der uns betroffen hatte) und der »Courage« da vorn auf der Bühne, der gegenüber wir uns, eben im Besitz unseres allzu runden Wissens, eine ungeduldige Überlegenheit herausnahmen, wo doch geduldiges Nachdenken am Platze gewesen wäre.« (LS 55)

Geduldiges Nachdenken statt ungeduldiger Überlegenheit aber kennzeichnet die immer wieder gehemmte und verzögerte Entwicklung von Christa T., eine Verzögerung anderer Art freilich als die Christa Wolfs. Im Gegensatz zu Christa T. gehört die Erzählerin zum inneren Kreis jener Germanisten, von denen es im Roman – durchaus in Parallele zu dem im Brecht-Aufsatz beschriebenen Vorgang – heißt: »Die Wahrheit ist: Wir hatten anderes zu tun. Wir nämlich waren vollauf damit beschäftigt, uns unantastbar zu machen, wenn einer noch nachfühlen kann, was das heißt. Nicht nur nichts Fremdes in uns aufnehmen – und was alles erklärten wir für fremd –, auch im eigenen Innern nichts Fremdes aufkommen lassen, und wenn es schon aufkam – ein Zweifel, ein Verdacht, Beobachtungen, Fragen –, dann doch nichts davon anmerken lassen.« (N 65)

Im Brecht-Aufsatz führt Christa Wolf ihre rückblickende Kritik an solchem Denken fort und schreibt: »Begeistert und überzeugt wiederholten wir seine Thesen vom »Anbruch des wissenschaftlichen Zeitalters«, fühlten uns selbst angesprochen, wenn er sagte: »Die Menschen des wissenschaftlichen Zeitalters werden ...«, und wußten nicht, *konnten* nicht wissen, daß er durch uns hindurch sah auf jene, die wir nach unerhörter Anstrengung vielleicht einmal sein würden; oder sonst auf die, die nach uns kommen.« (LS 55)
Von der Sicherheit aus Unsicherheit zu einer geduldig fragenden und zweifelnden Unsicherheit in der Sicherheit – so ließe sich der Weg der Christa Wolf aus den fünfziger Jahren in die sechziger Jahre umschreiben. Dabei aber spielt Christa T. eine entscheidende Rolle – als Anreiz zu einer Bewußtmachung und Befragung der Vergangenheit, die Christa Wolf in ihrem Roman mit großer Anstrengung durchführt.
Nun geht es in »Nachdenken über Christa T.« jedoch nicht nur um den Versuch der Christa Wolf, sich schreibend gegen den Tod eines Menschen zu wehren, der ihr sehr nahe stand (vgl. »Selbstinterview«). Noch auch geht es allein um einen verspäteten Reifeprozeß der Autorin. Christa Wolf selbst rechtfertigt ihren ganz subjektiven Antrieb, den Roman zu schreiben, mit objektiven Entwicklungen in der DDR. Im »Selbstinterview« heißt es: »Die Jahre, da wir die realen Grundlagen für die Selbstverwirklichung des Individuums legten, sozialistische Produktionsverhältnisse schafften, liegen hinter uns. Unsere Gesellschaft wird immer differenzierter. Differenzierter werden auch die Fragen, die ihre Mitglieder ihr stellen – auch in Form der Kunst. Entwickelter wird die Aufnahmebereitschaft vieler Menschen für differenzierte Antworten.« (LS 79 f.)
Das neugewonnene politische Selbstbewußtsein, das sich hier artikuliert und das charakteristisch ist für die DDR der sechziger Jahre, ist aber Voraussetzung für jenes Reifen des kritischen Verstandes und für eine Befreiung durch Schreiben, die nicht nur die Autorin, sondern auch den individuellen Leser erfassen soll. Christa Wolf hält dafür, daß der Roman, der ja immer individuell gelesen wird, als Medium besonders geeignet ist, die Frage nach der Rolle des Subjekts in der sozialistischen Gesellschaft aufzuwerfen. Sie tritt ein für eine »epische Prosa«, »die es unternimmt, auf noch ungebahnten Wegen in das Innere dieses Menschen da, des Prosalesers, einzudringen« (LS 207). Befreiung also nicht nur durch Schreiben, sondern auch durch Lesen. Entsprechend sieht Christa Wolf ihre eigene Prosa als ein Mittel, »Zukunft in die Gegenwart

hinein vorzuschieben« (LS 207).
In einer einem solchen Unternehmen noch ungünstigen Zeit war Christa T. mit ihren Schreibversuchen gescheitert. Aus dem Rückblick jedoch erweist sich Christa T.s Leben als ein für die Weiterentwicklung des Sozialismus in der DDR ebenso wichtiges wie widersprüchliches Erbe. Ihre Lebensschwäche – darauf hat schon Heinrich Mohr verwiesen[18] – ist ja nicht individueller, sondern durchaus sozialer und politischer Natur. Das Nachdenken über die Widersprüche in Christa T.s Leben, die zugleich auf Widersprüche in der Entwicklung der DDR deuten, kann, so meint Christa Wolf, durchaus produktiv werden.[19] Christa T. stirbt an einer Krankheit, an der nicht mehr lange gestorben werden wird (N 231). Als Tatsache formuliert, klingt dieser Satz doch eher wie eine Forderung an die Zukunft, verweist den Leser an die konkrete ununterdrückbare Hoffnung, daß Spontaneität und Selbstverwirklichung des Menschen in der DDR ihre Heimat finden können, nachdem die Voraussetzungen durch den Aufbau sozialistischer Produktionsverhältnisse geschaffen worden sind.

4

Aber ganz so glatt gehen die Dinge nicht auf. Blenden wir noch einmal zurück. Am Anfang der Bekanntschaft der Erzählerin mit Christa T. stand deren Trompete-Blasen, ein spontaner Befreiungsruf, der »für einen Sekundenbruchteil den Himmel anhob« (N 15). Hier, in der Kindheit, ahnte die Erzählerin schon, was Christa T. so anders macht: »Ich fühle auf einmal mit Schrecken, daß es böse endet, wenn man alle Schreie frühzeitig in sich erstickt, ich hatte keine Zeit mehr zu verlieren. Ich wollte an einem Leben teilhaben, das solche Rufe hervorbrachte, hooohaahoo, und das ihr bekannt sein mußte.« (N 16)
Aber dann folgen Jahre der Trennung. Jahre des Nebeneinanderherlebens, Jahre gegenseitigen Mißverständnisses. Der Schrei, mit dem Bloch übrigens auch »Das Prinzip Hoffnung« beginnen läßt (PH 21), wird eben doch unterdrückt. Erst mit dem Tode Christa T.s wird dieser kindliche Schrei in der Erzählerin wieder lebendig. Im Erinnern entdeckt sie schreibend das Noch-Nicht-Gewordene in sich selbst als ein Noch-Nicht-Gewordenes sozialistischer Gesellschaft. Der Erinnerungsroman wird zum Zukunftsroman. Aus subjektivem Antrieb, einen Roman über die zu früh verstorbene Freundin zu schreiben, wird objektive Forderung an die Gesellschaft, deutlich vor allem im Gebrauch des Partikels »man« in den

letzten Zeilen des Romans: »Einmal wird man wissen wollen wer sie war, wen man da vergißt. Wird sie sehen wollen, das verstände sie wohl. Wird sich fragen, ob denn da wirklich jene andere Gestalt noch gewesen ist, auf der die Trauer hartnäckig besteht. Wird sie, also, hervorzubringen haben, einmal. Daß die Zweifel verstummen und man sie sieht. Wann, wenn nicht jetzt?« (N 235)
Wenn hier auch nur die Rede davon zu sein scheint, Christa T. wieder hervorzubringen – was Christa Wolf mit ihrem Roman ja getan hat –, so kommt mit diesem Hervorbringen Christa T.s doch auch dasjenige zum Vorschein, was ihr Leben kennzeichnete und noch immer auf Erfüllung wartet: Hoffnung auf Heimat. Der Tod Christa T.s – das ist die Hoffnung Christa Wolfs, die sie beim Schreiben des Romans gelernt hat – soll nicht ein Ende, sondern ein Anfang sein. Und noch einmal läßt sich eine Parallele zu Bloch anführen. Mit ihrem »Wann, wenn nicht jetzt?« projiziert Christa Wolf das wenig konkrete Ende von Ernst Blochs »Das Prinzip Hoffnung« auf einen konkreten historischen Moment in der Entwicklung der sozialistischen Gesellschaft der DDR. Die letzten Zeilen bei Bloch lauten:
»Die wirkliche Genesis ist nicht am Anfang, sondern am Ende, und sie beginnt erst anzufangen, wenn Gesellschaft und Dasein radikal werden, das heißt sich an der Wurzel fassen. Die Wurzel der Geschichte aber ist der arbeitende, schaffende, die Gegebenheiten umbildende und überholende Mensch. Hat er sich erfaßt und das Seine ohne Entäußerung und Entfremdung in realer Demokratie begründet, so entsteht etwas, das allen in die Kindheit scheint und worin noch niemand war: Heimat.« (PH 1628)
Wie freilich zwischen individueller Selbstverwirklichung und dem Radikal-Werden der Gesellschaft vermittelt werden soll, bleibt eine unbeantwortete Frage. Unbeantwortet bei Ernst Bloch. Unbeantwortet auch bei Christa Wolf. Genau an diesem Problem scheiterte Christa T. Christa Wolf macht derartiges Scheitern als Problem sozialistischer Entwicklung bewußt, scheint aber ihrerseits ratlos zu sein, wie die Utopie zu verwirklichen ist. Gerade darin jedoch, daß Christa Wolf sich und dem Leser einfache Lösungen verweigert, bewährt sich der Realismus ihrer Schreibweise. Die Autorin weiß, daß die Bedingung der Möglichkeit, Entfremdung und Selbstentfremdung aufzuheben, in der Realität selbst geschaffen werden muß. Solange aber dieses Problem nur unzulänglich bewältigt wird, muß eine Aneignung Blochscher Hoffnungsphilosophie als ebenso plausibel wie problematisch erscheinen. Was bedeutet es

eigentlich, wenn Blochs Denken, das aus einer ganz anderen historischen Lage hervorging, in den frühen sechziger Jahren von Christa Wolf rezipiert und einem Roman eingeformt wird? Sollte Christa Wolf, die von 1963 bis 1966 Kandidatin für das Zentralkomitee der SED war, glauben, daß sich die Widersprüche und Probleme sozialistischer Gesellschaft in der DDR mit dem Prinzip Hoffnung lösen lassen? Sollte sie nicht sehen, daß Blochs Utopie, die die Dialektik der eigenen Realisierung selbst wiederum utopisch faßt[20], so konkret eben doch nicht ist, als daß sie unter den Bedingungen der sozialistischen Übergangsgesellschaft der sechziger und siebziger Jahre unmittelbar praktisch werden könnte? Mit diesen Fragen stehen wir vor einem methodischen und zugleich historischen Problem.
Bloch wollte mit seinem Hauptwerk eine verschüttete utopische Tradition für den Marxismus retten und aufarbeiten. So kritisiert er, wie Habermas sagt, zwar die Mythen, Religionen und Philosophien der Vergangenheit als Schein, nimmt sie jedoch ernst als Vor-schein auf ein künftig Herzustellendes.[21] Das heißt nichts anderes, als daß utopisches Denken bei Bloch immer auf Praxis ausgerichtet bleibt. Wenn Bloch dabei größten Wert auf die praktische, vorwärtstreibende Kraft menschlichen Denkens legt, so muß man sein Denken, bevor man es kritisiert, in seiner Frontstellung gegen den Ökonomismus und Reduktionismus des »Diamat« verstehen. Bloch schrieb gegen diejenigen, die glaubten, das Basis-Überbau-Problem sei im Sinne vulgär-materialistischer Determination einseitig zu erledigen. Habermas sagt: »Bloch will dem Sozialismus, der von der Kritik der Tradition lebt, die Tradition des Kritisierten erhalten.«[22] Noch im falschen Bewußtsein versuchte Bloch einen Kern von Wahrheit und Authentizität zu retten. Diese Aufgabe mußte ihm um so wichtiger erscheinen, als er ja nicht nur gegen den Ökonomismus des »Diamat« Stellung bezog, sondern – jedenfalls bei der ersten Niederschrift von »Das Prinzip Hoffnung« – auch gegen die Verfälschung bürgerlicher Tradition durch den Faschismus. Diese historische Konstellation, von der Blochs »Das Prinzip Hoffnung« nicht zu trennen ist, bleibt zu berücksichtigen, wenn man Christa Wolfs Aneignung Blochscher Philosophie adäquat verstehen will.
Ich glaube nicht, daß Christa Wolf sich Illusionen hingibt, was eine unmittelbare Verwirklichung der Utopie von Heimat anbelangt. Zu vermuten ist vielmehr, daß auch ihre späte Bloch-Rezeption mit der verspäteten Reife ihrer Generation zusammenhängt. Verspätete

Reife insofern, als Christa Wolf erst nach dem Tode Christa T.s begreift, warum auch und gerade dieses vom Prinzip Hoffnung geprägte Leben zur sozialistischen Gesellschaft gehört. Der Roman »Nachdenken über Christa T.« bewahrt somit für die DDR ein doppeltes Erbe auf: das Erbe der zu früh verstorbenen Christa T. und dasjenige des von Leipzig nach Tübingen umgesiedelten Ernst Bloch. Dieses Erbe freilich gilt es erst noch kritisch zu verarbeiten und produktiv werden zu lassen. Die Bedeutung von »Nachdenken über Christa T.« liegt eben darin, daß Christa Wolf die bei Bloch implizierte Kritik an der ökonomistischen Theorie und Praxis einer vergangenen Epoche auf die Gegenwart bezieht und erzählerisch entfaltet, indem sie das Noch-Nicht-Gewordene sozialistischer Gesellschaft in der DDR thematisiert. Das »Wann, wenn nicht jetzt?«, mit dem der Roman schließt, ist eine Forderung an die Zukunft *und* an die Gegenwart. Die Gemeinsamkeit von Ernst Bloch und Christa Wolf ist darin zu sehen, daß es beiden um ein im Vergangenen Noch-Nicht-Gewordenes geht, das »bewußt-gewußt« (PH 163) werden muß, bevor es in der Praxis eingelöst werden kann: das Prinzip Hoffnung. Der Unterschied liegt darin, daß Bloch als Emigrant einen Kampf an zwei Fronten zu führen hatte – gegen Faschismus und gegen Vulgärmaterialismus; Christa Wolf hingegen schreibt als Bürgerin eines Landes, in dem die Voraussetzungen für die Weiterentwicklung des Sozialismus gegeben sind, in dem aber zugleich Blochs kritisches Denken eine unverminderte Brisanz behält.

Gewiß könnte man Christa Wolf vorhalten, daß sie wie Bloch die vorwärtstreibende Kraft menschlichen Denkens überbetone. Die im Roman aufgeworfenen Fragen und Widersprüche bleiben bestehen. Gerade auch in der gesellschaftlichen Wirklichkeit der DDR. Aber Christa Wolfs Aneignung des Prinzips Hoffnung ist durchaus konsistent mit ihrer Definition künstlerischer Prosa und damit ihrer eigenen Rolle als Schriftstellerin in einem sozialistischen Staat. Im letzten Abschnitt von »Lesen und Schreiben« heißt es unter der Überschrift »Erinnerte Zukunft«:

»Prosa kann die Grenzen unseres Wissens über uns selbst weiter hinausschieben. Sie hält die Erinnerung an ihre Zukunft in uns wach, von der wir uns bei Strafe unseres Untergangs nicht lossagen dürfen.

Sie unterstützt das Subjektwerden des Menschen.

Sie ist revolutionär und realistisch: sie verführt und ermutigt zum Unmöglichen.« (LS 220)

Es gibt Anzeichen, daß das Subjektwerden des Menschen heute auch offiziell in der DDR als Problem anerkannt wird. Nach sechs Jahren praktisch wirksamen Verbots wurde »Nachdenken über Christa T.« zum fünfundzwanzigjährigen Jubiläum der DDR neu aufgelegt.

Anmerkungen

1 Christa Wolf: Nachdenken über Christa T., Neuwied und Berlin, 1969. Hier und im folgenden wird zitiert aus der Sonderausgabe der Sammlung Luchterhand (SL 31). Künftig abgekürzt N.

2 Vgl. Hermann Kähler: Christa Wolfs Elegie. In: Sinn und Form 21, 1969, H.1, S. 251–261, besonders S. 256 f.

3 Vgl. Horst Haase: Nachdenken über ein Buch. In: Neue deutsche Literatur 4/1969, S. 174–185; Hermann Kähler, S. 260; Heinz Sachs, Verleger sein heißt ideologisch kämpfen. In: Neues Deutschland v. 14. 5. 1969; Peter Gugisch: Christa Wolf. In: Hans Jürgen Geerdts (Hrsg.): Literatur der DDR in Einzeldarstellungen, Stuttgart, 1972, S. 410

4 Vgl. Martin Reso (Hrsg.): »Der geteilte Himmel« und seine Kritiker, Halle, 1965; Hans Georg Hölsken: Zwei Romane: Christa Wolf »Der geteilte Himmel« und Hermann Kant »Die Aula«. In: Deutschunterricht 21, 1969, H. 5, S. 61–99

5 Eduard Zak: Tragische Erlebnisse in optimistischer Sicht. In: Sonntag, v. 19. 5. 1963

6 Vgl. Horst Haase und Hermann Kähler

7 Peter Gugisch, S. 410

8 Vgl. Heinz Adamecks Äußerungen auf dem 10. Plenum des ZK (Mai 1969) Zit. bei Fritz J. Raddatz: Traditionen und Tendenzen, Frankfurt, 1972, S. 386

9 Fritz J. Raddatz: Meine Name sei Tonio K. In: Der Spiegel 23, 1969, H. 23, S. 153–154

10 Vgl. Wolfgang Werth: Nachricht aus einem stillen Deutschland. In: Monat 21/253 (1969), S. 90–94; Hans-Dietrich Sander, Die Gesellschaft und Sie. In: Deutschland-Archiv 2, 1969, H. 6, S. 599–603

11 Manfred Durzak: Der deutsche Roman der Gegenwart, Stuttgart 2., 1973, S. 271 f.

11a Vgl. hierzu David Bathrick: Literature and the Industrial World: Christa Wolfs's »The Divided Heaven«, Vortrag, gehalten auf der MMLA Tagung in St. Louis, Missouri, im November 1974

12 Heinrich Mohr: Produktive Sehnsucht. Struktur, Thematik und politische Relevanz von Christa Wolfs »Nachdenken über Christa T.« In: Basis. Jahrbuch für deutsche Gegenwartsliteratur 2, 1971, S. 233

13 Auf Grund von Hans Mayers Hinweisen (siehe Anm. 14) nehme ich an, daß nicht nur Christa Wolf, sondern auch Christa T. in Leipzig Germa-

nistik studiert hat. Es darf als wahrscheinlich gelten, daß beide in den frühen fünfziger Jahren in Leipzig mit Blochs Philosophie bekannt geworden sind. Die Wirkung von Blochs Denken auf Christa Wolf dürfte allerdings erst zu einem späteren Zeitpunkt eingesetzt haben.

14 Hans Mayer: Christa Wolf: Nachdenken über Christa T. In: Neue Rundschau 81, 1970, H. 1, S. 180–186

15 Ernst Bloch: Das Prinzip Hoffnung, Frankfurt, 1959, S. 5. Künftig abgekürzt PH

16 Erstveröffentlichung in: Kürbiskern 4, 1968, S. 555–558. Wieder abgedruckt in: Christa Wolf: Lesen und Schreiben, Darmstadt und Neuwied, 1972, S. 78. Künftig abgekürzt LS

17 Mayer, S. 184

18 Mohr, S. 208

19 Gespräch mit Christa Wolf. In: Joachim Walther: Meinetwegen Schmetterlinge. Gespräche mit Schriftstellern, Berlin, 1973, S. 120

20 Vgl. Jürgen Habermas: Ein marxistischer Schelling. In: Über Ernst Bloch, Frankfurt, 1968, S. 78

21 Ebda, S. 62

22 Ebda, S. 63

DAGMAR PLOETZ

VOM VORTEIL, EINE FRAU ZU SEIN

Frauenbild und Menschenentwurf in Christa Wolfs Prosa

> »Die Bilder, die wir uns von uns selber machen, werden doch immer wichtiger, je näher wir dem Zeitpunkt kommen, da es vielleicht in unserer Hand liegt, sie zu verwirklichen.«[1]

»Meinen Wert als Frau hatte ich zu beweisen, indem ich einwilligte, Mann zu werden.«[2] So die Doktorin der Physiopsychologie in Christa Wolfs Erzählung »Selbstversuch«, in der polemisch pointiert mit einem Verständnis von Frauenemanzipation abgerechnet wird, das die Eroberung männlicher Rollen durch Frauen propagiert. »Selbstversuch« ist Christa Wolfs eindeutigster Beitrag zur »Frauenfrage«; die Form: ein Traktat, die Gattung: science-fiction-Prosa. Die ansehnliche Wissenschaftlerin stellt sich im Jahre 1992 für den ersten Humanversuch in Sachen Geschlechtsumwandlung zur Verfügung. Sie ist neugierig, und sie nützt damit der Wissenschaft und ihrer eigenen Karriere. Womit sie jedoch nicht gerechnet hat: Der Selbstversuch bedeutet Selbstaufgabe – denn sie handelt sich mehr als die männlichen Geschlechtsmerkmale ein. Als Mann kommt sie hinter das Geheimnis des von ihr verehrten Professors, der Männer schlechthin; es heißt: Gleichgültigkeit. Und fast schon ist sie infiziert von dem Gebrechen, das daraus folgt: »Die Unfähigkeit zu lieben«. Noch rechtzeitig bricht sie (er) den Versuch ab und läßt sich in eine Frau zurückverwandeln: »Jetzt steht uns mein Experiment bevor: der Versuch zu lieben. Der übrigens auch zu phantastischen Erfindungen führt: zur Erfindung dessen, den man lieben kann.«[3]

Von Liebe wird noch zu reden sein. Zunächst zur Arbeit. Die verwandlungsfreudige Wissenschaftlerin ist die einzige berufstätige Frau in Christa Wolfs Büchern, besser gesagt, die einzige, die sie als Berufstätige charakterisiert hat.[4] Und diese einzige Berufstätige ist nur da zu demonstrieren: Selbstverwirklichung im Rahmen einer Berufskarriere, orientiert an den Erfordernissen des technisch-wissenschaftlichen Fortschritts, das ist tatsächlich Selbstentäußerung. Berufsfeindlichkeit? Schwerlich.

Der konstatierte Tatbestand ist indirekter Ausdruck der gesellschaftlichen Verhältnisse, auf die Christa Wolf sich bezieht. Während hierzulande von Frauen immer noch gekämpft werden muß für das Recht, einen (qualifizierten) Beruf auszuüben, ist die Berufstätigkeit der Frau in der DDR – aus volkswirtschaftlichen wie aus ideologischen Gründen – eine Selbstverständlichkeit. Damit stehen die Frauen vor qualitativ neuen Problemen. Christa Wolf formuliert sie so: »Die Möglichkeit, die unsere Gesellschaft ihnen gab: zu tun, was die Männer tun, haben sie, das war vorauszusehen, zu der Frage gebracht: Was tun die Männer überhaupt? Und will ich das überhaupt?«[5]

Selbst zu einer Zeit, als in der DDR-Literatur der gerade erst vollzogene Aufstieg der Frau in berufliche Positionen und gesellschaftliche Verantwortung Gegenstand zahlreicher Romane war[6], hat Christa Wolf sich für dieses Thema nicht interessiert. Die Kinderärztin Vera Braun aus der »Moskauer Novelle« war so selbstverständlich Akademikerin wie andere braun- oder blauäugig. Und im »Geteilten Himmel« hatte Rita Seidels Zeit im Waggonwerk eher den Charakter »poetischer« Lehrjahre als den des Arbeitsalltags. Bei Christa T. dann schließlich ist die Schwierigkeit, sich für einen Beruf zu entscheiden, bereits Ausdruck der Schwierigkeit, ihre persönliche und gesellschaftliche Identität in Einklang

zu bringen. »Sie gab sich ja Mühe, hineinzupassen, sie fiel nicht aus bloßem Übermut heraus«, jedoch den Namen »Lehrerin, Aspirantin, Dozentin, Lektorin« mißtraut sie, empfindet sie als das »Brandmal, mit welcher Herde in welchen Stall man zu gehen habe«. Dagegen ihre Sehnsucht: »Nichts weiter als ein Mensch sein ...«[6a]
Damit ist Christa Wolfs eigentliches Thema benannt. Der »Versuch man selbst zu sein«[7] und »auf menschliche Weise zu existieren«[8] bewegt und bestimmt alle ihre Frauengestalten, bringt sie in Konflikte mit ihren angestammten Rollen, mit den Männern, die sie lieben, mit der Gesellschaft, in der sie leben, und mit deren Wertmaßstäben.

Rita Seidel oder der Entschluß, mündig zu werden
»Liebten Sie ihn nicht? Haben nicht viele Mädchen blindlings nur danach gefragt; Warum nicht auch sie?«[9]
Rita Seidel, die Heldin aus der Erzählung »Der geteilte Himmel«, der diese Fragen gestellt werden, hatte vor der Wahl gestanden zwischen dem Mann, den sie liebt, und dem Staat, in dem sie lebt. Ritas Entschluß, ihrem desillusionierten Manfred nicht in den Westen zu folgen, wird jedoch nicht dargestellt als eine Unterordnung des Gefühls unter staatsbürgerliche Pflichten. Als Entscheidung für eine verantwortliche Lebensweise ist es eine Entscheidung der Rita Seidel für sich selbst.
Identitätsfindung ausschließlich durch die Liebe zu einem Mann ist für diese Frau nicht mehr möglich. Sie erfährt vielmehr, daß Liebe unter Preisgabe der eigenen Identität nicht haltbar ist. Eine Frau, die sich unbewußt fast, der Definition durch den Mann entzieht: »Sie zahlte«, heißt es, »da es nicht anders geht, dieses neue Selbstgefühl mit Verlust.«[10] Ihre Erfahrung wird geschildert als eine des Erwachsenwerdens: »Sie lernt mühsam, aber für die Dauer, dem Leben ins Gesicht zu sehen, älter und doch nicht härter zu werden.«[11]
Mündig werden ist in diesem Buch gleichbedeutend mit dem Aufsteigen zum Menschsein[12], nicht jenseits, aber doch über den Geschlechterrollen. Wird bei der Beschreibung der Rita Seidel zunächst Wert auf beinahe Archetypisches gelegt – »wie jedes Mädchen« heißt es etwa, oder: »wie ein Mädchen nur sein kann« –, treten solche Charakterisierungen später zurück zugunsten der Schilderung von individuellen Haltungen und Handlungen. Gleichsam konzessionsweise werden Rita Seidel »weibliche« Wün-

sche zugestanden, als da sind, sich schön zu machen, ihre Wirkung auf Männer zu erproben. Tatsächlich erscheint diese Frau jedoch als Fremde zwischen ihren Geschlechtsgenossinnen. Wie alle Frauengestalten der Christa Wolf steht sie eher staunend, manchmal auch amüsiert Momenten weiblichen Rollenverhaltens gegenüber. Rita, die sich nicht dagegen sträubt, von Manfred immer wieder als »gut«, als »weißer Rabe« apostrophiert zu werden, bleibt, wie schon auf dem Foto ihrer Brigade, die *Eine* unter Männern.
Noch verkörpern die Männer die Möglichkeiten des »in der Welt-Seins!« Von ihnen lernend, stellt sich Rita an ihre Seite. Christa Wolf eröffnet ihr ein neues Zeitalter: nicht länger Objekt, sondern Subjekt der Geschichte, findet sie mit ihrer individuellen Identität auch ihre gesellschaftliche Identität.
Gerade das aber bleibt ihren literarischen Nachfolgerinnen dann verwehrt.

Christa T. oder der Versuch, man selbst zu sein
Die Freundin, deren Geschichte Christa Wolf in »Nachdenken über Christa T.« nachgeht, gehört von vornherein nicht zu jenen »ungezählten gewöhnlichen Menschen«, denen die Autorin noch Rita Seidel zurechnen wollte. Bereits als Schülerin verfremdet sie durch ihr bloßes Auftreten die Sicht auf Gewohntes, läßt ihre Mitschülerin (die spätere Erzählerin/Autorin) mit Schrecken fühlen, »daß es böse endet, wenn man alle Schreie frühzeitig in sich erstickt.«[13]
»Der Versuch, man selbst zu sein«, radikal begriffen, hat eine absondernde Wirkung, dort, wo die Bedürfnisse des Einzelnen nicht den Anforderungen entsprechen, die die Gesellschaft an ihn stellt. Das Zusammenfallen von Ich und Welt bleibt für Christa T. ein unerfüllter Wunsch. Als junges Mädchen, als Neulehrerin auf dem Dorf, konfrontiert mit Gorki, Makarenko, den »neuen Broschüren«, wird dieser Wunsch noch von Hoffnung genährt: »Ja, so wird es sein. Dies ist der Weg zu uns selber. So wäre diese Sehnsucht nicht lächerlich und abwegig, so wäre sie brauchbar und nützlich.« Während des Studiums dann, im Beruf, schwindet die Hoffnung angesichts einer gesellschaftlichen Praxis, die den einmal geweckten Erwartungen nicht genügen kann.
Wenn man so will, geht sie den umgekehrten Weg der Rita Seidel. Angetreten, um sich als Mensch in der Gesellschaft zu verwirklichen, erleidet sie Enttäuschungen und steckt zurück. »Sie nimmt den Vorteil wahr, eine Frau zu sein.« Und das meint: »Einen Faden

in die Hand nehmen, der in jedem Fall, unter allen Umständen weiterläuft, an dem man sich, wenn es not tut, halten kann: den alten Faden, der aus soliden Handgriffen und einfachen Tätigkeiten gemacht ist. Handgriffe und Tätigkeiten, die man nicht nach Belieben ausführen oder unterlassen kann, weil sie das Leben selbst in Gang halten. Kinder zur Welt bringen, alle Mühen auf sich nehmen, denen sie ihr Leben verdanken. Tausend Mahlzeiten zubereiten, immer aufs neue die Wäsche in Ordnung bringen. Die Haare so tragen, daß sie dem Mann gefallen, lächeln, wenn er es braucht, zur Liebe bereit sein!«[15]

Die traditionelle Frauenrolle als positiver Gegenentwurf?

Zumindest ist sie nicht im gleichen Maße von Entfremdung bedroht wie die Rollen im öffentlichen Leben. Die Ebene der Reproduktion ist direkter auf die unmittelbaren Bedürfnisse der Menschen bezogen als die der Produktion, die, notwendig von Zweckdenken und Rentabilitätsüberlegungen bestimmt, eine vom Menschen absehende Eigendynamik entfalten kann. Der Bereich der Familie ist überschaubar. Die Frau kann sich in jenen Tätigkeiten, die »das Leben selbst in Gang halten«, wiedererkennen – und das seit Jahrhunderten. Dies ist einer der Gründe, aus denen heraus Frauen, so wie Christa Wolf sie sieht, eine größere Sensibilität bewahrt haben jenen Entwicklungen gegenüber, die dem Menschen seine wahren Bedürfnisse – oder, wie Marx formuliert, seine »radikalen Bedürfnisse« – verstellen.

Diese Sensibilität jedoch kann für das Subjekt wirklich produktiv nur dann werden, wenn sie auch als gesellschaftlicher Anspruch artikuliert wird. So führt, paradoxerweise, der Rückzug auf einen eingegrenzten unentfremdeten Bereich bei Christa T. zur Selbstentfremdung. »Christa T. ging in ihrer Wohnung herum wie in einem Käfig. Sie wußte, daß sie nichts denken konnte, was nicht schon millionenmal gedacht, kein Gefühl aufbringen, das nicht in seinem Kern durch Abnutzung verdorben war, und daß jeder ihrer Handgriffe von jeder anderen an ihrer Stelle gemacht werden konnte ... Sie spürte, wie ihr unaufhaltsam das Geheimnis verloren ging, das sie lebensfähig machte: das Bewußtsein dessen, wer sie in Wirklichkeit war.«[16]

Christa T. versucht zu schreiben. »Gedichte sind Balsam auf Unstillbares im Leben«, wird, Jahre später, Christa Wolf die Dichterin Karoline von Günderrode zitieren.

Literatur als Trostpflaster? So ist es nicht gemeint. Schreiben erscheint als Möglichkeit, sich der eigenen Identität zu vergewis-

sern, wenn die Zeit und die Umstände, unter denen man lebt, es einem nicht erlauben, diese Identität handelnd zu gewinnen.
Christa T. bleibt es versagt, die Widersprüche, in die sie hineingestellt ist, in eine literarisch gültige Form zu bringen und damit ihr Selbst neu zu gewinnen. Überfordert, »überanstrengt« als Frau, als Zeitgenossin, als Dichterin geht sie an ihrer Hinfälligkeit zugrunde, ein Opfer ihrer Phantasie, ihrer Sensibilität, ihrer Unbedingtheit, die, gerichtet auf die Welt, wie sie sein müßte, in Widerspruch gerät zu der Welt, wie sie ist. Christa Wolf hat das als Schicksal einer Frau, nicht aber als Frauenschicksal gestaltet.
Die Gesellschaft aber, die noch immer solche Opfer fordert, stellt sie im Folgenden als eine Welt der Männer dar.

Die Sünden der Lieblosigkeit
»Noch wehren wir uns vielleicht ein bißchen gegen die bindende Verabredung, das Ausbleiben der Liebe sei nicht tragisch zu nehmen ... Wir, bedauerlicherweise, können uns nur durch Liebe mit der Welt verbinden. Vorläufig ... Bald verbindet uns nichts als unsere Seelenblindheit ... Da wir alle die Sünde der Lieblosigkeit kennen, wird niemand sich mehr ihrer erinnern. Das werden wir Glück nennen.«[17] Diese ironisch düstere Prognose stellt Christa Wolf in der Erzählung »Unter den Linden«. Metaphorisch wird hier die fortschreitende Humanisierung der Gesellschaft in Frage gestellt, zumindest alle Zukunftsentwürfe, die diese als Nebenprodukt, etwa des technisch-wissenschaftlichen Fortschritts, behandeln. Christa Wolf zeichnet eine andere Kausalität. Die ausschließliche Beschäftigung mit den »drei große W.s«[18] Wirtschaft, Wissenschaft, Weltpolitik – deformiert diejenigen, die sie betreiben. Das aber sind von altersher die Männer gewesen.
Ihnen in ihrer Teilerblindung gleich zu werden, ist kein Ziel. Die Wissenschaftlerin aus der Erzählung »Selbstversuch« ist während ihrer Zeit als Mann zu der Erkenntnis gekommen, »daß die Unternehmungen, in die ihr Euch verliert, Euer Glück nicht sein können, und daß wir ein Recht auf Widerstand haben, wenn ihr uns in sie hineinziehen wollt.«[19]
Christa Wolf ist keine Feministin, auch wenn sie eine gewisse Sympathie für feministische Bewegungen nicht verleugnet, angesichts der Tatsache, daß »der radikale Ansatz, von dem wir ausgegangen sind, steckenzubleiben droht in der Selbstzufriedenheit über eine Vorstufe (der Befreiung der Frau), die wir erklommen haben.«[20] Ihr Weltbild ist auch nicht dualistisch, ahistorisch gespal-

ten in männliches Prinzip hier und weibliches Prinzip dort. Und ihr Wunsch ist nicht, die Welt möge am weiblichen Wesen genesen, auch wenn manches in diesen Erzählungen so interpretiert werden kann.

Christa Wolfs Vorwort zu Maxie Wanders Protokollband »Guten Morgen, du Schöne«[21] gibt genauer Aufschluß über ihre Ansichten zu diesem Thema.

Die sozialistische Gesellschaft der DDR hat, indem sie die Voraussetzungen für die Gleichberechtigung der Frau schuf, den Frauen die Möglichkeit eröffnet, »belangvolle Erfahrungen zu machen, die sie nicht allgemein, als menschliches Wesen weiblichen Geschlechts, sondern persönlich, als Individuum betreffen«. Gereift an diesen Erfahrungen, »signalisieren sie einen radikalen Anspruch: als ganzer Mensch zu leben, von allen Sinnen und Fähigkeiten Gebrauch zu machen«.[23] Diesem Anspruch kann die Gesellschaft, in der sie leben, noch nicht genügen. Christa Wolf sieht in der hierarchischen Organisationsform des Staates »Muttermale der alten Gesellschaft« und das heißt auch die Spuren des Patriarchats, die der Assoziation der freien und mündigen Individuen beiderlei Geschlechts im Wege stehen. Von daher entwickelt sie die Rolle der Frau. – Sie mag sich beziehen auf die vom jungen Marx in der »Deutschen Ideologie« formulierten These: »die herrschenden Gedanken sind die Gedanken der Herrschenden«, wenn sie von den Frauen als den Trägerinnen des »dem herrschenden Selbstverständnis Unbewußten« spricht. Und obwohl sie sich dagegen wehrt, die Frauen als »Klasse« zu begreifen, klingt doch auch in ihrer These: »Eine bestimmte geschichtliche Phase hat ihnen Voraussetzungen gegeben, einen Lebensanspruch für Männer mit auszudrücken«[24], die Marxsche Klassenanalyse an. Sie, die Frauen, die keine Privilegien zu verlieren haben, daher kein besonderes Interesse als allgemeines darstellen müssen (so das Proletariat bei Marx), können einen Zustand der Sozietät, in dem alle Personen als Individuen freigesetzt sind, antizipieren.

Dies der eigentliche Vorteil, eine Frau zu sein.

Der Versuch zu lieben

So sind die Eigenschaften, die Christa Wolfs Frauengestalten kennzeichnen, Bestandteil eines utopischen Menschenentwurfs: Sensibilität und Mut, Aufrichtigkeit, Beständigkeit und moralisches Gewissen, vor allem aber: Liebesfähigkeit. Die Liebe ist das zentrale Motiv im gesamten vorliegenden Werk Christa Wolfs. Gemeint ist nicht nur die Liebe zwischen Mann und Frau. Der Begriff ist bei Christa Wolf wesentlich weiter gefaßt, bezeichnet eine Haltung der Welt und den Menschen gegenüber, die eine menschliche Existenzweise erst möglich machen kann.

Im übrigen beeinflußt dieses sehr umfassende Liebesverständnis die Darstellung der Liebe zwischen Mann und Frau. Sie wirkt bei Christa Wolf merkwürdig körperlos. Und dies, obwohl in anderem Zusammenhang die Körpersprache immer wieder als wichtiges Ausdrucksmittel gerade der Frauen hervorgehoben wird. Frauen finden heraus, daß sie »mit ihrem ganzen Körper begreifen«, zitiert Christa Wolf aus den Frauenprotokollen und hofft, damit werde der »menschenfremde Rationalismus solcher Institutionen wie Wissenschaft und Medizin« in Frage gestellt. Krankheit ist in ihren Büchern stets der körperliche Ausdruck von Konflikten; selbst Christa T.s Leukämie wird nur bedingt als medizinisches Phänomen betrachtet. Das Mädchen Nelly aus »Kindheitsmuster« bricht immer dann krank zusammen, wenn Wirklichkeit und Weltbild in Widerspruch zueinander geraten, wenn es vor der »Unmöglichkeit (steht), sich Klarheit zu verschaffen«[25] oder zwischen einander widersprechende moralische Ansprüche gerät.

Die Möglichkeiten der Körpersprache scheinen sich jedoch auf die Aussendung solcher Alarmsignale zu beschränken. Sinnlichkeit geht meist genau auf mit den Empfindungen der fünf Sinne. Die Sexualität der Frau bleibt ausgespart. Takt, Intimstes betreffend, ist wohl eine unzureichende Erklärung für diesen Verzicht bei einer Autorin, deren großes Thema »Erfüllung« ist. Auch nicht ein gesellschaftlicher Konsensus, diesen Bereich dem Unsagbaren zuzuschlagen. Mag eine gewisse Prüderie die frühe Literatur der DDR gekennzeichnet haben, so sind doch inzwischen auch gerade von Schriftstellerinnen solche Tabus durchbrochen worden. Irmtraud Morgners Trobadora litt unter der Enthaltsamkeit ihres langen Dornröschenschlafs, Gerti Tetzners Karen W. liebt ihren Mann buchstäblich mit Haut und Haar, und Brigitte Reimanns Roman »Franziska Linkerhand« schließlich bricht ab mit einer geradezu hymnischen Evokation körperlichen Liebeserlebens. Bei Christa Wolf aber ist immer nur von Wärme, von Sehnsucht, allenfalls von Leidenschaft zu lesen. Wobei Leidenschaft allemal mit Leiden, kaum aber mit Lust zu tun hat. Die Identitätssuche macht vor der sexuellen Identität halt.

Liest man »Kindheitsmuster« als Geschichte einer Sozialisation, so gibt es Auskunft über die mögliche Genese einer solchen Scheu

gegenüber sexuellen Empfindungen. Die kleinbürgerliche Lustfeindlichkeit hatte im Faschismus eine neue perverse Note bekommen. Man belastete die Sexualität verstärkt mit Verboten und erzog zu einer Hingabe, ja Hörigkeit, die sadomasochistische Züge aufwies. Die Erinnerungen an das Mädchen Nelly sind da paradigmatisch. Sie ist von ihren Eltern nicht aufgeklärt worden, findet aber in deren Bücherschrank das Buch »Das schwarze Korps«, das sie mit Fakten wie dem Unternehmen Lebensborn konfrontiert. Ihren ersten Verehrer, einen eifernden Nazijüngling, überrascht sie dabei, wie er sich den Peitschenhieben eines Rottenführers hingibt. Ein tiefes Unbehagen bei Szenen der Demütigung, der Unterwerfung, vermengt sich mit der anerzogenen Angst vor »Unreinem«.
»Nelly lernte die Liebe zuerst als Gefangenschaft kennen«[26], heißt es in »Kindheitsmuster«. Das bezieht sich auf die vorbehaltlose Verehrung der Schülerin für ihre Lehrerin Dr. Juliane Strauch. Die Identifikation mit dieser NS-Frauenschaftsleiterin, zu deren Lieblingswörtern »Hingabe« gehört, erfolgt weniger über deren Lehrinhalte als über ihre Lebensweise. Unter den Frauen, die Nelly kennt, »führte keine ein Leben, das sie sich für sich selber wünschen oder auch nur vorstellen konnte: außer Julia.«[27] Sie ist die einzige Intellektuelle, »vor allem aber: Sie hatte es nicht für nötig befunden, zu heiraten und dem deutschen Volke Kinder zu schenken.«[28]
Wie kommt das Kind Nelly, sonst eher konformistisch, zu einem Frauen-Ideal, das dermaßen zeituntypisch ist? Christa Wolf versagt sich eine Interpretation. Auffallend ist jedenfalls, daß Juliane Strauch, wie pervertiert auch immer, eine für Christa Wolf bedeutsame Grundhaltung verkörpert: die Verweigerung der Rolle als Voraussetzung für Individuation.

Uns selbst zu verstehen

War »Kindheitsmuster« der Versuch, die eigene Identität in ihrer biographisch-zeitgeschichtlichen Dimension zu erfassen – »wie sind wir so geworden, wie wir heute sind« –, so erweitert Christa Wolf in ihren jüngsten beiden Arbeiten die Perspektive ins Epochale. Der Impetus ist der gleiche geblieben: ». . . grad erst zu Atem gekommen, zur Besinnung, zu Um-Sicht – wir blicken uns um, von dem nicht mehr abweisbaren Bedürfnis getrieben, uns selbst zu verstehen: unsre Rolle in der Zeitgeschichte, unsre Hoffnungen und deren Grenzen, unsre Leistungen und unser Versagen, unsre Möglichkeiten und deren Bedingtheit.«[29] So beschreibt Christa

Wolf ihr Erkenntnisinteresse in ihrem Essay über Karoline von Günderrode. »Fasziniert durch Verwandtschaft und Nähe«, geht sie dem Schicksal dieser Dichterin nach, die sie zu jenen »unerwünschten Zeugen erwürgter Sehnsüchte und Ängste«[30] rechnet, die die Deutschen von jeher aus ihrer Geschichtsschreibung bannten. Indem Christa Wolf literaturgeschichtlich Versäumtes nachholt, knüpft sie gedanklich und thematisch an ihr zehn Jahre früher entstandenes Buch »Nachdenken über Christa T.« an.[31] Die Parallelen sind unübersehbar, obwohl – oder gerade weil – es sich hier um einen geschichtlichen Gegenstand handelt. Denn offensichtlich hält Christa Wolf das beginnende 19. Jahrhundert als nachrevolutionäre Epoche, in der die bürgerliche Klasse ihre Herrschaft etablierte, für strukturell vergleichbar mit dem Stadium des Übergangs zum Sozialismus in der DDR, wobei in beiden Fällen die ausgebliebene Revolution ein bedeutsames Kriterium ist.

Mit einem hohen Verallgemeinerungsanspruch konkretisiert die Autorin in der Geschichte das Spannungsfeld, in das sie selbst als Person gestellt ist. Enger noch als in »Nachdenken über Christa T.« wird die Frage nach der schöpferischen Selbstverwirklichung an die Frage nach der Beschaffenheit der Welt geknüpft und genauer auf die spezifische Situation der Frau bezogen.

Die Günderrode als Identifikationsfigur: sie ist weniger als ein Vorbild und mehr als eine nostalgische Einkleidung eigener unbefriedigt gebliebener Wünsche. Ihr Leben (und ihr Tod) ist ein Muster für das Wagnis, sich persönlichen und gesellschaftlichen Konflikten ganz auszusetzen und nicht einen der von der Zeit bereitgehaltenen Kompromisse einzugehen.

Die Schwierigkeit, eine Frau zu sein

Karoline von Günderrode erfährt sie stets neu. »Sie will ja vereinen, was unvereinbar ist: von einem Mann geliebt werden und ein Werk hervorbringen, das sich an absoluten Maßstäben orientiert. Die Frau eines Mannes und Dichterin sein; eine Familie gründen und versorgen und mit eigenen kühnen Produktionen an die Öffentlichkeit treten – unlebbare Wünsche.«[32]

Christa Wolf erklärt dieses »Verhängnis« aus der historischen Situation, aus dem Widerspruch zwischen den Idealen, mit denen die bürgerliche Klasse angetreten war (und von denen auch die Frauen erfaßt worden waren) und der Gesellschaft, die sie tatsächlich hervorbrachte. »Der gleiche Augenblick, der Frauen befähigt, zu Personen zu werden – was heißt, ihr »wirkliches Selbst« hervorzubringen, und sei es wenigstens im Gedicht – dieser gleiche historische Augenblick zwingt die Männer zur Selbstaufgabe, zur Selbstzerstückelung, zwingt sie, die Ansprüche unabhängiger, zur Liebe fähiger Frauen als ›unrealistisch‹ abzuweisen.«[33] Christa Wolf führt das ›Scheitern‹ der Günderrode zurück auf den »Fehler so vieler Frauen, daß sie Leben, Liebe, Arbeit nicht voneinander trennen können.«[34]

Was hier sarkastisch als Fehler benannt wird, ist genau das, was Christa Wolf immer wieder als Glücksanspruch des Menschen bestärkt hat: daß Liebe und Arbeit nicht länger Gegensätze wären; die Aufhebung der Entfremdung durch die Aufhebung der Arbeitsteilung, auch jener »Arbeitsteilung« zwischen Mann und Frau, die die Verwirklichung durch Arbeit dem Mann zuspricht und die durch Liebe der Frau. Mit der Aufhebung der Entfremdung auch die Aufhebung der Fremdheit zwischen den Geschlechtern, von der die Frau, zum Objekt degradiert, am unmittelbarsten betroffen ist. Ein wichtiges Motiv bei Christa Wolf, das »Gekannt-werden«[35] (durchaus auch im Sinne des biblischen »Erkennen« entfaltet in diesem Zusammenhang seine volle Bedeutung. »Gekannt werden – der inständige Wunsch von Frauen, die nicht durch den Mann, sondern durch sich selber leben wollen«, heißt es im Günderrode-Entwurf, und die Autorin fügt hinzu: »auch heute noch seltener erfüllt als unerfüllt.«[36] Denn erst wenn die Männer »jenen Unterordnungs- und Leistungszwang wahrnehmen, der vielen von ihnen, historisch bedingt, zur zweiten Natur geworden ist« – so im Vorwort zu Maxie Wander – »werden sie ihre Frauen wirklich erkennen wollen.«[37]

In der Novelle »Kein Ort. Nirgends«[38] läßt Christa Wolf die Günderrode einem Mann begegnen, der, auf ähnliche Weise wie sie unter dem »Riß der Zeit« leidend, die Voraussetzungen dafür mitbrächte, sie zu verstehen: Heinrich von Kleist. Es ist der Versuch einer literarischen Einfühlung, dessen Kühnheit und Radikalität auf eine tiefe persönliche Betroffenheit schließen läßt. Angesprochen ist die zwangsläufige Selbstzerstörung des schöpferischen Individuums in einer feindlichen Umwelt. Dieses Thema wird entfaltet im Rahmen der Begegnung zweier Menschen, eines Mannes und einer Frau, die sich tastend, über Rollendenken, Vorurteile, Ängste hinweg, einander nähern, um, einen utopischen Augenblick lang, einander zu erkennen. »Sie musteren sich unverhohlen. Nackte Blicke. Preisgabe, versuchsweise. Das Lächeln, zuerst bei ihr, dann bei ihm, spöttisch. Nehmen wir es als Spiel, auch wenn es ernst ist. Du weißt es, ich weiß es auch. Komm nicht zu nah. Bleib nicht zu fern. Verbirg dich. Enthülle dich. Vergiß, was du weißt. Behalt es. Maskierungen fallen ab, Verkrustungen, Schorf, Polituren. Die blanke Haut. Unverstellte Züge. Mein Gesicht, das wäre es. Dies das deine. Bis auf den Grund verschieden. Vom Grund her einander ähnlich. Frau. Mann. Unbrauchbare Wörter.«[39]

Merkmale von Schwesterlichkeit

Christa Wolf hat als Frau stets über Frauen geschrieben. »Schreiben ist groß machen«, heißt es in »Nachdenken über Christa T.«. Wir haben über die Frauengestalten der Christa Wolf gesprochen und über deren Möglichkeiten, in der Welt zu sein, kaum aber über die Haltung, mit der die Autorin ihren Figuren gegenübertritt. Bezeichnend ist ihr Verhältnis zu anderen Schriftstellerinnen. Es ist bemerkt worden, daß sie in ihren Essays über Schreibende diese zur »Darlegung des eigenen Standpunkts« gebraucht, daß es ihr dabei mehr auf »Eigenanalyse« ankomme als auf »Beschreibung der anderen«.[40] Und in der Tat erfahren wir aus diesen Arbeiten viel über Christa Wolf selbst. Die zitierten Formulierungen könnten den Eindruck vermitteln, Christa Wolf denaturiere diese Frauen zu ihren Objekten. Das Gegenteil ist der Fall. Ihr Schreibansatz schließt Verdinglichung aus; ob es sich um Anna Seghers, Ingeborg Bachmann oder Karoline von Günderrode handelt, immer sind »Verwandtschaft und Nähe« das Motiv für und, in noch größerem Maße, das Ergebnis der Beziehung, die sie schreibend zu diesen Frauen eingeht. Und es sind keine partikularen Interessen, die sie dabei verfolgt. Mit ihnen »gemeinsam« bewegt sie die Grundfrage nach den Voraussetzungen einer sich und anderen verantwortlichen künstlerischen Existenz.

Anna Seghers, viele Jahre Lehrerin und Vorbild für Christa Wolf, verkörpert durch ihre Biographie und durch ihr Werk die Möglichkeit, daß künstlerische und politische Identität ineinander aufgehen im »Kampf um die Verbesserung des Irdischen«.[41] Die Nachgeborenen, in eine andere geschichtliche Situation gestellt, können nicht ohne weiteres »die Gedanken der Älteren denken, deren Leben nicht führen. Die »mehr als historische Beziehung zu Zweifeln und Verzweifelungen, die über hundert Jahre zurückliegen«[42], die Christa Wolf bei Anna Seghers nachzeichnete, bestimmt sie selbst – auch als Frau – auf entscheidende Weise, erklärt ihre Affinität zu Karoline von Günderrode, aber auch zu Ingeborg Bachmann. Sie mißbraucht jedoch diese Frauen nicht als Beweis. Indem Christa

Wolf versucht, sie in ihrer Individualität zu beschreiben, mit dem Wunsch zu verstehen, wenn möglich zu lernen, führt sie eine Haltung vor, die eine Alternative zum »Benutzen« darstellt, eine Haltung, die noch in der Verwendung der Sprache durchscheint. Der volle Einsatz der eigenen Person in ihrem Werk ist bei Christa Wolf mehr als ein Strukturmerkmal moderner Prosa (»die vierte Dimension des Erzählers)[43]; er bedeutet das Gegenteil von »Gleichgültigkeit«: Den Wunsch nach »Berührung«. Was Christa Wolf über Maxie Wanders Protokolle sagt, gilt für sie selbst in gleichem Maße: Ihre Bücher weisen »Merkmale von Schwesterlichkeit« auf, sie »geben ein Vorgefühl von einer Gemeinschaft, deren Gesetze Anteilnahme, Selbstachtung, Vertrauen und Freundlichkeit wären.«[44]

Anmerkungen

1 Christa Wolf: Ein Besuch (Gespräch mit Hans Stubbe). In: C. W.: Lesen und Schreiben, Sammlung Luchterhand 90, Darmstadt und Neuwied 1972, S. 179
2 C. W.: Selbstversuch. In: C. W.: Unter den Linden, Darmstadt 1974, S. 138
3 Ebda, S. 169
4 Nebenfiguren ausgenommen, die im übrigen, anders als die Hauptgestalten, gerne typisiert dargestellt werden.
5 C. W.: Berührung. In: Maxie Wander: Guten Morgen, du Schöne – Frauen in der DDR, Darmstadt und Neuwied 1978, S. 17.
6 C. W.: Nachdenken über Christa T., Berlin/DDR und Weimar 1975, S. 41
6 a Vgl. Wolfgang Emmerich: Identität und Geschlechtertausch – Notizen zur Selbstdarstellung der Frau in der neueren DDR-Literatur. In: R. Grimm u. J. Hermand (Hrsg.): Basis, Jahrbuch dt. Gegenwartslit., Bd. 8, Frankfurt/M. 1978
7 C. W.: Nachdenken über Christa T., a. a. O., S. 7
8 C. W.: Lesen und Schreiben, a. a. O., S. 219
9 C. W.: Der geteilte Himmel, dtv 915, München 1977, S. 181
10 Ebda, S. 99
11 Ebda, S. 31
12 Vgl.: »So bleibt der schmale Weg der Vernunft, des Erwachsenwerdens, der Reife des menschlichen Bewußtseins, der bewußte Schritt aus der Vorgeschichte in die Geschichte. Bleibt der Entschluß, mündig zu werden. Wenn man dafür Wegbereiter und Begleiter braucht, soll uns um die Prosa nicht bange sein ...«, in: Lesen und Schreiben, a. a. O., S. 219
13 Nachdenken, a. a. O., S. 15

14 Ebda, S. 37
15 Ebda, S. 135 f.
16 Ebda, S. 174
17 C. W.: Unter den Linden, Sammlung Luchterhand 249, Darmstadt und Neuwied 1977, S. 71 f.
18 C. W.: Selbstversuch, a. a. O., S. 163
19 Ebda, S. 162
20 Hans Kaufmann: Gespräch mit C. W. In: Weimarer Beiträge 6/1974
21 A. a. O.
22 Ebda, S. 14
23 Ebda, S. 18
24 Ebda, S. 19
25 C. W.: Kindheitsmuster, Berlin/DDR und Weimar 1976, S. 254
26 Ebda, S. 290
27 Ebda, S. 291
28 Ebda, S. 289
29 C. W.: Karoline von Günderrode – Ein Entwurf (nach dem Manuskript zitiert)
30 Ebda
31 Umgekehrt zeugt bereits »Nachdenken über Christa T.« von einer intensiven Rezeption der Literatur des 19. Jh., der Beschäftigung vor allem mit jenen »jungen, nach wenigen übermäßigen Anstrengungen ausgeschiedenen deutschen Schriftstellern«, die sich »an der gesellschaftlichen Mauer ihre Stirn wund rieben«, von denen einst Anna Seghers sprach (zitiert nach C. W.: Glauben an Irdisches, in: Lesen und Schreiben, a. a. O., S. 88). Vgl. auch Alexander Stephan: C. W., München 1976, S. 83–90
32 A. a. O.
33 Ebda
34 Ebda
35 Bestimmend ist dieses Motiv in der Erzählung »Unter den Linden«.
36 A. a. O.
37 A. a. O.
38 C. W.: Kein Ort. Nirgends, Berlin/DDR und Weimar 1979; Darmstadt und Neuwied 1979.
39 Ebda
40 Alexander Stephan, a. a. O., S. 121 f.
41 Lesen u. Schr., a. a. O., S. 111
42 Karoline von Günderrode, a. a. O.
43 Lesen u. Schr., a. a. O., S. 91
44 In dem Günderrode-Essay (auch schon in der Erzählung »Selbstversuch«) reflektiert C. W., über die Günderrode und Bettina von Arnim schreibend, das Problem der Sprache als Instrument der Selbsterfahrung – gerade für Frauen: »Welche Sprache schlagen sie an, welch beglückende Anmaßung, welch aufsässiger Geist. Welche Herausforderung an unsere verschüttete Fähigkeit, Wörter als Botschafter unserer Sinne,

auch unserer Sinnlichkeit aufzunehmen, in Sätzen uns selbst hervorzubringen und unsere Sprache nicht zur Verhinderung von Einsichten, sondern als Instrument der Erkundung zu gebrauchen. Welche Gelegenheit auch, unsre eigne Lage zu begreifen.«

WOLFGANG EMMERICH

DER KAMPF UM DIE ERINNERUNG

Laudatio auf Christa Wolf anläßlich der Verleihung des Bremer Literaturpreises 1977

Günter de Bruyn, DDR-Schriftsteller wie Christa Wolf, hat einen kleinen Roman mit dem Titel »Preisverleihung« geschrieben. In diesem Buch hat ein Literaturwissenschaftler die Preisrede auf ein Buch zu halten, das er konventionell, langweilig, klischeehaft, kurz: mißlungen findet. Was er eigentlich sagen möchte, sich aber in seiner Rede nicht zu sagen getraut (und statt dessen durch eine Kette von Fehlleistungen kompensiert), ist das folgende: Das preisgekrönte Buch greife keinen aktuellen Stoff auf, sondern käue Bekanntes kunstvoll wieder. Es rege nicht an, nicht auf, erforsche seit langem Erforschtes; was ihm abgehe, sei das entdeckerische Element. – Ich bin als Preisredner in der vergleichsweise günstigen Lage, das genaue Gegenteil von dem in Rede stehenden Buch, »Kindheitsmuster«, sagen zu können: Es ist brennend aktuell, es regt an und auf, es erforscht weitgehend Unerforschtes. Ja, man kann sagen, daß das Buch gerade diese Funktion des Schriftstellers besonders ernst nimmt: menschlich-gesellschaftliche Verhältnisse zu entdecken und zu erforschen.
Diese Behauptung mag zunächst manchen verwundern, handelt »Kindheitsmuster« doch von der Zeit der nationalsozialistischen Herrschaft in Deutschland, und die ist lange her. Was sollte es hier noch zu entdecken geben? Daß es da noch etliches zu entdecken und aufzuarbeiten gibt, wird deutlich, wenn man fragt, auf welche aktuelle Situation – ich meine konkret: unser Verhältnis zum deutschen Faschismus – das Buch trifft. Wir befinden uns hierzulande mitten auf oder in der sog. Hitler-Welle. Sie ist so neu nicht, wie manche tun. Bereits 1973 stellte die Tageszeitung »Die Welt« fest, daß das Interesse an der Vergangenheit, so auch an Hitler, wachse; die Zeitung fragte weiter: »Wird man Hitler vielleicht noch wegen anderer Dinge als der Autobahnen schätzen lernen?«

und antwortete, man spüre »mehr und mehr, daß er ein großer Mann war, groß im durchaus moralfreien Sinne von Macht und Wirkung, ein Täter, ein Revolutionär.« Inzwischen sind mehr als 4 Jahre vergangen, die Erkenntnis des ›Großen‹ und ›Revolutionären‹ an diesem Mann – im durchaus moralfreien Sinne – ist offenbar gewachsen: Hakenkreuzschmierereien, Verbrennung von Judenpuppen in einer Bundeswehrkaserne, gut besuchte Verkaufsmessen und Spitzenpreise für Orden und Ehrenzeichen aus der NS-Zeit, eine Serie deutscher Kanzlermünzen von Bismarck bis Schmidt, in der auch Hitler nicht fehlen darf – die Beispielreihe ließe sich beliebig verlängern. Jean Améry hat davon gesprochen, daß das »Zeitalter der Rehabilitation« des Nationalsozialismus angebrochen sei. Das will sagen: Schlimmer vielleicht als noch vereinzelte Tendenzen des Neonazismus, wie ich sie eben nannte, ist der allgemeine Gestus der sog. historischen Objektivität, des Unbetroffen-Tuns, der Lässigkeit, mit dem man sich hierzulande dieser Geschichtsepoche zuwendet. Ich erinnere nur an die unkommentierten Retrospektiven von Filmlustspielen aus der Nazizeit in unseren öffentlich-rechtlichen Fernsehanstalten, an Talkshows mit Leni Riefenstahl oder Kristina Söderbaum, an denen offenbar kaum einer Anstoß nimmt. – Unsere literarische Szenerie stimmt damit überein. Sicherlich, hier sind einmal Kogons »Der SS-Staat« und Mitscherlichs »Die Unfähigkeit zu trauern« erschienen. Unsere wichtigsten belletristischen Autoren der mittleren und älteren Generation – Andersch, Koeppen, Böll, Grass, Walser, Peter Weiss und andere – haben sich nicht um das Thema gedrückt; aber ihre Kritik ist seinerzeit verhallt, und heute wird sie schon gar für völlig unzeitgemäß gehalten. Was gelesen wird, was wirkt, sind die Erinnerungsbücher von Entscheidungsträgern und Sympathisanten des Dritten Reiches wie etwa Albert Speers »Spandauer Tagebücher«, von denen der Verlag sagte: »Wir können kaum so schnell drucken, wie wir verkaufen.« Also Bücher, die – sofern sie überhaupt kritisch sind – letztlich die Person Adolf Hitler für die Millionenverbrechen des deutschen Faschismus verantwortlich machen.

Die Situation in der DDR, in der Christa Wolf lebt und schreibt, ist völlig anders – und doch wiederum nicht nur anders. Die ökonomischen und institutionellen Grundlagen des Faschismus wurden dort zerstört, und eine Literatur entstand, die auf die ›Entfaschisierung‹ der Bevölkerung abzielte, wie Bertolt Brecht und Anna Seghers das nannten. Die Titelliste der antifaschistischen Umerzie-

hungsliteratur aus der DDR ist lang, auf ihr dominieren heroisierende Darstellungen des Widerstandes, naturalistische Kriegsromane, schließlich Geschichten von Leuten, die – obwohl ehedem überzeugte Nazis – den Nationalsozialismus erstaunlich rasch hinter sich lassen und im Sozialismus ankommen. Der Einwand, daß der heroische Widerstand gegen den Faschismus, getragen von einer nur nach Tausenden zählenden Minderheit, bestenfalls die halbe Wahrheit über diese Zeit sei, wurde erst spät geäußert. Brechts Mahnung aus dem Jahre 1953 bewahrheitete sich: »Wir haben allzu früh der Vergangenheit den Rücken zugekehrt, begierig, uns der Zukunft zuzuwenden. Die Zukunft wird aber abhängen von der Erledigung der Vergangenheit.«
Dieser Satz könnte als Motto über Christa Wolfs Buch »Kindheitsmuster« stehen, von dem Stephan Hermlin gesagt hat, es beende ein langes Schweigen, auch für die DDR. Es handelt vom bis dato vergessenen, verdrängten, unterschlagenen Faschismus: dem ›normalen‹, alltäglichen, gewöhnlichen, wie er von einer Masse von alltäglichen, gewöhnlichen Menschen wo nicht aktiv getragen, so doch zumindest hingenommen wurde. Und weiter erzählt das Buch von dem, was davon sich in die Kinder dieser Mitläufer des Systems einprägte und woran sie heute, als Erwachsene, noch tragen. Oder in der immer wiederkehrenden Formulierung der Erzählerin: *»Wie sind wir so geworden, wie wir sind?«* Wie konnten und können wir, von Ausnahmen abgesehen, nach 1945 so weitermachen, als ob nichts geschehen wäre? Das sind Fragen, die sich, wie die Autorin festgestellt hat, nicht an andere delegieren lassen, vor denen Soziologie und Statistik versagen. Sie müssen von jedem, dessen Lebensgeschichte bis in die Nazizeit zurückreicht, selbst gestellt und beantwortet werden. So setzt die Erzählerin gegen Ludwig Wittgensteins Satz: »Wovon man nicht sprechen kann, darüber muß man schweigen« den Gegen-Satz: »Wovon man nicht sprechen kann, darüber muß man allmählich zu schweigen aufhören.« Christa Wolfs »Kindheitsmuster« ist der hartnäckig bohrende, vor Verletzungen ihrer selbst nicht zurückschreckende Versuch, den historischen Faschismus wie die unmittelbar gelebte Gegenwart aus ihrer eigenen Biographie, ihrer beschädigten Kindheit heraus verstehbar und handhabbar zu machen, die »verfluchte Verfälschung von Geschichte zum Traktat« zu überwinden. Und das Preiswürdige des Buches sehe ich in der Rückhaltlosigkeit und der Kraft der sinnlichen Vergegenwärtigung, mit der dieses Vorhaben dem Leser zugänglich gemacht wird. Dabei befindet sich die

Autorin mit ihren potentiellen Lesern, zumindest denen ihrer Generation und den Älteren, anfangs auf einer Stufe: Auch sie war bislang geübt im Verdrängen, Vergessen, Verschweigen dessen, was sie in der NS-Zeit erlebt hatte; war gewohnt, Ausflüchte zu machen; stand unter einer Zensur, einer Nachrichtensperre, von der sie nicht weiß, wer sie verhängt hat und wie sie zu durchbrechen sei. Am Anfang steht die Sprachlosigkeit, das Nicht-wissen-wollen, ja sogar die Unfähigkeit zu trauern; oder in der Sprache des Buches: »Nicht mehr daran denken ... Bestimmte Erinnerungen meiden. Nicht davon reden. Wörter, Wortreihen, ganze Gedankenketten, die sie auslösen konnten, nicht aufkommen lassen. Bestimmte Fragen unter Altersgenossen nicht stellen. Weil es nämlich unerträglich ist, bei dem Wort ›Auschwitz‹ das kleine Wort ›ich‹ mitdenken zu müssen: ›Ich‹ im Konjunktiv Imperfekt: Ich hätte. Ich könnte. Ich würde. Getan haben. Gehorcht haben. – Dann schon lieber: keine Gesichter. Aufgabe von Teilen des Erinnerungsvermögens durch Nichtbenutzung ...«

Was das Buch prozeßhaft darstellt, und dies in einer Weise, die dem Leser zumindest die Chance eröffnet, einen vergleichbaren Lernprozeß zu durchlaufen, ist »der Kampf um die Erinnerung«, mit Alexander Mitscherlich zu sprechen, die Aufhebung der Zensur über das eigene Ich, das Trauernlernen. Die Autorin ist sich der von Alexander und Margarete Mitscherlich erarbeiteten psychoanalytischen Erkenntnis bewußt, daß eine Störung der Trauerarbeit – hier: der Trauer um eine inhumane Praxis des eigenen Volkes, ja möglicherweise der eigenen Person in der Ära des Nationalsozialismus – notwendig zu einer Störung der *gegenwärtigen* zwischenmenschlichen Fähigkeiten hier und heute führt: Die Abwehr der Erinnerungen durch die Individuen und schließlich durch eine ganze Gesellschaft zieht den individuellen wie gesellschaftlichen Immobilismus und den Geist der Rehabilitation im Sinne von Jean Améry nach sich.

Für die Autorin ist eine kurze Reise an den Ort ihrer Kindheit, Landsberg an der Warthe im heutigen Polen, der Hebel, der die vergessenen, verdrängten Bilder der Vergangenheit wieder freisetzt. In einer Art Gerichtsverfahren mit sich selbst, einem Selbstverhör – oder, wie sie selbst es nennt: »Selbstversuch« – konfrontiert die Erzählerin ihre eigene kleinbürgerlich beschädigte Kindheit mit ihrer Gegenwart im Jahr der Reise, 1971; schließlich noch einmal – das ist die dritte Erzählebene – mit den alltäglichen Erfahrungen während der Zeit der Niederschrift 1972–75. Auf einer vierten Ebene endlich reflektiert sie die »Schwierigkeiten beim Schreiben der Wahrheit«, die aus der Abwehr gegenüber dem tabuierten Thema erwachsen. Keine einlinige Fabel also, keine runde Geschichte, sondern eine komplizierte Schreibtechnik, die es fertigbringen soll – so die Autorin selbst –, »die fast unauflösbaren Verschränkungen, Verbindungen und Verfestigungen, die verschiedenste Elemente unserer Entwicklung miteinander eingegangen sind, doch noch einmal zu lösen, um Verhaltensweisen, auf die wir festgelegt zu sein scheinen, zu erklären und womöglich (und wo nötig) doch noch zu ändern.«

Das Buch heißt »Kindheitsmuster«. Das meint zunächst einmal die in der Kindheit, in Familie, Schule, Hitler-Jugend oder BdM erworbenen und geprägten Muster des Verhaltens im Sinne des englischen »pattern«: von Angst, Haß, Härte, von Verstellung, Scheinheiligkeit und anderen Formen der Mimikry, von Hörigkeit und Treue und Pflicht ohne Ansehen der Person, ist hier die Rede – und von vielen anderen Verhaltensmustern, die ein Individuum und seinen Wahrnehmungsapparat beschädigen, windschief machen, einem Regime wie dem faschistischen anheimgeben. Die kleinbürgerliche Familie des Lebensmittelhändlers Bruno Jordan, in der das Kind Nelly aufwächst, wird durch eine Vielzahl von Geschichten, Episoden, Genrebildern, Personenbeschreibungen, Erzählproben (dies der zweite Bedeutungsaspekt des Titelworts »Muster«) erfahrbar als Lebenszusammenhang aus ausgesprochenen und unausgesprochenen Geboten und Verboten, der ebendiese Verhaltensmuster einübt, ohne doch je Schlechtes zu wollen: als »Familienbande« in jenem bösen Doppelsinn, den Karl Kraus in das Wort hineingelegt hat. So ist eine neue Art von Familienroman entstanden: schonungslos kritisch gegenüber der Institution Familie, deren »Eingeweide« er bloßlegt – ohne doch je denunziatorisch gegenüber den wirklichen Menschen zu sein, die diese Gesellungsform naiv-bejahend praktizierten.

Eine Rezensentin aus der DDR hat – im Jahre 1977, man bedenke das! – die Meinung vertreten, die Sache mit dem Hitler-Faschismus sei doch höchst einfach gewesen, nämlich: »Um ein Nazi zu sein, mußte man entweder dumm sein oder schlecht.« Christa Wolfs erinnerte Darstellung einer deutschen Bürgerfamilie unter dem Faschismus beweist gerade das Gegenteil: daß »die Sache« alles andere als einfach war, daß es der differenzierten Kombination soziologischer, psychologischer, historischer Erklärungsansätze bedarf, um den »normalen«, gewöhnlichen Faschismus als den

eigentlich gefährlichen zu verstehen. – »Kindheitsmuster« heißt schließlich: daß die einst erworbenen Verhaltensmuster in die Erwachsenengegenwart hinüberreichen, den menschlichen Umgang mit den Zeitgenossen behindern: die Unaufrichtigkeit, die Verstellung, die Angst, das Verschweigen und Verdrängen. Daß eben diese Verhaltensmuster, die damals auch die Millionen von Mitläufern unter den Erwachsenen okkupiert hielten, zwar nicht die sog. Endlösung und den faschistischen Raubkrieg ursächlich hervorgebracht haben, sie aber auch nicht verhindern halfen. So zeigt sich, daß das Hinabsteigen in den Keller des Verdrängten und seine Wiederaneignung kein Selbstzweck ist, keine bloß rückwärts orientierte »Vergangenheitsbewältigung«, keine auf ein Ich beschränkte »psychotherapeutische Ausräumung«, wie die bereits zitierte Rezensentin mokant bemerkt hat. Die Beantwortung der Frage: »Wie sind wir so geworden, wie wir sind?« ist notwendige Voraussetzung für eine Bewältigung der Zukunft, die frei ist von der Zensur anderer wie von der Selbstzensur. Ebenso ist der von der gleichen Rezensentin geäußerte Vorwurf der Ichsucht und Larmoyanz abwegig. Im Gegenteil: Indem die Autorin ihre eigene Trauerarbeit vollzieht und niederschreibt, um dadurch den eigenen Zustand der Lähmung, der Starre zu überwinden – Trauer um die Opfer des deutschen, aber auch des chilenischen, des griechischen Faschismus oder des Vietnamkrieges, Trauer um eine verbaute Kindheit, um Familienangehörige, um Freunde und Schriftstellerkollegen wie Brigitte Reimann oder Ingeborg Bachmann, Trauer um den Selbstmord eines nahestehenden Menschen –, lehrt sie ihre Leser, wie nötig es ist, Trauerfähigkeit zu erwerben. Dabei leistet die poetische Darstellung in ihrer Verbindung von höchst subjektiver und geschichtlicher Anamnese etwas, das den Büchern der Wissenschaft abgeht: Individualisierung und Versinnlichung. »In ihren richtigen Verallgemeinerungen muß sich niemand wiederfinden«, heißt es einmal im Roman, bezogen auf jene historisch-wissenschaftlichen Darstellungen. Der informative, auch analytische Wert solcher Bücher wird nicht bestritten; was ihnen abgeht, ist: *Betroffenheit*, Betroffen-machen-können als unabdingbare Voraussetzung für die Veränderung der eigenen Person.
Manche Kritiker aus der Bundesrepublik haben dem Buch vorgeworfen, es werde in ihm zu viel räsonniert, analysiert, reflektiert und zu wenig frei von der Leber weg erzählt. Die Schreibtechnik sei kompliziert; es fehle die »Radikalität des Artistischen«, das »Kunstganze« komme nicht zustande. Das solchen Fehlurteilen

zugrunde liegende Mißverständnis von Christa Wolfs Vorhaben ist eklatant. Es unterstellt, die Autorin habe eine runde, fertige Geschichte auf der Basis einer linearen Fabel schreiben können und wollen. Dabei hatte sie gerade nichts vor sich, das sich »frei von der Leber weg« erzählen und zum »Kunstganzen« runden ließe. Der Kampf um die Erinnerung, eine Recherche der geschilderten Art kann auch als Literatur nicht anders vonstatten gehen denn als langwieriger, oft gestörter, durchaus nicht stetiger Prozeß. Hegels Satz, daß das Ganze das Wahre ist, gilt hier durchaus nicht; vielmehr der Satz von Adorno: »Das Ganze ist das Unwahre.« So spiegelt auch das Ende des Buches seinem Leser keine endgültige Bewältigung und Erledigung des Themas vor, die es nicht geben kann.

NORBERT SCHACHTSIEK-FREITAG

VOM VERSAGEN DER KRITIK

Die Aufnahme von »Kindheitsmuster« in beiden deutschen Staaten

> Da wir aber die traurige Fähigkeit besitzen, jeden Begriff extrem restriktiv zu interpretieren, stellte sich bald heraus, daß alles mögliche gemeint war, nur eben nicht ein wirkliches Bewußtmachen von Geschichte, das ja mit der Kenntnis geschichtlicher Ereignisse beginnt.
>
> Stephan Hermlin[1]

Daß Christa Wolf an einem Buch arbeitete, das wesentliche Inhalte des kollektiven Selbstverständnisses der DDR-Gesellschaft in Frage stellen würde, war bereits Passagen eines Gesprächs zu entnehmen gewesen, das Hans Kaufmann mit der Autorin mehr als zwei Jahre vor der Publikation von »Kindheitsmuster« geführt hat.[2] Auf die Frage des Literaturwissenschaftlers, »welche für uns heute wesentlichen neuen Momente« beim Thema »Auseinandersetzung mit dem Faschismus« »literarisch zu entdecken« seien, antwortete Christa Wolf: »Für diejenigen, die in der Zeit des Faschismus aufwuchsen, kann es kein Datum geben, von dem ab sie ihn als ›bewältigt‹ erklären können. Die Literatur hat dem Vorgang nachzugehen, ihn vielleicht mit auszulösen: Eine immer tiefere, dabei auch immer persönlichere Verarbeitung dieser im Sinn des Wortes ungeheuren Zeit-Erscheinung. Übrigens fällt das sehr schwer, und gerade dieser Widerstand (den auch die Beobachtung signalisiert, daß bestimmte, mit unserer Kindheit zusammenhängende Themen in Gesprächen fast niemals berührt werden) deutet darauf hin, wie radioaktiv dieser Stoff noch ist. Haben wir uns nicht vielleicht deshalb angewöhnt, den Faschismus als ein ›Phänomen‹ zu beschreiben, das außerhalb von uns existiert hat und aus der Welt war, nachdem man seine Machtzentren und Organisationsformen zerschlagen hatte?«

Mit dem Datum ist der 8. Mai 1945 angesprochen, der in der DDR als Tag der Befreiung vom Faschismus gefeiert wird, während in der BRD das Ende des Krieges zumeist mit bedingungsloser Kapitulation zusammengedacht wird. Der unterschiedlichen Terminologie entsprechen grundsätzlich andere Formen und Inhalte der Vergangenheitsbewältigung in den beiden deutschen Staaten. Die Frage der individuellen bzw. kollektiven Schuld an Krieg und Völkermord, in der Bundesrepublik bis Ende der 50er Jahre noch in der Öffentlichkeit diskutiert und dann fallengelassen, wurde in der DDR sowohl von der Geschichtswissenschaft als auch von der offiziellen Publizistik als nicht relevant erklärt, da sich Staat und Gesellschaft dort als Erben des proletarisch-revolutionären Potentials der Weimarer Republik und des Antifaschismus der Hitler-Zeit verstehen. Die Dialektik als Methode, Geschichte als diskontinuierliche Kontinuität eines offenen Prozesses begreiflich zu machen, wurde künstlich stillgestellt: Das aufgeklärte Bewußtsein und der politische Widerstand einer historisch unterlegenen Minderheit enthob die DDR-Bevölkerung der kollektiven Schuldfrage und delegierte die Notwendigkeit der Auseinandersetzung mit dem Faschismus an ›die anderen‹.

Daß die DDR-Literatur, soweit sie sich dem Thema gestellt hat, diese Absolution nicht hinterfragt hat, läßt sich durch zahlreiche Beispiele belegen. Dennoch ist die Stabilisierung dieses Bewußtseins nicht ganz gelungen, wie eine Erfahrung Christa Wolfs bestätigt: »Dabei hören wir immer häufiger von jungen Menschen, sie verstünden ›trotz allem‹ nicht, wie Leute wie wir, ihre Eltern, in dieser Zeit leben und vielleicht nicht einmal vom Gefühl eines andauernden Unglücks niedergedrückt sein konnten, und: wie wir danach weiterleben konnten. ›Trotz allem‹ – das heißt: trotz aller

Bücher, die sie darüber gelesen, trotz aller Filme, die sie gesehen haben, trotz aller Belehrung im Geschichtsunterricht über die Voraussetzungen für die Machtergreifung eines Hitler. Aber sie haben ein Recht, das zu verstehen, und wir haben die Pflicht, ihnen etwas darüber zu sagen – soweit wir können.«[3]

Die Rezeption in der DDR

Daß bei dieser Sachlage die in »Kindheitsmuster« bis an ihre methodischen und inhaltlichen Grenzen gebrachte Explikation der Frage: »Wie sind wir so geworden, wie wir sind?«, ein Politikum darstellen würde, war unvermeidlich. Tatsächlich belegt die Rezeption von »Kindheitsmuster«, daß Christa Wolfs Provokation eine politische Diskussion ausgelöst hat, deren Folgen noch nicht abzusehen sind.[4]

Als erster DDR-Literaturkritiker äußerte sich Heinz Plavius,[5] der aus einer fragmentarischen Deskription des Buchinhalts und einer Reihe von Exkursen ein vorsichtig formuliertes Gesamtlob herausfiltert. Nach einem nicht überzeugend begründeten Vergleich von »Kindheitsmuster« mit James Baldwins »Keinen Namen auf der Gasse« und Peter Weiss' »Ästhetik des Widerstands« leitet Plavius seine Besprechung, die während der Auseinandersetzungen um die Biermann-Petitionisten, zu denen auch Christa Wolf zählte, zum Druck vorbereitet worden ist, mit einem »nicht ohne Anflug von Pathos« formulierten »beherrschenden Eindruck« ein: »Dies ist ein Menschenbuch. Als Buch der Menschlichkeit ist es das Psychogramm einer Epoche. Es erforscht Symptome und Gründe der geistigen Barbarisierung in der Zeit des Faschismus.«

Plavius ordnet das Buch, »das es sich und dem Leser nicht leicht macht, das manchen aus Selbstzufriedenheit und Selbstbetrug aufschrecken wird«, als eine »Ergänzung zu wissenschaftlich-historischen Darstellungen dieser Epoche und ihren Voraussetzungen« ein, ohne jedoch aufzuzeigen, worin die spezifisch ästhetische Leistung des Buches besteht. Eine Volte schlägt der Kritiker, wenn er Christa Wolfs poetologische Überlegung: »Im Idealfall sollten die Strukturen des Erlebens sich mit den Strukturen des Erzählens decken«, für die »Realismus-Theorie« reklamiert, ohne die Einlösung des Anspruchs zu überprüfen. Statt dessen fragt der Rezensent, »ob die dritte Ebene« – Plavius meint jenen Teil der Gegenwartsschicht des Buches, der die poetologischen Reflexionen enthält – »nicht des Guten zuviel sei«. Er verneint diese rhetorische Frage und belehrt die Leser über generelle Möglichkeiten der

»poetologischen Ebene«, jener »Ich-Forschung«, in der »die Kritiker in der Bundesrepublik in der Beschäftigung mit unserer Literatur fälschlicherweise eine Flucht ins Private erblicken«. In einer Anschlußüberlegung insistiert Plavius darauf, daß Christa Wolfs Buch »nicht nur ein Buch wider das Vergessen (ist), es ist auch ein Beispiel gewissenhafter Selbstprüfung«.
Trotz einer Reihe richtiger Detailbeobachtungen zieht Plavius gelegentlich zweifelhafte Schlüsse aus seiner Lektüre: »Denn um gegen das Gefühl der Ohnmacht gegenüber dem Schicksal der Welt anzugehen, bedarf es nicht nur gesicherter Positionen hinsichtlich der Vergangenheit. Indem das Buch dieses Gefühl verbreiten hilft, indem es diesen Impuls wachruft, stellt es sich als ein Werk dar, das von der Verantwortung des Schreibers gegenüber seiner Welt und der Zukunft durchdrungen ist.« Dagegen wäre »Kindheitsmuster« genauer als ein Buch existentieller Verstörung zu lesen, als ein Buch, das die vermeintlichen Sicherheiten irritiert und jene Erfahrungsmuster zerlegt, die die Einheit von Identität und Nichtidentität der gegenwärtigen Vergangenheit aufzeigt. Diese Leseart bestätigt der Kritiker auch an anderer Stelle: Das Buch »will – ohne zur Selbstzerfleischung aufzurufen – nicht zulassen, daß die historische oder Klassenanalyse dieser Zeit als Schirm mißbraucht wird, hinter dem sich das Individuum auf bequeme Weise der Verantwortung entzieht.«
Als Versuch, die Bedeutung des Buches herunterzuspielen, indem der Rezensent die grundsätzlichen Intentionen und Ergebnisse des Schreibens ignoriert und den angebotenen offenen Diskurs ausschlägt, muß man wohl die Kritik von Klaus Jarmatz werten.[6] Ohne auf gravierende Unterschiede aufmerksam zu machen, stellt er Christa Wolfs »Abrechnung mit dem Faschismus« in die Tradition der »deutschen progressiven Literatur«, die er mit Willi Bredel beginnen und mit Erik Neutsch enden läßt. Die Kritik von Jarmatz, Vorsitzender des Wissenschaftlichen Problemrates ›Theorie des sozialistischen Realismus‹, gilt vor allem Christa Wolfs Verzicht »auf die soziale Analyse des Faschismus«. Im Gegensatz zu Plavius merkt er an, die Autorin nehme »also eine Einschränkung des Realismus in Kauf«, und: »Christa Wolf wollte nicht wiederholen, was bereits geleistet ist.«
Jarmatz' Ablehnung, die durch einige positive Bewertungen (z. B. erscheint dem Kritiker das Figurenensemble der Kleinbürgerwelt in der Vergangenheitsschicht sehr differenziert, und Nelly nennt er »eine schöne Mädchenfigur unserer DDR-Literatur«) nicht abge-

schwächt wird, gilt hauptsächlich der »Gegenwartsebene«, deren »Reflexion und Meditation, die oft einen großen Anspruch stellen, jedoch nicht immer die heute möglichen Einsichten verarbeiten«. An dieser Stelle könnte die Rezension interessant werden, aber leider beläßt es Jarmatz bei dem abstrakten Vorwurf. Jarmatz erwartet die Resultate eines Wandlungsromans, ohne zu bemerken, daß die Möglichkeiten dieses Genres den Schreibintentionen und (selbst-)aufklärerischen Impulsen der Autorin völlig entgegengesetzt sind.[7] Schwerwiegende Vorwürfe schließt Jarmatz auch an seine Kritik der L.-Figur an. Dieser Bruder Lutz, den Christa Wolf durchaus als Phänotyp eines Menschen dargestellt hat, der den vorgeschriebenen Identitätswechsel bruchlos vollzogen hat, erscheint Jarmatz als »Gegenfigur« zur Erzählerin nicht gelungen; sie bleibe nur »Sprachröhre«: »Die innere Widersprüchlichkeit der Figur und die Konflikte werden nicht scharf genug erfaßt«, die »dialektische Sicht« komme »zu kurz«, weil L. Sensibilität abgesprochen werde, die im System des Sozialismus ermöglichte »Synthese von Denken, Fühlen und Handeln als neue Qualität unseres Humanismus«.

Daß Jarmatz lediglich Zielvorstellungen formuliert, belegt ein anderer Kritiker, der Lutz als Typus in der DDR-Gesellschaft identifiziert: »Die Welt ist voll von solchen Leuten (...), aber ich muß sie hoffentlich so nicht mögen. Und ich muß ihnen widersprechen dürfen.« So Hermann Kant[8], dessen Auseinandersetzung mit der L.-Figur einen wesentlichen Bestandteil der Leseeindrücke ausmacht. Kant erhebt nicht den Anspruch, mit einer Rezension aufzuwarten, sondern er möchte sich nur »mit einiger Meinung in das Gespräch über das Buch mischen«. In seinem Urteil mischt Kant, der mit seinem 1977 erschienenen Roman »Der Aufenthalt« ebenfalls Hitler-Faschismus und Kriegszeit aufgearbeitet hat, euphorische Zustimmung und kritische Vorbehalte. Er empfiehlt, »Kindheitsmuster« »zu den Büchern zu nehmen, die man kennen sollte, wenn man noch etwas vor hat mit sich und seinem Leben«. Er erkennt auch die in Christa Wolfs Buch thematisierte Dialektik von Vergangenem und Gegenwärtigem an, aber dem »dankbaren Zuspruch« setzt Kant auch »dankbaren Widerspruch« entgegen: »Anfangs, so durch die ersten hundert Seiten hin, war mir etwas bänglich, allzu häufiger essayistischer Überfälle auf ein Erzählwerk wegen ...« Kant erhebt dann einen von ihm selber als »seltsamen Vorwurf« klassifizierten Einwand: Die Autorin »scheint« ihm »ein bißchen zuviel Respekt vor der Wissenschaft, vor allem der Natur-

wissenschaft, der wissenschaftlichen Aussage, der Omnipotenz der Wissenschaften zu haben«.
Einigen zu Recht angemerkten sprachlichen Ungenauigkeiten des Buches setzt Kant andererseits »große Augenblicke« gegenüber: »Christa Wolf erzählt Geschichten: ich weiß nun wieder, wie sehr sie das kann. Christa Wolf beschreibt Natur und liefert Genrebilder, ich wußte gar nicht, daß sie das so gut kann. Bei Christa Wolf werde ich endlich aus Mädchen klug...« Tatsächlich sind von Kant keine im Kontext explizierten literaturkritischen Wertungen zu erwarten, und das, was seine Besprechung eigentlich zu leisten hätte, verschiebt er in eine vage Zukunft: »Über einige Ansichten der Autorin will ich bei Gelegenheit gern streiten«, verspricht aber auch, *für* dieses Buch »sehr streiten« zu wollen. Das gelungene Bemühen, in einer unüberschaubaren politischen Situation klug taktiert zu haben, ist dem seinerzeit erst designierten Präsidenten des DDR-Schriftstellerverbandes nicht abzusprechen.
In einem 30seitigen Aufsatz zu »Kindheitsmuster«, der im ersten Teil eine überzeugende Deskription der Erzählstruktur enthält, entwickelt Sigrid Bock[9] die diskussionswürdigsten kritischen Vorbehalte. Die Leistung und auch die Mängel des Buches leitet die Literaturwissenschaftlerin aus der ästhetischen Struktur (insbesondere aus den Funktionen der Zeitebenen und Erzählhaltungen, aus dem Gefüge der Personenbeziehungen und den Erträgen der methodologischen Reflexion) ab. Sigrid Bock ist auch die einzige unter den DDR-Literaturkritikern, die die Darstellungsform nicht nur als dem komplexen Stoff angemessen lobt, sondern ihr auch die Bedeutung zuerkennt, eine »neue Phase reflektierender Prosa« in der DDR-Literatur einleiten zu können: »Über die Erzählerfigur wird ein neuer geschichtlicher Standort für das Erzählen wirksam.« Daß Sigrid Bocks literarästhetische Kriterien aus einem anderen Fundus als dem der bürgerlichen Literaturkritik stammen, wird deutlich, wo sie ihre kritischen Interessen an das Prinzip sozialistischer Parteilichkeit bindet. Auch Sigrid Bock kritisiert Inhalte der »Gegenwartsebene« des Buches, indem sie etwa moniert, daß in den Reflexionen über das Leiden in der Gesellschaft die »Grenze« zwischen den unterschiedlichen sozialen Lebensbedingungen vor und nach 1945 verschwimmt, weil »moralische Gefährdung dort wie hier konstatiert wird«. Gefühle, Gedanken und Gewißheiten »nur in der Reflexionssphäre« zu artikulieren, d. h. den erzählerischen Kontextbezug schuldig zu bleiben, schränke die »Überzeugungskraft des Erzählens« ein. Schließlich erhebt die Kritikerin den

Vorwurf, die kritischen Reflexionen Christa Wolfs enthielten den Anspruch verallgemeinerungsfähiger Urteile, während sie in Wahrheit die »Tendenz zur Verzeichnung, zur Verzerrung« in sich trügen. Letztlich läuft auch diese sehr gewissenhafte Arbeit auf eine Kritik an Christa Wolf hinaus; der grundsätzliche Dissens zwischen Autorin und Kritikerin ist auch hier nicht aufzuheben.

Die Auseinandersetzung in »Sinn und Form«
Der Zeitschrift »Sinn und Form« war es vorbehalten, dem Meinungsstreit um »Kindheitsmuster« ein international beachtetes Forum zu bieten. Als erster Rezensent erhielt der Jenaer Germanist Hans Richter[10] elf Druckseiten eingeräumt, die er zum größten Teil zu einer Darlegung der Autor-Intentionen und der Beschreibung der formalen Struktur des Buches benutzte. Verglichen mit Sigrid Bocks Studie, deren Reflexionsniveau er nicht erreicht, erschließt Richters Beitrag der Interpretation keine neuen Aspekte, wohl aber der Wertung. Auch Richter kritisiert, nachdem der den »großen politischen Ernst«, die »psychologische Eindringlichkeit«, den moralischen Scharfsinn« und die »künstlerische Potenz« des Buches gelobt hat, die Schreibmethodologisches reflektierende und Gegenwartsbezüge zu erinnerten Kindheit herstellende sog. dritte Ebene. Zwar sieht er deren ästhetische Notwendigkeit ein, nicht aber die Ergebnisse des politischen Nachdenkens. Er moniert das im Buch zum Ausdruck kommende »merkwürdig distanzierte Verhältnis zur simplen Welt vor der Erzählerin Haustür«, die Reflexionen über den »fatalen Hang der Geschichte zu Wiederholungen« und das »Zeitalter des universalen Erinnerungsverlusts«, auch »leider, ein gewisser Zug zu falschem Verallgemeinern, zu unhistorischem Verkürzen, zu fragwürdigem Analogisieren«. »Mir scheint, (die »Schwäche« des Buches ist) ein Mangel an literarischer Objektivierung, ein Mangel an solcher politischer Eindeutigkeit, wie man sie sich wünschen muß, wenn man weiß, was die platten und die findigen Burschen der westlichen Medien samt ihrer geistigen Verwandtschaft anderen Metiers alles finden und tun, um ihre Sache möglichst wirksam gegen unsere betreiben zu können.«
Unmittelbar gegen Richters Ausführungen setzte die Redaktion noch im selben Heft einen Diskussionsbeitrag von Monika Helmecke[11], der weniger von literaturkritischen Absichten getragen ist als von aus persönlicher Betroffenheit. Monika Helmecke widerspricht Richter im Grundsätzlichen bezüglich der Faschismus-Bewältigung. Sie greift auf eigene Erfahrungen zurück, wenn sie »die

Einseitigkeit auf unserem Büchermarkt« in der Aufarbeitung des Faschismus beklagt; auf »ungenaue Schuldgefühle« gegenüber der Vergangenheit verweist; ihre »Schwierigkeiten, das Wort Jude auszusprechen«, benennt: die Angst der Schüler und Eltern vor Einflußnahme auf die Behandlung des Themas »Drittes Reich und Faschismus« in der Schule öffentlich macht.

Im Gegensatz nicht nur zu Richter glaubt Monika Helmecke tatsächlich in einer Zeit zu leben, die »massenweise Gedächtnis- und Gewissensverlust« produziert. Mehr noch: Sie schließt nach der Lektüre von Christa Wolfs radikaler Selbstaufklärung die Latenz faschistischer Tendenzen in der DDR nicht völlig aus: ... diese Vergangenheit ist leider nicht ›Tertiär‹, da Anzeichen unserer Zeit darauf hindeuten, daß, wenn wir unter anderem solche Bücher wie ›Kindheitsmuster‹ nicht richtig zu lesen verstehen, sie, wenn auch sicher in anderer Form wieder entstehen kann.«

Aber nicht diese ›Unerhörtheit‹ provozierte eine mit vehementer Leidenschaftlichkeit geführte öffentliche Diskussion, sondern erst Annemarie Auers ebenfalls in »Sinn und Form« veröffentlichte »Gegenerinnerung«[12]. Diese über dreißig Druckseiten beanspruchende Arbeit enthält keine ästhetisch fundierte Auseinandersetzung mit Christa Wolfs Buch, sondern konfrontiert »Kindheitsmuster« mit den »Lebensmustern« der Rezensentin.

Annemarie Auers Kritik läßt sich im Grunde auf einen entscheidenden Aspekt reduzieren: Christa Wolfs gesuchte Erfahrung authentischer Identität sei die Folge einer abstrakten Subjektivität, die nicht mit den historischen Erfahrungen jene Gruppe übereinkomme, die das Ende des Hitler-Faschismus als Befreiung empfunden und die soziale Revolution in der DDR ins Werk gesetzt haben. »Was als durchgreifende Kritik und Abrechnung angesetzt war, das Aufdecken der Nelly-Welt und ihres verderbten Charakters, kann jedoch als Kritik nicht wirksam werden, weil der argen Kritik von einst ein eher enttäuschendes Wirkliche von heute entgegengestellt wird.« Das Buch falle aus der »historischen Dialektik« heraus, weil es das »jetzt Empfundene«, das »nicht von idealer Beschaffenheit ist«, vom Standpunkt subjektiven Leidens beurteile, statt den richtigen ideologischen Standpunkt der revolutionären Klasse einzunehmen. Dementsprechend »verflüchtige« sich die »Schuldabrechnung« mit dem Faschismus ins »Abstrakte, aller gemeinte Vorgang ist innen«.

Dem Angebot von Christa Wolf, in der Reflexionsform der negativen Dialektik den Anteil des gesellschaftlich produzierten Leidens

an den Deformationen der Subjektivität aufzuzeigen (z. B. den geschichtlichen Erinnerungsverlust) und das Bestehende zu kritisieren, setzt Annemarie Auer nichts anderes als eine durch die Lektüre des Buches nicht zu irritierende politische Interpretation des historischen Prozesses in der DDR entgegen. Zwangsläufig muß sie so »Kindheitsmuster« verfehlen.
Daß Annemarie Auer mit »Hohn und Spott, mit Weh und Ach, und auch mit einem Gelächter« auf nicht näher bezeichnete Passagen eines Buches reagiert hat, gegen das nach ihrer Einschätzung eine »psychotherapeutische Ausräumung nichts ist«, scheint darauf hinzudeuten, daß sie ihrerseits typischen Verdrängungsmustern erlegen ist, um sich um keinen Preis in der bruchlosen Identitätserfahrung verunsichern zu lassen. Sie bestätigt diese Hypothese mit einem Bekenntnis, das im Grunde genommen nur eine Durchhalteparole ausgibt und den Menschen zum bloßen Funktionsträger zur Stabilisierung des gesellschaftspolitischen Systems erklärt: »Das Wagnis wirklichen Austausches mit unserer Umwelt, sei sie wie sie sei, müssen wir eingehen, bei Strafe des Verlustes unserer Identität.« Der nur abstrakt vertretene Klassenstandpunkt und die fehlende Solidarität mit der Leistung der revolutionären Klasse legitimieren ihrer Ansicht nach die Autorin nicht, »Spurenfahndung« in »Baby-Existenzen« als »das uns angehende Authentische jener Jahre zwischen 1930 und 1950« auszugeben. Der durch die »Gegenerinnerung« ausgelöste Meinungsstreit[13] erbrachte keine neuen Aspekte literaturkritischer Art. Stephan Hermlin[14] schrieb an die Redaktion der Zeitschrift, er habe »seit langer Zeit nichts ähnlich Unangenehmes gelesen wie Annemarie Auers Angriff«, und er äußerte die Befürchtung, es solle »eine Bewegung aufgehalten werden, die für das Weiterleben einer Literatur unentbehrlich ist: das Beenden des Schweigens.« Kurt und Jeanne Stern[15] pflichteten Hermlin bei; auch sie konnten sich nicht erinnern, »je zuvor – außer von Feinden unserer Republik – (...) ein Pamphlet so voll eklatanter Gehässigkeiten (...) gelesen zu haben.« Nicht mit Argumenten, sondern aus dem »Impuls der Dankbarkeit« versucht Helmut Richter[16] Annemarie Auer den Rücken zu stärken: »Ich erinnere mich nicht, während der letzten Jahre eine klügere, prinzipiellere und menschlichere Betrachtung über ein Buch (...) gelesen zu haben (...), die nicht am Boden klebt, sondern Horizonte sichtbar macht.«
Mit Bernd Schicks »Brief eines Nachgeborenen«[17] beendete die Redaktion die Auseinandersetzungen, und in einer Notiz identifi-

zierte sie sich weitgehend mit Schicks Darlegungen, die zwischen den extremen Positionen der Wertungen zu vermitteln sucht. Schick schanzt dabei Annemarie Auer nicht nur deutliche Vorteile zu, sondern äußert in einem Fazit seiner Beobachtungen die Sorge, daß »die Schriftstellerin Christa Wolf sich in einer Krise befindet«. Das Wort Krise hat bei Schick verständlicherweise eine ganz andere Bedeutung als in dem von der Autorin eingestandenen Versuch, mit »Kindheitsmuster« ihr Schreiben in eine Krise zu bringen.

Aspekte der westdeutschen Literaturkritik

Die Urteile über »Kindheitsmuster« in der DDR sind weitgehend an die Annahme bzw. Ablehnung der politischen ›Botschaft‹ des Buches gebunden. Dagegen zählen in der westdeutschen Literaturkritik die Erinnerungen der Autorin an das Leben während des Faschismus und die politischen Aussagen in der ›Gegenwartsebene‹ des Buches fast ausnahmslos nicht zu den kontrovers beurteilten Aspekten. Trotzdem ist das Spektrum der Wertungen nicht weniger groß als in der DDR-Rezeption: Es reicht vom uneingeschränkten Lob bis zu Verrissen.

Eine Sonderstellung nimmt Klaus Konjetzky[18] mit seiner Besprechung ein, die den Leser fast ausschließlich über die Vergangenheitsschicht des Buches informiert. Konjetzky spricht von seiner »Begeisterung«, die sich mit einem »vagen Unbehagen« mischt. Zwar habe Christa Wolfs »unglaublich ehrlich« vorgenommene »Klärung des Verhältnisses zur eigenen Vergangenheit während des Faschismus« dazu »beigetragen, daß wir, die nach dem Krieg Geborenen, unsere Eltern besser verstehen (...) Aber irgendwie stehe ich jetzt mit einer gewissen Melancholie und Traurigkeit da (...) Was ist mit der Sehnsucht, dem Bedürfnis von uns Jüngeren, zu erfahren, wie jene ›Helden‹ (...) durch alle Irrungen und Verführungen hindurch zu einer Position des Widerstands gefunden haben?« Daß die Lektüre von »Kindheitsmuster« einem Rezensenten in der BRD Appetit auf die in der DDR in großem Maße vorhandene Romanproduktion mit antifaschistischen Helden machen würde, Büchern also, zu denen das Christa Wolfs einen Gegenentwurf bietet, dürfte doch bemerkenswert sein.

An den Intentionen der Autorin und den Resultaten des Buches haben auch Fritz J. Raddatz[19] und Marcel Reich-Ranicki[20] vorbeigelesen. Raddatz nennt Christa Wolfs Schreibmethode die »moralisch unanfechtbarste« und zugleich die »literarisch fragwürdigste«. Der Kritiker legt seine vorgefertigten Interpretationsraster an das

Buch und konstatiert: »Kunstlosigkeit«, eine »epische Fehlkonstruktion«, die jenes Momentes entbehre, das eben die »große Literatur« ausmache. Das alle »große Kunst« Konstituierende ist nach Raddatz »genau jenes über das Rationale Hinausgehende«, das Christa Wolf durch die Verschränkung des Erzählens und Kommentierens verhindert habe. Dem Buch könne insofern nur der »Anstand einer zuverlässigen Geschichtsfibel« und der Wert eines »noblen Essays« attestiert werden. Bemerkenswert an dieser Kritik, die ihre Kriterien aus Ästhetiken des vergangenen Jahrhunderts bezieht, sind nicht die weitschweifigen Explikationen zur Kunst-These, sondern das Fehlen informativer Auskünfte über Form und Inhalt des Buches – der Klappentexter der Luchterhand-Ausgabe hat bessere Arbeit geleistet als der Literaturkritiker. Doch Marcel Reich-Ranicki ist es gelungen, Raddatz' Argumentationsniveau noch zu unterbieten. Statt die Beziehungen zwischen der Struktur des Textes und dem Stoff aufzuzeigen, behauptet der Rezensent apodiktisch: »Kein Zweifel, dieses Buch ist sehr gut gemeint. Aber so schlecht geschrieben, daß man es kaum fassen kann.« Das hätte man gerne begründet gesehen, doch Reich-Ranicki beläßt es bei der unbewiesenen Behauptung. Verglichen mit »Nachdenken über Christa T.« sei »Kindheitsmuster« »leider ein entwaffnend dilettantisches Buch«, das »streckenweise« an »jene Romanmanuskripte (erinnere), die den Verlagslektoren ein Greuel sind: So pflegen pensionierte Studienräte, ältere Pfarrer und brave Hausfrauen uns mit der Geschichte ihrer Familie zu belästigen«. Reich-Ranicki kann in dem Buch nur den »Rohstoff für einen Roman« ausmachen und hält es wegen der »Grundangst davor, zuviel zu erfahren und in einer Zone von Nichtübereinstimmung gedrängt zu werden«, für »gescheitert«. Schließlich mißt Reich-Ranicki diesem »Buch von des Buchbinders Gnaden« diesen Stellenwert bei: »Wahrscheinlich« sei es für die Kinder Christa Wolfs »außergewöhnlich interessant (...). Für uns dagegen, die wir nicht zur Familie der erfolgreichen DDR-Autorin gehören und nicht aus Landsberg an der Warthe kommen?« Darauf hier näher einzugehen und den Kritiker zu widerlegen, verbietet sich von selbst.

Der bessere Teil der westdeutschen Literaturkritik hat Christa Wolfs Buch allerdings den Stellenwert zugesprochen, der ihm zukommt, wenngleich auch in diesen Arbeiten die Deskriptionen die Form-Inhalt-Analysen ersetzen. Noch am konsequentesten entwickelt Helmut Gumtau[21] das Inhaltsreferat aus der Beschreibung der Form.

Mehrere Rezensenten[22] erörtern Christa Wolfs »Schwierigkeiten beim Ermitteln der Wahrheit«, die sie an der »unverblümten Analyse«[23] des Widerspruchs zwischen Theorie und Praxis verwirklichter politischer Freiheit gehindert habe. Zur Rechtfertigung der Autorin zitieren sie auch eine zentrale Passage eines Gesprächs der Erzählerin mit einem »Moskauer Freund«: »Heute weißt du, daß es im Zeitalter des Argwohns das aufrichtige Wort nicht gibt, weil der aufrichtige Sprecher auf den angewiesen ist, der aufrichtig zuhören wollte, und weil dem, dem lange das verzerrte Echo seiner Worte zurückschlägt, die Aufrichtigkeit vergeht. Dagegen kann er nichts machen. Das Echo, auf das er rechnen muß, schwingt dann als Vorhall in seinem aufrichtigen Wort. So können wir nicht mehr genau sagen, was wir erfahren haben.« Wilfried F. Schoeller sieht in dieser »Aufrichtigkeit, daß über ihre Grenzen offen reflektiert wird, daß ihr als Partner das Verschweigen zugeordnet wird und die Selbstzensur«, ein »außerordentliche(s) moralische(s) Niveau«. Wolfgang Werth liest das Zitat als »eine Erklärung dafür, warum Christa Wolf die Konsequenz ihres eigenen Ansatzes gescheut hat, warum sie die Geschichte der zu früh in eine Erwachsenenrolle hineingedrängten Nelly Jordan in einem zunächst von den Amerikanern besetzten mecklenburgischen Dorf enden läßt, bevor die nachrückende Rote Armee dort für stalinistische ›Ordnung‹ sorgt, und warum ihre ›aktuellen Reflexionen‹ sich häufiger und direkter auf Vietnam oder Chile als auf die Situation im eigenen Lande beziehen.« Christa Wolfs Buch habe der »Bewältigung der faschistischen Vergangenheit in der DDR vorgearbeitet, aber es sei »auf halbem Weg« stehengeblieben. Wer aber Christa Wolf vorwerfe, nicht auch schon den zweiten Schritt getan zu haben, lasse außer acht, »unter welchen Bedingungen (und nach welchen Erfahrungen)« sie ihr Buch geschrieben habe.
Und Roland H. Wiegenstein[24] fragt in seiner kritische Interessen genau bezeichnenden Rezension: »Ist die Sozialistin Christa Wolf, als die sie sich versteht, partiell blind?« Als Antwort zitiert er eine Passage aus »Kindheitsmuster«, »die jeder verstehen kann, der dies Buch in der DDR liest: die Geschichte vom Lehrer M. und seinem überraschenden Selbstmord, er wird datiert auf den 31. Januar 1973; M. wird geschildert als ein kühler, kritischer, zur Ironie neigender Mann, der am Abend vor seinem Freitod der Erzählerin Musils ›Mann ohne Eigenschaften‹ zurückgibt, in dem diese, zwei Tage später, folgende Sätze angestrichen findet: ›Man hat nur die Wahl, diese niederträchtige Zeit mitzumachen (mit den Wölfen zu

heulen) oder Neurotiker zu werden. Ulrich geht den zweiten Weg‹«. Dazu dies Notat der Autorin: »Dem Zweifel an der Verzweiflung hat er sich nicht mehr aussetzen können und mögen. Sein Lächeln, wenn du ihm begegnetest, war, von heute aus gedeutet, das Lächeln für eine Abtrünnige, die nicht bis zuletzt durchhält.«

Christa Wolfs »Kindheitsmuster«, dies zeigt der Überblick über die Aufnahme des Buches in der DDR und in der BRD, ist zu einem exemplarischen Fall der Literaturkritik in Ost und West geworden. Darin wird nicht nur die Brisanz seines Themas deutlich – deutlich wird auch, wie es hier wie dort um die Zuverlässigkeit und Solidität der Kritik bestellt ist.

Anmerkungen

1 Aus einem Diskussionsbeitrag von Stephan Hermlin zum VIII. Schriftsteller-Kongreß der DDR vom 29.–31. Mai 1978 in Berlin. Gekürzter Abdruck in: Neue Deutsche Literatur, Heft 8, 1978, S. 67–71
2 Hans Kaufmann: Gespräch mit Christa Wolf. In: Weimarer Beiträge, Heft 6, 1974, S. 90–112. Zu detaillierten Auskünften der Autorin zu »Kindheitsmuster« siehe »Diskussion mit Christa Wolf«, in: Sinn und Form 4/1, 1976, S. 861–888
3 Kaufmann, ebda. S. 99
4 Die folgende Darstellung erfaßt die wichtigsten der bis zum 1. 9. 1978 in der DDR im Druck erschienenen literaturkritischen Arbeiten zu »Kindheitsmuster«. So blieb Günther Cwojdraks Rezension »›Kindheitsmuster‹ – ein Probestück» (In: Die Weltbühne, 3. Mai 1977) wegen Unergiebigkeit unberücksichtigt.
5 Heinz Plavius: Gewissensforschung. In: Neue Deutsche Literatur 1/1977, S. 139–151
6 Klaus Jarmatz: »Kindheitsmuster«. In: Neues Deutschland v. 5. 3. 1977
7 Vgl. dazu Christa Wolfs Ausführungen in: »Diskussion mit Christa Wolf«, a. a. O., S. 866
8 Hermann Kant: »Kindheitsmuster«. In: Sonntag v. 13. 2. 1977
9 Sigrid Bock: Christa Wolf: »Kindheitsmuster«. In: Weimarer Beiträge 9/1977, S. 102–130
10 Hans Richter: Moralität als poetische Energie. In: Sinn und Form 3/1977, S. 667–678
11 Monika Helmecke: Kindheitsmuster. In: Sinn und Form, 3/1977, S. 678-681
12 Annemarie Auer: Gegenerinnerung. In: Sinn und Form, 4/1977 S. 847–848.
13 Briefe an Annemarie Auer. In: Sinn und Form 6/1977, S. 1311–1322, und Sinn und Form 2/1978, S. 422–6

14 Stephan Hermlin (Brief an die Redaktion), in: Sinn und Form 6/1977, S. 1381 f.
15 Kurt und Jeanne Stern:, ebda 6/1977 S. 1319 f.
16 Helmut Richter: (Brief an Annemarie Auer), in: Sinn und Form 6/1977, S. 1320 f.
17 Bernd Schick: Brief eines Nachgeborenen. In: Sinn und Form 2/1978, S. 422–6
18 Klaus Konjetzky: Der Versuch einer Bewältigung. In: Deutsche Volkszeitung v. 10. 3. 1977
19 Fritz J. Raddatz: Wo habt ihr bloß alle gelebt. In: Die Zeit v. 4. 3. 1977
20 Marcel Reich-Ranicki: Christa Wolfs trauriger Zettelkasten. In: Frankfurter Allgemeine Zeitung v. 19. 3. 1977.
21 Helmut Gumtau: Forschungsreise in die Vergangenheit. In: Der Tagesspiegel v. 3. 4. 1977
22 Wilfried F. Schoeller: Das Kind, das in mir verkrochen war. In: Frankfurter Rundschau v. 23. 4. 1977. – Wolfgang Werth: »Wie sind wir so geworden . . .?« In: Süddeutsche Zeitung v. 5. 3. 1977. – Charles Linsmayer: Die wiedergefundene Fähigkeit zu trauern. In: Neue Rundschau 3/1977, S. 472–478. – Jörg Bernhard Bilke: Das Vergangene ist nicht tot, wir stellen uns nur fremd. In: Die Welt v. 2. 3. 1977. – Jürgen P. Wallmann: »Das Vergangene ist nicht tot«. In: Deutschland Archiv 3/1977, S. 310–312
23 Zitat Schoeller, a. a. O.
24 Roland H. Wiegenstein: Kassandra hat viele Gesichter. In: Merkur 10/1977 S. 989–1006. Zu »Kindheitsmuster«: S. 989–995.

MANFRED JÄGER

DIE GRENZEN DES SAGBAREN

Sprachzweifel im Werk von Christa Wolf

Christa Wolfs große Prosaarbeit »Kindheitsmuster« schließt mit dem Satz: »Sicher, beim Erwachen die Welt der festen Körper wieder vorzufinden, werde ich mich der Traumerfahrung überlassen, mich nicht auflehnen gegen die Grenzen des Sagbaren«. (S. 531) Offenbar ist das ein schwerer Entschluß, der der Rechtfertigung bedarf. Bewußtheit, Klarheit, Genauigkeit erschienen der Autorin immer als erstrebenswerte Voraussetzungen eines verantwortlichen Schreibens. Auch in ihren leidenschaftlichen Plädoyers für die Phantasie bewahrt sie den Anspruch auf einen möglichst hohen Grad von Exaktheit. Wird da Widerstand geleistet gegen eine Versuchung, die vielleicht einmal übermächtig werden könnte? Was soll man tun, wenn die Markierungen, welche die fatale Selbstzensur von der möglicherweise produktiven Selbstdisziplin beim Schreiben unterscheiden, allmählich verblassen und es einem am guten Glauben fehlt, diese Hilfslinien wieder kräftig nachzuziehen?

Der zitierte Satz signalisiert die Bereitschaft der Erzählerin, einige bisher von ihr als selbstverständlich hingenommene oder gar mit voller Absicht errichtete Schranken versuchsweise hochzuziehen. Es geschieht dies mit aller Vorsicht, als ein zeitweiliges Experiment, bei dem sie die Versuchsbedingungen fest in der Hand behalten will. Die Schranken werden nicht niedergerissen und beseitigt. Gewiß, die Erzählerin verkündet ihre Absicht, sich einer nicht-verbalen Sensibilität zu öffnen, sich ihr zu »überlassen«, sich nicht mehr »aufzulehnen«. Aber es ist dafür gesorgt, daß man sich nicht im ganz und gar Ungewissen verlieren wird. Denn die Autorin setzt als sicher voraus, »beim Erwachen die Welt der festen Körper wieder vorzufinden«. Der »Traumerfahrung« wird so nur eine relative Berechtigung eingeräumt. Sie dient dazu, das Wissen zu erweitern, das emotionale Erleben zu vertiefen. Schein und Sein verschwimmen nicht ineinander, bleiben unterscheidbar. Es wird noch zu untersuchen sein, ob Christa Wolf die »Welt der festen Körper« noch für eine Welt der zutreffenden Bezeichnungen und den richtigen Namen hält.

Die Formel von den »Grenzen des Sagbaren« ist das letzte Wort in »Kindheitsmuster«. Sich nicht gegen diese Grenzen aufzulehnen, meint wohl zweierlei: Erstens wird anerkannt, daß es Grenzen der Sprache und des Sprechens gibt, und zweitens wird erstrebt, Erfahrungen jenseits dieser Grenzen doch noch auszudrücken, obwohl dies schwierig und schließlich wohl unmöglich ist. Von einer Formel darf man deswegen sprechen, weil diese Wendung im Werk Christa Wolfs häufiger vorkommt, auch in Umschreibungen und Variationen. Das gilt sowohl für Reflexionen in ihrer erzählenden Prosa wie auch für Auskünfte, die sie in Interviews und Essays gegeben hat.

Aufschlußreich sind zum Beispiel die programmatischen Worte am Schluß des mit Joachim Walther geführten Gesprächs vom 31. Oktober 1972: »Im Grunde ist mein Wunsch, daß die Literatur oder das, was ich in der Literatur sagen könnte, mich ohne Rest aufzehrt. Daß die Erfahrungen und Erkenntnisse und die eigene andauernde Veränderung, der eigene andauernde Versuch der Standortbestimmung in dieser Zeit vollkommen ausgedrückt wären, ohne den gewöhnlichen Übergang von Ungesagtem und Unsagbarem. Unerreichbar, natürlich.«[1] Sich einem solchen unerreichbaren Postulat, einem ganz und gar utopischen Ideal auszusetzen, bedeutet eine extreme Gefährdung des Schreibenden; es bedarf kräftiger Energien, sich mit diesem eingestandenermaßen vergeblichen Wunsch nicht geradewegs in eine Schreib- und Lebenskrise zu manövrieren. Christa Wolf rettet sich dadurch, daß sie das Problem nicht untergründig destruktiv wirken läßt, sondern in ihren wichtigsten Arbeiten zu einem zentralen Thema werden läßt.

Bedeutsam ist die Unterscheidung von Ungesagtem und Unsagbarem. Die Autorin sieht darauf, die Grenze, hinter der das Unsagbare beginnt, nicht zu früh anzusetzen. Soviel wie irgend möglich soll aus dem Bannkreis des Unausgesprochenen befreit werden. Dieser Impuls hindert sie zugleich, sich einer universellen Sprachskepsis zu überlassen. Theoretische Überlegungen resultieren zumeist aus der Selbstbeobachtung während des Erzählprozesses; es kann dabei geschehen, daß die Erzählerin objektive Grenzen hin und wieder dem eigenen Unvermögen oder wenigstens der eigenen Schwäche anlastet.

Aber der Widerstand, den die Dinge, komplexe Beziehungen in historischer Verknüpfung, wie Christa Wolf sie gern darstellt, dem erzählerischen Zugriff entgegensetzen, läßt sich nicht durch Verlagerung in die Psyche der Autorin brechen. Stichwort: »Schreibhemmungen«. Sie sollen zum Verschwinden gebracht werden durch Insistieren auf den heilsamen Prozeß des (gelegentlich heroischen) Weiterschreibens: »Ich weiß dann, daß es sich um Hemmungen handeln muß, die in mir liegen, die ich mir aber in dem Moment nicht bewußtmachen kann; daß Widerstände in mir sind, wirklich das herauszufinden, wonach der Stoff drängt. Denn natürlich hat man beim Schreiben auch Angst vor dem, was herauskommen wird. Niemand setzt freiwillig Angst frei. Das muß man aber, indem man bis an die Grenze des Stoffs geht. Man muß diesen Zustand überwinden, und das geht im Grunde nur schreibend«.[2]

Die Psychologisierung, die aus einem Sprachproblem ein bloßes Ausdrucksproblem macht, deutet auf die Zuversicht der Autorin, in der Sprache ein Präzisionsinstrument zu besitzen, dessen adäquater Einsatz vom Geschick und vom Wagemut dessen abhängt, der es handhabt. Den Verdacht, die Sprache sei vielleicht gar nicht jenes willfährige Werkzeug, läßt die Autorin möglichst nicht an sich herankommen. Christa Wolfs kurze Studie über Max Frisch gibt dafür Belege.[3] Gleich am Anfang insoliert sie aus einer länge-

ren Stelle »zur Schriftstellerei« in Frischs »Tagebuch« von 1946 einen Satz, der ihr eigenes Konzept zu bestätigen scheint: »Unser Streben geht vermutlich dahin, alles auszusprechen, was sagbar ist«.[4] Nur läßt Christa Wolf den Zusammenhang, in dem dieser Satz sich findet, ganz außer acht. Das Sagbare steht bei Frisch gegen das Lebendige, die Worte sind gleichbedeutend mit der Leere. Auf eine solche Radikalität läßt Christa Wolf sich nicht (noch nicht?) ein. Die Mühsal des Schreibens, möglichst vieles »sagbar« zu machen, gewährt der entmutigenden Erkenntnis keinen Raum, es sei überhaupt nur das formulierbar, »was nicht das Leben ist«. Jedenfalls dürfte es kein Zufall sein, daß die Autorin die Auseinandersetzung mit den Sätzen vermeidet, die bei Frisch unmittelbar vor den von ihr zitierten Worten stehen: »Was wichtig ist: das Unsagbare, das Weiße zwischen den Worten, und immer reden diese Worte von den Nebensachen, die wir eigentlich nicht meinen. Unser Anliegen, das eigentliche, läßt sich bestenfalls umschreiben, und das heißt ganz wörtlich: man schreibt darum herum. Man umstellt es. Man gibt Aussagen, die nie unser eigentliches Erlebnis enthalten, das unsagbar bleibt; sie können es nur umgrenzen, möglichst nahe und genau, und das Eigentliche, das Unsagbare, erscheint bestenfalls als Spannung zwischen diesen Aussagen«.[5]
Nicht, daß die von Max Frisch hier geschilderte Erfahrung der Autorin fremd wäre – es ist sogar möglich, daß die Interpretation gerade deswegen unterbleibt, weil in diesen Zeilen eine allzu schmerzliche Wahrheit entdeckt wurde. Es gibt im Werk von Christa Wolf öfters Szenen, in denen »das Eigentliche« als das Unsagbare erscheint. Ich erwähne einige Beispiele aus »Nachdenken über Christa T.«: »Sie machte sich auf den Weg nach Hause. Vor einem Blumenladen in der Innenstadt standen ein Dutzend Menschen, die schweigend warteten, daß um Mitternacht eine seltene, hell angeleuchtete Orchidee für wenige Stunden ihre Blüte entfalten sollte. Schweigend stellte Christa T. sich dazu. Dann ging sie getröstet und zerrissen nach Hause.« (S. 74) – »Ach, nicht doch, sagte sie. Schon früher. Eine Sommerliebe. Und alles, was dazugehört. Aber das ist, fügte sie dann noch hinzu, schwer zu erzählen. Ach, das ist lange her. – Sie nahm ihr Buch wieder auf und verfiel in Schweigen«. (S. 48)
In »Kindheitsmuster« ist von der Zone die Rede, wo die Empfindungen »noch ganz sie selbst, nicht mit Worten verquickt sind«, und es heißt da weiter: »Und nun, wenn die Worte dazutreten, harmlos, unbefangen, ist alles schon vorbei, die Unschuld verlo-

ren«. (S. 359) Es gibt noch viele andere Stellen, in denen die nichtverbale Empfindung als das »Eigentliche« aufscheint, in denen das Schweigen einen höheren Ausdruckswert gegenüber den Worten erhält. Auf den ersten Blick sieht das wie eine Bestätigung der zitierten Tagebucheintragung Max Frischs aus, aber dieser Eindruck täuscht. Christa Wolf zögert, ja, sie scheut davor zurück, eine allgemeingültige oder auch nur für sie selbst durchweg gültige Sentenz zu formulieren. Die Aussagen zum Thema sind an ganz konkrete Bezugspunkte fixiert, sie sind situationsbezogen, von den psychologischen Voraussetzungen der Figuren nicht ablösbar.
Mehr noch: sie sind abhängig von der Position der Erzählerin in einer historisch konkreten Gesellschaft. Damit ist nicht gemeint, daß die Autorin sich etwa kurzatmigen politischen »Notwendigkeiten« verpflichtet fühlte. Christa Wolf gibt dazu selbst einen Hinweis mit einer in Klammern gesetzten Vermutung. In ihrem Essay über Frisch zitiert sie dessen Bemerkung, es gebe für die Schriftsteller heute keine »terra incognita« mehr, und fügt hinzu, diese Ansicht könnten Autoren in sozialistischen Ländern kaum teilen: »Hier überwiegt das Gefühl, der Fülle des Ungesehenen, Ungesagten nicht gewachsen zu sein«.[6]
Ungesehenes bleibt Ungesagtes. Aber diese Entscheidung fällt weit draußen im Vorfeld des Bereichs, in dem Sprachzweifel beginnen können. Dabei geht es nicht nur um Problemstellungen, die der Schriftsteller aus Unaufmerksamkeit, Flüchtigkeit und Bequemlichkeit vernachlässigt. Das Ungesehene, das ungesagt bleibt, umfaßt auch vieles, das nicht gesehen werden soll, nicht gesehen werden darf. In ihrem Essay über das Tagebuch als Arbeitsmittel und Gedächtnis hat Christa Wolf sich die Leser vorgestellt, die in hundert Jahren die Bücher lesen werden, »in denen wir uns selbst beschreiben«. Die Autorin vermutet: »Ein bißchen ratlos werden sie sie wieder aus der Hand legen: Mehr haben die nicht über sich gewußt? Oder: Mehr haben sie nicht sagen wollen?«[7]
Nicht weiterzugeben, was man weiß, bedeutet freilich nicht nur, vor den Erwartungen der Nachwelt zu versagen. Vor allem die Mitwelt, die Mitlebenden haben einen Anspruch darauf, Auskünfte zu erhalten. Christa Wolf, bei der Sarkasmen recht selten sind, äußert sich dazu mit bitterer Schärfe: Solche Ungeduld und Unzufriedenheit macht sich gelegentlich auch in pathetischer Frageform Luft: »Wie lange noch soll die kleine Spitze des Eisbergs beschrieben werden, und sechs Siebentel darunter bleiben unbekannt, unbenannt, unerlöst?«[9]

Benennung wirkt erlösend, bricht den Bann, befreit. Offenbar hegt die Autorin einen starken Glauben an die Macht des Wortes, an die Kraft der Sprache. Das erklärt sich nicht nur aus selbstverständlichen aufklärerischen Grundpositionen, wie sie von Christa Wolf ohne Didaktik und ohne Besserwisserei vertreten werden. Vielmehr bewirkt es die gesellschaftliche Situation, in der offen oder versteckt die Respektierung von Tabuzonen verlangt und, bei allzu kecker Widersetzlichkeit, auch erzwungen wird, daß Autoren ihre »Überzeugung, ihr Wort sei wichtig und vielleicht folgenreich, ständig ex negativo bestätigt bekommen. Christa Wolfs Sprachskepsis ist daher weniger sprachphilosophischer oder erkenntnistheoretischer Ausgangspunkt als Resultat schriftstellerischer Erfahrung und – jedenfalls über weite Strecken im bisherigen Werk – nur von partieller Gültigkeit, also an die Darstellung bestimmter schwieriger Sachverhalte gebunden. Ihre Kritik am begrenzten Ausdrucksvermögen der Sprache kann nur vor dem Hintergrund ihres allmählich relativierten Sprachvertrauens richtig bewertet werden. In einem Briefwechsel mit der Debütantin Gerti Tetzner hat Christa Wolf das Leben als einen dauernden Prozeß der Desillusionierung bezeichnet;[10] im Gespräch mit Hans Kaufmann gab sie ihrer Zuversicht Ausdruck, »daß wir ändern können, was uns stört«.[11] In diesem Spannungsraum von Zuversicht und Desillusionierung haben sich die Sprachzweifel allmählich eingenistet. Man kann diese Entwicklung im Werk gut verfolgen. Die »Moskauer Novelle« von 1961 hat die Verfasserin vierzehn Jahre nach ihrer Veröffentlichung in dem Aufsatz über »Sinn und Unsinn von Naivität« verworfen. Die Anmaßung, »ein für allemal im Mitbesitz der einzig richtigen, einzig funktionierenden Wahrheit zu sein«[12], drückte sich auch in sprachlicher Eindimensionalität aus. Obwohl der Widerwille der Verfasserin gegen die alte Geschichte sich drastisch äußert, geht die Autorin in ihrem Essay nicht den bequemen Weg einer abstrakt moralisierenden Selbstkritik. Statt dessen historisiert sie eine Erfahrung: es erschein als normal, sich über die Gutgläubigkeit früherer Äußerungen erstaunt, vielleicht auch entsetzt zu zeigen. Aber im Lichte späterer Erkenntnisstufen mag die Korrektur, die intelligente Kritik in eigener Sache, auch wieder nur »gutgläubig« gewesen sein. Das räumt Christa Wolf ein, freilich nur in einem flüchtigen Gedanken, den weiter zu verfolgen sie schon deshalb aufgibt, weil sie ihren moralischen Imperativ »Laß dich nicht entmutigen!« unbedingt aufrechterhalten will. Wieder kippt Desillusionierung in Zuversicht um: »Schon im Entstehen,

zerstörte Hoffnungen brächten jede Produktion und damit die Hoffnung selbst zum Erliegen, während heute, da jedes Wort komplizierteren und strengeren Tests unterworfen wird als früher, die Arbeit zwar mühevoller und langwieriger, aber doch keineswegs unmöglich geworden ist«.[13]
Tests erlauben es, der passenden Wörter habhaft zu werden, um wenigstens umschreiben zu können, was sich der eindeutigen Benennung entzieht. Dabei handelt es sich, wie die beiden Prosawerke »Nachdenken über Christa T.« und »Kindheitsmuster« zeigen, nicht etwa nur um größere »spachliche Sorgfalt«, sondern um die beständige Reflexion der Erzählerin über Probleme der sprachlichen Darstellung.
Im »Geteilten Himmel« hatte die Erzählerin ihre Ausdrucksprobleme noch an die Figuren delegiert. »Sie schwiegen unlustig« – so werden politische Gespräche zwischen dem Skeptiker Manfred Herrfurth und seinen fortschrittlichen Kontrahenten abgebrochen, noch ehe sie recht begonnen haben. (S. 168) Rita Seidel lebt Parteilichkeit als eine Art Logik des Herzens vor und bewältigt so ihre Lebenskrise. Sogar im letzten Kapitel ist sie noch einmal »unfähig, die richtigen Worte zu finden«. (S. 234) Aber im wesentlichen war diese Sprachlähmung einer labilen Phase in der Entwicklung des jungen Mädchens zugeordnet worden. Nachdem Rita ihren »krankhaften Gemütszustand« überwunden hat, heißt es von ihr: »Indem sie die Zeit ihre Arbeit tun ließ, hat sie die ungeheure Macht zurückgewonnen, die Dinge beim richtigen Namen zu nennen«. (S. 224) Der Rückfall in den Kinderglauben, Wort und Sache zur vollen Übereinstimmung bringen zu können, verschafft der Geschichte aber nur scheinbar ein halbwegs gutes Ende. Nie wieder hat Christa Wolf eine ideologische Gesundung dieser Art zustimmend beschrieben, nie wieder hat sie einer Heldin durch die fraglose Einfügung in einen pflichtenreichen Arbeitsalltag den Kopf zurechtgerückt.
Im Gegenteil, Benennungswahn und Anpassungsbereitschaft werden in dem nachdenklichen Buch über Christa T. zum Gegenstand kritischer Reflexion. Auffällig ist dabei, daß Christa T. deutlichere Aussagen zugeschrieben werden, deren allgemeine Gültigkeit die berichtende und kommentierende Erzählerin gelegentlich einschränkt. Textvergleiche ergeben, daß Christa T. (zum Thema »Sprache und Welt«) ausdrückt, was Christa Wolf auch empfindet; die Einwände der Erzählerin dagegen dokumentieren ihren inneren Widerstand gegen die resignierten Schlußfolgerungen aus den un-

abweisbaren Erkenntnissen. So heißt es im vierten Kapitel: »Sie muß frühzeitig Kenntnis bekommen haben von unserer Unfähigkeit, die Dinge so zu sagen, wie sie sind. Ich frage mich sogar, ob man zu früh klarsichtig, zu früh der Selbsttäuschung beraubt sein kann. So daß man verzichtet und die Dinge ihrem Lauf überläßt.« (S. 44) Das Wort »Unfähigkeit« läßt offen, ob eine überwindbare Schwäche oder eine prinzipielle erkenntnistheoretische Unmöglichkeit damit gemeint ist. Merkwürdig bleibt, daß mangelnde Klarsicht und Selbsttäuschung partiell gerechtfertigt werden (wenn auch in Form einer Frage), daß sie als eine Art Voraussetzung für Handeln durch Schreiben gelten sollen. An einen Kernsatz der Christa T., »daß ich nur schreibend über die Dinge komme«, werden u. a. folgende Bemerkungen geknüpft: »Der Vorwurf der Schwäche schimmert durch, mit der sie sich gegen die Übermacht der Dinge zu wehren meinte: schreibend. Und, trotz allem, über die Dinge kam. Sie hat nicht gewußt, daß sie das von sich sagen konnte«. (S. 44)

Wieder spürt man die Scheu, sich einer radikalen Sprachkritik auszusetzen. Man kann, so heißt es, durch Schreiben nicht nur zu den Dingen, sondern sogar »über die Dinge« kommen, was doch wohl eine Art Bewältigung, vielleicht auch Überwältigung der Wirklichkeit durch Sprache impliziert. Ein trotziges Dennoch richtet sich gegen die Bedrohung durch Sprachverzweiflung. Christa T. wird einmal mit einem Satz zitiert, in dem sie über sich in der dritten Person schreibt: »Es faßte sie plötzlich eine große Angst, daß sie nicht schreiben könne, daß es ihr versagt sein werde, je in Worte zu fassen, was sie erfüllte«. (S. 146) Analog vermag Christa Wolf unbefangener von sich zu schreiben, indem sie von Christa T. handelt. Der Glaube, Glückserwartung könne durch Sprachbeherrschung eingelöst werden, wird immer brüchiger. »Schreib doch, Krischan. Warum schreibst du nicht? – Na ja, sagt sie. Ach, weißt du . . Sie hatte Angst vor den ungenauen, unzutreffenden Wörtern«. (S. 217) Oder: »Christa T. ging in ihrer Wohnung herum wie in einem Käfig. Sie wußte, daß sie nichts denken konnte, was nicht millionenmal gedacht, kein Gefühl aufbringen, das nicht in seinem Kern durch Abnutzung verdorben war . . . Sie sah sich in eine unendliche Menge von tödlich banalen Handlungen und Phrasen aufgelöst«. (S. 199) Die Stelle aus dem 17. Kapitel korrespondiert mit einer anderen aus dem 2. Kapitel, wo es heißt: »Dichten, dicht machen, die Sprache hilft. Was denn dichtmachen und wogegen?«. (S. 23) Auflösen und dichtmachen – auch dieses Gegensatzpaar

bezeichnet das Janusgesicht der Sprache. Hoffnungen und Gefährdungen, die sich mit ihr verbinden, verweisen weit über bloß literarische Gestaltungsprobleme hinaus, zumal Christa Wolfs Arbeiten allesamt eine starke Identität von Leben und Werk dokumentieren. Als die Selbsttäuschung zerging, Sprache könne einen Halt bedeuten, sah Christa T. sich als Person »in Auflösung«. Es scheint, daß Christa Wolf sich einer solchen Bedrohung weniger durch intellektuelle Argumentation als durch eine moralische Haltung zu erwehren sucht.
Wenigstens als utopisches Fernziel bleibt die Möglichkeit einer »wirklichen Kommunikation«: »Einstweilen mußten wir die Lücke für unser eigentliches Gespräch mit Mitteilungen ausfüllen«. (S. 34) Das Eigentliche verschweigen zu müssen, ist im politischen Bereich besonders verhängnisvoll, weil sich solche Verdrängungen leicht zu gesellschaftlichen Krisen auswachsen. Am Anfang des 5. Kapitels ist von den Schwierigkeiten die Rede, wahrheitsgemäß über die fünfziger Jahre in der DDR zu schreiben: »Wir wissen nicht viel über diese Jahre, denn man weiß nicht wirklich, was noch nicht ausgesprochen ist – die Möglichkeit, durch Aussprechen zu verfestigen, mit eingerechnet. Das eigene Zögern belehrt mich, daß noch nicht die Zeit ist, flüssig und leicht über alles und jedes zu berichten, wobei man anwesend war oder es doch hätte sein können«. (S. 56) Das Buch schließt mit der fordernden Frage: »Wann, wenn nicht jetzt?« (S. 235)
Es ist höchste Zeit, mit der Verschweigetaktik Schluß zu machen, und doch ist die Zeit dafür noch nicht gekommen. Wird sie einmal »kommen«, oder muß man sie sich nicht einfach nehmen? Christa Wolf sucht Zuflucht bei zuversichtlichen Bekenntnissen, in die Trauer eingelagert ist: »... auch Worte haben ihre Zeit und lassen sich nicht aus der Zukunft hervorziehen nach Bedarf. Zu wissen, daß sie einmal dasein werden, ist viel.« (S. 235) Diese Utopie, in der die Furcht ganz von ihr abfallen könnte, es gebe nur die Wahl zwischen Schweigen und »Pseudo«, der Kurzformel für Unechtes, Unwahres, Unaufrichtiges, kehrt auch in »Kindheitsmuster« mit beinahe den gleichen Worten wieder. An solchem Glauben kann festgehalten werden, weil er als geistige Tradition wirklich ist. Christa Wolf zitiert aus dem Sonett »An sich« von Paul Fleming, das mit den Worten »Sei dennoch unverzagt« beginnt, die Zeile: »Was du noch hoffen kannst, das wird noch stets geboren«. (Das Zitat ist nicht ganz korrekt, bei C. W. steht statt des zweiten ›noch‹ ›doch‹). Ihre Hoffnung zielt auf die vollkommene Identität von

Sprache und Sprecher. Wenigstens als vorweggenommene Vorstellung soll gelten dürfen, daß einmal der noch unbekannte Boden gefunden werden könnte, »von dem uns auf neue, heute noch unvorstellbare Weise wieder leichter und freier zu reden wäre, offen und nüchtern über das, was ist; also auch über das, was war. Wo die verheerende Gewohnheit von dir abfiele, nicht genau zu sagen, was du denkst, nicht genau zu denken, was du fühlst und wirklich meinst. Und dir selber nicht zu glauben, was du gesehen hast. Wo die Pseudohandlungen, Pseudoreden, die dich aushöhlen, unnötig würden und an ihre Stelle die Anstrengung träte, genau zu sein ...« (S. 487 f.) Wieder führt ein Schuldvorwurf an die eigene Adresse (»verheerende Gewohnheit« usw.) weg von einer prinzipiellen Erkenntnis- und Sprachkritik in den Bereich von Gelingen und Versagen, wo Leistungen und Fähigkeiten bemessen werden. Kein Wunder, daß die Sehnsucht, *leichter und freier* zu reden, höchst widersprüchlich in die *Anstrengung* mündet, genau zu sein. Das heftige Verlangen bricht immer wieder durch, »aus unseren halben Sätzen ganze zu machen«. Das unerreichbare Ziel, das nie aus den Augen verloren werden darf: »die Unschärfe aus unserer Rede tilgen« (»Nachdenken über Christa T.« S. 36).

Daß einmal die Zeit kommen wird, in der man »flüssig und leicht« über heikle Bereiche wird reden können, die bis heute der Beschreibung entzogen bleiben, scheint mir wenig wahrscheinlich. Am allerwenigsten darf man eine solche Schreibart von Christa Wolf selbst erwarten. Wahrheitsgemäße Darstellung wird wohl eher brüchig und sperrig als flüssig und leicht aussehen. Wer mittendrin steckt, kann schwerlich die Position des souveränen Beobachters einnehmen. Mißtrauen gegenüber Sprache wird leicht zum Mißtrauen gegenüber der eigenen Person: »Ach, sie traute ja diesen Namen nicht. Sie traute sich ja nicht. Sie zweifelte ja, inmitten unseres Rausches der Neubenennungen, ja, sie zweifelte ja an der Wirklichkeit von Namen, mit denen sie doch umging; sie ahnte ja, daß die Benennung kaum je gelingt und daß sie dann nur für kurze Zeit mit dem Ding zusammenfällt, auf das sie gelegt wurde. Sie zuckte davor zurück, sich selbst einen Namen aufzudrücken, das Brandmal, mit welcher Herde in welchen Stall man zu gehen hat.« (S. 46) Diese Passage dürfte die konzentrierteste und radikalste Äußerung zu dem hier abgehandelten Thema im Werk von Christa Wolf sein. Die Rücksichtslosigkeit verdankt sich zu einem Teil wiederum der Tatsache, daß Gedanken einer anderen Person, der Christa T., referiert werden. Man muß darin nicht das schriftstellerische Credo der Autorin erblicken, und sie muß diesen Vorwurf, wenn es denn einer wäre, nicht auf sich nehmen. Sprache erscheint hier als Herrschaftsmittel, und es wird die Erkenntnis nicht verdrängt, daß eine andere als diese depravierte Sprache gar nicht zur Verfügung steht.

Die in »Kindheitsmuster« vorgetragene Sprachkritik steht in engem Zusammenhang mit konkreten Verdrängungsprozessen. Das Erinnerungsvermögen, Voraussetzung aller Ausdrucksfähigkeit, wird einem harten Test unterworfen. Freigelegt werden Szenen aus der Vergangenheit, die noch oder wieder genau vor Augen stehen, verschwimmende Fragmente und viele Lücken. Ein Buch über das Gedächtnis, das kollektive und das individuelle. Dabei beeindruckt der Verzicht auf erbarmungslosen Rigorismus. Die Überlegung, ob wir Schutz brauchen vor den Abgründen der Erinnerung, wird nicht bloß als bequeme Ausrede disqualifiziert: »Wirst dich fragen müssen, was aus uns allen würde, wenn wir den verschlossenen Räumen in unseren Gedächtnissen erlauben würden, sich zu öffnen und ihre Inhalte vor uns auszuschütten?« (S. 95) Da in dem Buch keine sicheren Ansichten vorgetragen werden können, weil das Gedächtnis dafür kein festes Fundament abgeben kann, sind die Sprachzweifel für diesen Text strukturbestimmend geworden.

Wenn das Lexikon mit definitorischer Sicherheit feststellt, das Gedächtnis gewährleiste das aufnehmende Einprägen, verarbeitende Behalten und sinngemäße Reproduzieren früherer Eindrücke und Erfahrungen, kann Christa Wolf sich auf die knappe Charakterisierung solcher Sprech- und Denkweise beschränken: »Gewährleistet. Starke Worte. Das Pathos der Gewissheit«. (S. 50) (Scheppernde Beispielsätze wie: »Das Kind gehorcht den Eltern«, oder: »Die Gesetze dienen den Menschen«, und starre Definitionen, die verschiedenen Paragraphen des Hauptkapitels »Der Satz« einer »Kleinen Grammatik der Deutschen Sprache« entnommen wurden, werden das Gerüst ihrer Dankrede zum Bremer Literaturpreis 1977 bilden). Dagegen setzt sie eine Liste von Wörtern, die in ihrer schmucklosen Aufreihung jene wissenschaftliche Bestimmtheit, die das Wort Vergeßlichkeit nur mit dem Wort Nervenschwäche zusammendenken kann, einfach beiseiteschiebt: »Überhören, übersehen, vernachlässigen, verleugnen, verlernen, verschwitzen, vergessen«. (S. 197) Der Wunsch, alles möge einfacher sein und sich auch einfacher, eindeutiger darstellen lassen, schwingt dabei noch immer mit. Gelegentlich, erschöpft von der Suche nach dem stimmigen Wort und geplagt von der übernommenen Mitverantwortung für

Ungeheuerliches, erfährt die Autorin eine Art (ihr unangenehmer) Erleichterung darüber, daß die Sprache Benennungen erzwingt, daß sie filtert »im Sinne des Erwünschten. Im Sinne des Sagbaren. Im Sinne des Verfestigten«. (S. 303) Dabei geht Christa Wolf so weit, einer Beschreibung der militärischen Lage die (ironische) Beobachtung in Klammern hinzuzufügen: »Der Genuß, den es macht, endlich einmal die Sprache so einzusetzen wie ein Marschall seine Truppenverbände: logisch, zwingend, Schlag auf Schlag.« (S. 368)

Diese Schreibweise ist jedoch nicht verfügbar, wenn das Desiderat »Moskauer Prozesse – Stalin und die Folgen« auch in diesen Text drängt, weil die notwendigen Bücher darüber dortzulande noch immer keine Chance haben. Der alten Frage »Wann, wenn nicht jetzt?« wird wieder keine Antwort zuteil, sie bleibt rhetorischer Aufruf. Die Erzählerin füllt die Leerstelle mit der intensiven Schilderung einiger Träume aus. Das Schweigegebot wird zur psychischen Belastung: »Wann werden wir auch darüber zu reden beginnen? Das Gefühl loswerden, bis dahin sei alles, was wir sagen, vorläufig, und dann erst werde wirklich gesprochen werden«. (S. 322)

Christa Wolf hat sich immer geweigert, die Zensur, den äußeren Druck, die Entstehungsbedingungen von Literatur als die alleinige oder wichtigste Ursache aller Verklemmungen und Verkrampftheiten, aller Lücken und Verharmlosungen hinzustellen. Sie hat sich und andere davor gewarnt, die Wächter nicht wahrhaben zu wollen, die man sich vor das eigene Bewußtsein gestellt hat. Selbstbewachung und Selbstbespitzelung erscheinen ihr als allgemeinste Erfahrung der Zeitgenossen, nicht nur der Schriftsteller. (S. 298) Sie hielte es für unredlich und leichtfertig, die Schuld für alle Schwierigkeiten während des Schaffensprozesses den kulturpolitischen Instanzen aufzubürden.

Durchgängig versucht Christa Wolf ihre Äußerungen zu ästetischen und literarischen Fragen durch Ergebnisse ihrer Selbstbeobachtung zu beglaubigen. Durch solche Psychologisierung wird die Sprachproblematik entobjektiviert, zum Spezialfall einer individuellen Befindlichkeit, die freilich viele Einzelne betreffen mag. Für die Autorin gilt dabei, daß sie ganz bestimmte Erzählbedingungen braucht, die es ihr ermöglichen, sich selbst die Zunge zu lösen. In »Kindheitsmuster« bedeutet dies, die erlebte Vergangenheit von sich abzutrennen und so beobachtbar zu machen, also eine Entscheidung zu treffen zwischen: »Sprachlos bleiben oder in der

dritten Person leben«. (S. 9)
Häufiger wird die Sprachkraft des Schreibers, seltener die Kraft des Wortes der kritischen Analyse überantwortet. Damit hängt zusammen, daß die Grenzen der Sprache an solchen Beispielen wie den vom Faschismus begangenen Verbrechen (Völkermord, Massenvernichtung) verdeutlicht werden sollen. Von den Ungeheuerlichkeiten, die gleichwohl »menschenmöglich« genannt werden müssen, ist aber das Vorstellungsvermögen überhaupt herausgefordert. Wenn die Sprachkritik (als eine an den zu geringen Möglichkeiten der Sprache) erst in diesem Grenzbereich fundamental wird, besteht die Gefahr, die Darstellung des Unscheinbaren, des Alltäglichen, des Durchschnittlichen für eine Leistung zu halten, die man der Sprache selbstverständlich abverlangen könne.
In dem zentralen 8. Kapitel von »Kindheitsmuster« wird von der »Wortunmächtigkeit« (S. 247) gehandelt, z. B. wie einer namens Leo Siegmann (Namensymbolik als Hilfsmittel!) von der Ermordung polnischer Geiseln berichtet und dabei seinem Telefonpartner Bruno Jordan, Kriegskamerad auf Urlaub, den Satz sagt: »Schade, daß du nicht hier warst«. Weitere Einzelheiten fehlen, insbesondere wird die Weitergabe dieser Gesprächseindrücke am häuslichen Familientisch nur angedeutet, nicht dargestellt, denn: »Von hier ab verschlägt es die Sprache«. (S. 236) Diesem 8. Kapitel ist ein Motto von Ingeborg Bachmann vorangestellt, von der Christa Wolf 1966 ein einfühlsames literarisches Porträt (mit verdeckt autobiographischen Zügen) gezeichnet hat. In diesem Essay »Die zumutbare Wahrheit« heißt es über die wahlverwandte Autorin: »Eine Stimme, wahrheitsgemäß, das heißt: nach eigener Erfahrung sich äußernd, über Gewisses und Ungewisses. Und wahrheitsgemäß schweigend, wenn die Stimme versagt«.[14]
Das heißt: Erst in bestimmten Situationen, wenn das Entsetzen die Worte gleichsam in den Hals zurückstößt, verschlägt es einem die Sprache, versagt die Stimme. Der Gedanke an die emotionale Überforderung des Sprechenden überlagert oder verdrängt den Gedanken an die prinzipielle Unzulänglichkeit der Sprache, wie sie ihn einer Christa T. in den Mund legt. (S. 199) In dem Bachmann-Essay gibt es eine Stelle, die nahelegt, die Perspektive einer »bevorstehenden Sprachlosigkeit« gelte nur dem »ehrlichen Schriftsteller in einer bürgerlichen Umwelt«, nicht für den Autor in einer sozialistischen Gesellschaft.[15] Von den Gründen, die Christa Wolf oft davor zurückschrecken ließen, ihren eigenen mühsamen Kampf gegen die Sprachlosigkeit bis zu allen bitteren Konsequenzen zu

durchdenken, war schon die Rede, vor allem von der sprachlichen Intensität, die einem zuwächst, wenn, offen oder verklausuliert, die Aufforderung zum Verschweigen ergeht.

Auch wenn ihre Erfahrungen und Argumentationen sie dahin zu drängen scheinen, meint die Autorin wohl, kein Recht auf Sprachverzweiflung zu haben. Sie leistet gelegentlich heroischen Widerstand gegen unabwendbare Einsichten. Das Lob der Torheit am Ende ihres Aufsatzes über Naivität war ein solcher Sprung, der die Richtung des vorangehenden kritischen Gedankengangs bewußt mißachtete. Da »Frivolität, Zynismus, Resignation« nicht sein dürften, »Kapitulation vor den ... Techniken der Destruktion« nicht erlaubt sei, kommt es zu Zurücknahmen aus Gründen der praktischen Moralität.[16] Günter Kunert sah in dieser »Abschwächung der vorhergehenden konkreten und präzisen Überlegungen« eine romantische Geste. Er entdeckte in diesem »Trotz alledem!« die »resignative Weisheit«, der die Autorin eigentlich entgehen wollte.[17]

Es scheint, als könnte Christa Wolf sich mit vielem identifizieren, was in einem klassischen modernen Text der Sprachlosigkeit, in dem Brief des fiktiven Lord Chandos an Fracis Bacon steht, wie ihn Hofmannsthal 1901 entwarf. Aber zugleich meint sie wohl, aus Verantwortungsgefühl könne man sich solche Ansichten eigentlich nicht leisten. Die abstrakten Worte, deren sich die Zunge naturgemäß bedienen müsse, um irgendwelches Urteil an den Tag zu geben, so heißt es bei Hofmannsthal, zerfielen im Munde wie modrige Pilze. Es gelang nicht mehr, die Menschen und ihre Handlungen mit dem vereinfachten Blick der Gewohnheit zu erfassen. Hofmannsthal schrieb in Worten der gehobenen literarisierenden kommunikativen Sprache seine Absage an die vertraute Ausdrucksart auf; auch er konnte dem Paradox nicht entgehen, seine Sehnsucht nach einer Sprache, von deren Worten ihm auch nicht eines bekannt war und in welcher die stummen Dinge sprechen, in den geläufigen Ausdrücken seiner Zeit zu formulieren. Christa Wolf ist in ihrer Danksagung nach dem Empfang des Bremer Literaturpreises 1977 weit in diese Richtung gegangen. Daß die (vorhandene) Sprache »nicht gefaßt« ist auf das, was man sagen will, ist wohl der Kern ihrer sperrigen Analyse: »Das greift um sich: Sprünge in den Wörtern, Risse durch die Sätze, Brüche über die Seiten ... Eine Sprache, die anfängt, die üblichen Dienstleistungen zu verweigern. Worauf das hinweist, woher es kommt und wozu es führen mag – dies zu erörtern bin ich hier nicht; es ist schwierig und langwierig, entzieht sich auch bis auf weiteres der wörtlichen Rede.«[18]

Bis auf weiteres. In ihrem grossen Essay »Lesen und Schreiben« aus dem Jahre 1968 steht der Satz: »Zu schreiben kann erst beginnen, wem die Realität nicht mehr selbstverständlich ist«.[19] Dieser Sentenz, die Möglichkeiten des Schreibens eröffnen sollte, hat die Autorin seither immer wieder die Überlegung beigesellt, wie das Schreiben fortgeführt werden könne, wenn die Realität der gegebenen Sprache so wenig selbstverständlich wird, daß sie auch in Annäherungen, Modifikationen und selbstkritischen Reflexionen nicht mehr »zur Verfügung« steht. Es scheint immer schwieriger zu werden, die gefährdete schriftstellerische Existenz auch vor den eigenen Einsichten zu behaupten. Ungeachtet ihrer neuerdings entmutigter und nüchterner wirkenden Erkenntnis- und Sprachzweifel hält Christa Wolf daran fest, daß vor allem moralische Gründe eine Aufkündigung des einmal gewählten Schriftstellerdaseins nicht zulassen.

Anmerkungen

Die Hauptwerke von Christa Wolf werden nach folgenden Ausgaben zitiert:

Der geteilte Himmel, 3. Aufl., Leipzig (Reclam) 1966
Nachdenken über Christa T., Halle (Mitteldeutscher Verlag) 1968
Kindheitsmuster, Berlin und Weimar (Aufbau) 1976

1 Joachim Walther: Meinetwegen Schmetterlinge – Gespräche mit Schriftstellern, Berlin/DDR 1973, S. 134
2 Ebda, S. 124
3 Christa Wolf: Max Frisch, beim Wiederlesen oder: Vom Schreiben in Ich-Form. In: Text + Kritik 47/48 (Oktober 1975), S. 7 ff.
4 Max Frisch: Tagebuch 1946–1949. Frankfurt/M., S. 42
5 Ebda
6 Christa Wolf: Max Frisch, beim Wiederlesen ... S. 9
7 Christa Wolf: Lesen und Schreiben, Darmstadt und Neuwied 1972, S. 61
8 Christa Wolf: Über Sinn und Unsinn von Naivität. In: Gerhard Schneider (Hrsg.): Eröffnungen – Schriftsteller über ihr Erstlingswerk, Berlin/DDR und Weimar 1974, S. 169
9 Christa Wolf: Lesen und Schreiben, S. 74
10 Was zählt, ist die Wahrheit – Briefe von Schriftstellern der DDR, Halle 1975, S. 15
11 Anneliese Löffler (Hrsg.): Auskünfte – Werkstattgespräche mit DDR-

Autoren, Berlin/DDR und Weimar 1974, S. 513

12 Christa Wolf: Über Sinn und Unsinn von Naivität, S. 172

13 Ebda, S. 173

14 Christa Wolf: Lesen und Schreiben, S. 121

15 Ebda, S. 122

16 Christa Wolf: Über Sinn und Unsinn von Naivität, S. 174

17 Günter Kunert: Von der Schwierigkeit des Schreibens. In: Text + Kritik 46 (April 1975), S. 11

18 Christa Wolf: Danksagung nach Empfang des Bremer Literaturpreises 1977. In: Süddeutsche Zeitung v. 11./12. 2. 1978

19 Christa Wolf: Lesen und Schreiben, S. 209

Bibliographie

Vorbemerkung

Wenngleich diese Literaturzusammenstellung umfangreicher ist als ihre Vorläufer, bespielsweise die Auswahlbibliographie von Alexander Stephan in: Text + Kritik, Heft 46, 1975, S. 50–5, erhebt sie doch keinen Anspruch auf Vollständigkeit. Das Wichtige und Wesentliche fehlt sicher nicht, aber an vergleichsweise entlegener Stelle veröffentlichte Arbeiten sind zweifellos nur lückenhaft erfaßt. Für Hinweise und Ergänzungen sind Verlag und Herausgeber dankbar.

I. PRIMÄRLITERATUR

1. Selbständige Buchveröffentlichungen

Moskauer Novelle. Halle (Mitteldeutscher Verlag) 1961; Romanzeitung 204. Berlin/DDR (Volk und Welt) 1966.

Der geteilte Himmel. Erzählung. Halle 1963; Berlin-West 1964; Leipzig (Reclam) 1964; Reinbek (Rowohlt) 1968; München (Deutscher Taschenbuchverlag) 1973 (= dtv, 915).

Nachdenken über Christa T. Halle (Mitteldeutscher Verlag) 1968; 2., 1973; 3., 1974; Neuwied (Luchterhand) 1969; 4., 1970; Darmstadt und Neuwied (= Sammlung Luchterhand, 31) 1971; 10., 1978.

Lesen und Schreiben. Aufsätze und Betrachtungen. Mit einer Nachbemerkung von Hans Stubbe. Berlin/DDR und Weimar (Aufbau) 1972 (Edition Neue Texte). (Darin: Deutsch sprechen – Eine Rede – Fünfundzwanzig Jahre – Probe Vietnam – Blickwechsel – Zu einem Datum – Brecht und andere – Der Sinn einer neuen Sache: Vera Inber – Tagebuch-Arbeitsmittel und Gedächtnis – Glauben an Irdisches – Bei Anna Seghers – Ein Besuch – Lesen und Schreiben. Hans Stubbe: Begegnung mit Christa Wolf).

Lesen und Schreiben. Aufsätze und Prosastücke. Darmstadt und

Neuwied 1972 (Sammlung Luchterhand 90). (Darin: Deutsch sprechen – Eine Rede – Fünfundzwanzig Jahre – Probe Vietnam – Blickwechsel – Zu einem Datum – Brecht und andere – Der Sinn einer neuen Sache: Vera Inber – Tagebuch: Arbeitsmittel und Gedächtnis – Selbstinterview – Glauben an Irdisches – Bei Anna Seghers – Die zumutbare Wahrheit: Ingeborg Bachmann – Gedächtnis und Gedenken: Fred Wander – Ein Besuch – Lesen und Schreiben).

(mit Gerhard Wolf:) *Till Eulenspiegel.* Erzählung für den Film. Berlin/DDR (Aufbau) 1972 (= Edition Neue Texte); Darmstadt (Luchterhand) 1973; 2., 1974; Fischer Taschenbuch Verlag, Nr. 1718, 1976.

Unter den Linden. Drei unwahrscheinliche Geschichten. Berlin/DDR (Aufbau) 1974; Darmstadt (Luchterhand) 1974.

Kindheitsmuster. Berlin/DDR und Weimar (Aufbau) 1976; Darmstadt und Neuwied (Luchterhand) 1977; (= SL 277) 1979.

Kein Ort. Nirgends. Berlin/DDR und Weimar (Aufbau) 1979; Darmstadt und Neuwied (Luchterhand) 1979.

Fortgesetzter Versuch. Aufsätze, Gespräche, Essays. Leipzig (Reclam) 1979.

2. Drehbücher

Der geteilte Himmel (Filmdrehbuch) 1964 (mit Gerhard und Konrad Wolf; Regie: Konrad Wolf).
Fräulein Schmetterling (Filmdrehbuch) 1966.
(Mitautor) *Die Toten bleiben jung* (Filmdrehbuch) 1968.

3. Herausgaben

In diesen Jahren. Deutsche Erzähler der Gegenwart, hrsg. v. Christa Wolf. Leipzig (Reclam) 1959 (= Reclams Universal-Bibliothek, 8301-05).

Wir, unsere Zeit. Prosa und Gedichte aus zehn Jahren, hrsg. und eingel. v. Christa und Gerhard Wolf. Berlin/DDR (Aufbau) 1959.

Proben junger Erzähler, hrsg. von Christa Wolf. Leipzig (Reclam) 1959 (= Reclams Universal-Bibliothek, 8307-10).

Seghers, Anna: »Glauben an Irdisches« – Essays aus vier Jahrzehnten, hrsg. von Christa Wolf, Leipzig (Reclam) 1969.

4. Veröffentlichungen in Zeitungen, Zeitschriften, Beiträge zu Sammelbänden, Anthologien, Vorworte, Einleitungen etc.

»Um den neuen Unterhaltungsroman« (Rez. v. E. R. Greulich: »Das geheime Tagebuch«). In: Neues Deutschland, Berlin/DDR, Nr. 169/1952.
»Probleme des zeitgenössischen Gesellschaftsromans. Bemerkungen zu dem Roman ›Im Morgennebel‹ von Ehm Welk«. In: Neue deutsche Literatur, Berlin/DDR, 1/1954 S. 142–50.
»Komplikationen, aber keine Konflikte« (Rez. v. Werner Reinowski: »Diese Welt muß unser sein«). In: Neue deutsche Literatur, Berlin/DDR, 6/1954 S. 140.
»Achtung, Rauschgifthandel«. In: Neue deutsche Literatur, Berlin/DDR, 2/1955, S. 136–140.
»Die schwarzweißrote Flagge« (Rez. v. Peter Bamm: »Die unsichtbare Flagge«). In: Neue deutsche Literatur, Berlin/DDR, 3/1955 S. 148–52.
»Menschliche Konflikte in unserer Zeit« (Rez. v. Erwin Strittmatter: »Tinko«). In: Neue deutsche Literatur 7/1955, S. 139–44. (Auch in: Kritik in der Zeit: Der Sozialismus – seine Literatur – ihre Entwicklung, hrsg. v. Klaus Jarmatz. Halle (Mitteldeutscher Verlag) 1969, S. 356–9.
»Besiegte Schatten?« (Rez. v. Hildegard Maria Rauchfuß: »Besiegte Schatten«). In: Neue deutsche Literatur, Berlin/DDR, 9/1955, S. 137–41.
»Menschen und Werk« (Rez. v. Rudolf Fischer: »Martin Hoop IV«). In: Neue deutsche Literatur, Berlin/DDR, 11/1955, S. 143–49.
»Die Literaturtheorie findet zur literarischen Praxis«. In: Neue deutsche Literatur, Berlin/DDR, 11/1955, S. 159–60.
»Popularität oder Volkstümlichkeit?«. In: Neue deutsche Literatur, Berlin/DDR, 1/1956, S. 115–24.
»›Freiheit‹ oder Auflösung der Persönlichkeit?« (Rez. v. Hans Erich Nossack: »Spätestens im November« und »Spirale – Roman einer schlaflosen Nacht«). In: Neue deutsche Literatur, Berlin/

DDR, 4/1957, S. 135–42.
»Warum singt der Vogel nicht?« (Fortsetzung einer öffentlichen Diskussion in der »Schwarzen Pumpe« über Gegenwartsliteratur). In: Neues Deutschland, Berlin/DDR, Nr. 270/1957.
»Autobiographie und Roman« (Rez. v. Walter Kaufmann: »Wohin der Mensch gehört«). In: Neue deutsche Literatur, Berlin/DDR, 10/1957, S. 142–3.
»Vom Standpunkt des Schriftstellers und von der Form der Kunst«. In: Neue deutsche Literatur, Berlin/DDR, 12/1957, S. 119–24.
»Unsere Meinung«. In: Neue deutsche Literatur, Berlin/DDR, 1/1958, S. 4–6.
»Botschaft wider die Passivität« (Rez. v. Karl Otten: »Die Botschaft«). In: Neue deutsche Literatur, Berlin/DDR, 2/1958, S. 144–45.
»Kann man eigentlich über alles schreiben?«. In: Neue deutsche Literatur, Berlin/DDR, 6/1958, S. 3–6.
»Eine Lektion über Wahrheit und Objektivität«. In: Neue deutsche Literatur, Berlin/DDR, 7/1958, S. 120–3.
»Erziehung der Gefühle?« (Rez. v. Rudolf Bartsch: »Geliebt bis ans bittere Ende«). In: Neue deutsche Literatur, Berlin/DDR, 11/1958, S. 129–35.
»Vom erfüllten Leben« (Rez. v. Ruth Werner: »Ein ungewöhnliches Mädchen«). In: Neue deutsche Literatur, Berlin/DDR, 2/1959, S. 140–2.
»Literatur und Zeitgenossenschaft«. In: Neue deutsche Literatur, Berlin/DDR, 3/1959, S. 7–11.
»Sozialistische Literatur der Gegenwart«. In: Neue deutsche Literatur, Berlin/DDR, 5/1959, S. 3–7.
»Die Literatur der neuen Etappe. Gedanken zum II. Sowjetischen Schriftstellerkongreß«. In: Neues Deutschland, Berlin/DDR, 167/1959.
»Anna Seghers über ihre Schaffensmethode. Ein Gespräch«. In: Neue deutsche Literatur 8/1959, S. 52–7. (Nachdruck in: Anna Seghers: Über Kunstwerk und Wirklichkeit, hrsg. v. Sigrid Bock. Bd. 2. Berlin/DDR (Akademie) 1971, S. 24–9).
»Auf den Spuren der Zeit?« (Rez. v. »Auf den Spuren der Zeit«. Junge deutsche Prosa, hrsg. v. Rolf Schroers, München 1960. In: Neue deutsche Literatur, Berlin/DDR, 6/1960, S. 126–9.
(Rez. v. Dieter Noll: »Die Abenteuer des Werner Holt«). In: Sonntag, Berlin/DDR, 46/1960.

»Deutschland unserer Tage« (Rez. v. Anna Seghers: »Die Entscheidung«). In: Neues Deutschland, Berlin/DDR, Nr. 77/1961.
»... wenn man sie durch Arbeit mehrt«. In: Berliner Zeitung, Berlin/DDR, Nr. 95/1961.
»Land, in dem wir leben. Die deutsche Frage in dem Roman ›Die Entscheidung‹ von Anna Seghers«. In: Neue deutsche Literatur, Berlin/DDR, 5/1961, S. 49–65.
»Ein Erzähler gehört dazu« (Rez. v. Karl-Heinz-Jakobs: »Beschreibung eines Sommers«). In: Neue deutsche Literatur, Berlin/DDR, 10/1961, S. 129–33.
»Schicksal einer deutschen Kriegsgeneration« (Rez. v. M. W. Schulz: »Wir sind nicht Staub im Wind«). In: Sonntag, Berlin/DDR, 50/1962.
Diskussionsbeitrag auf der »Konferenz junger Schriftsteller in Halle«: In: Neue deutsche Literatur, Berlin/DDR, 8/1962, S. 132–5.
»Nachwort«. In: Anna Seghers: »Das siebte Kreuz«. Berlin/DDR (Aufbau) 1964 (= Bibliothek der Weltliteratur). (Nachdruck in: A. S.: »Das siebte Kreuz«). Leipzig (Reclam) 1971, S. 411–22.
»K sovetskomu citatelju« (An den sowjetischen Leser). In: Ch. W.: »Raskolotoje nebo« (Der geteilte Himmel). Moskau (Chudosestvennaja literatura) 1964.
»Pocemu ja pisu« (Warum ich schreibe). In: Internationalnaja literatura (Internationale Literatur), Moskau, 2/1964.
»Rede auf der zweiten Bitterfelder Konferenz«. In: Protokoll der von der Ideologischen Kommission beim Politbüro des ZK der SED und dem Ministerium für Kultur am 24. u. 25. April im Kulturpalast des Elektrochemischen Kombinats Bitterfeld abgehalten Konferenz. Berlin/DDR (Dietz) 1964, S. 224–34.
»Literaturkritik ohne Netz«. In: Neues Deutschland, Berlin/DDR, v. 27. 4. 1964.
»Krista Wol'f beseduet so studentami« (Christa Wolf spricht mit Studenten). In: Internationalnaja literatura (Internationale Literatur) Moskau, 9/1964.
»Der Realitäten Kraft zerbricht die Klischees«. Schriftstellerin Christa Wolf über die Lesungen von DDR-Autoren in West-Berlin. In: Neue Zeit, Berlin/DDR, v. 22. 8. 1964.
»Einiges über meine Arbeit als Schriftsteller«. In: Junge Schriftsteller der Deutschen Demokratischen Republik in Selbstdarstellungen, hrsg. v. Wolfgang Paulick. Leipzig (Bibliographisches Institut) 1965, S. 11–16.

»Notwendiges Streitgespräch« – Bemerkungen zu einem internationalen Kolloquium. In: Neue deutsche Literatur, Berlin/DDR, 3/1965, S. 97–104.
»Christa Wolf spricht mit Anna Seghers«. In: Neue deutsche Literatur 6/1965, S. 7–18. Nachdruck in: Anna Seghers, Über Kunstwerk und Wirklichkeit, hrsg. v. Sigrid Bock. Bd. 2. Berlin/DDR (Akademie) 1971, S. 35–44.
»Gute Bücher – und was weiter?« (Diskussionsbeitrag auf dem 11. Plenum des ZK der SED, 16.–18. 12. 1965). In: Neues Deutschland, Berlin/DDR, v. 19. 12. 1965; (Nachdruck in: Dokumente zur Kunst-, Literatur- und Kulturpolitik der SED, hrsg. v. Elimar Schubbe. Stuttgart (Seewald) 1972, S. 1098–9).
»Abgebrochene Romane«. In: Situation 66 – 20 Jahre Mitteldeutscher Verlag. Halle (Mitteldeutscher Verlag) 1966, S. 156, S. 156 ff.
»Vorwort«. In: Juri Kasakow: »Larifari und andere Erzählungen«. Berlin/DDR (Kultur und Fortschritt) 1966, S. 5–11; Frankfurt/M. 1971.
»Deutsche sprechen Deutsch«. In: Neues Deutschland, Berlin/DDR, v. 29. 12. 1966.
»Juninachmittag«. In: Neue Texte 6, Almanach für deutsche Literatur, Berlin/DDR und Weimar (Aufbau) 1967, S. 166–84. Nachrichten aus Deutschland, hrsg. v. Hildegard Brenner. Reinbek (Rowohlt) 1967, S. 216–30. (Nachdrucke in: Auf einer Straße. Zehn Geschichten. Berlin/DDR (Aufbau) 1968, S. 122–44; Fahrt mit der S-Bahn. Erzähler der DDR, hrsg. v. Lutz-W. Wolff. München (Deutscher Taschenbuchverlag) 1971, S. 229–46 (= dtv, 778); Fünfzig Erzähler der DDR. Berlin/DDR (Aufbau) 1974, S. 473–94).
»Selbstinterview«. In: Kürbiskern, München, 4/1968.
»Nur die Lösung: Sozialismus«: In: Neues Deutschland, Berlin/DDR, v. 4. 9. 1968.
»Auf den Grund der Erfahrungen kommen« – Eduard Zak sprach mit Christa Wolf. In: Sonntag, Berlin/DDR, Nr. 7 v. 18. 2. 1968, S. 6–7.
»Ein Besuch« – Reportage über einen Besuch bei Prof. Hans Stubbe. In: Sinn und Form, Berlin/DDR, 5/1969, S. 1091.
»Anmerkungen zu Geschichten«. In: Anna Seghers: »Aufstellen eines Maschinengewehrs im Wohnzimmer der Frau Kamptschik«. Neuwied u. Berlin (Luchterhand) 1970, S. 157–64 (= SL, 14).
»Blickwechsel«. In: Der erste Augenblick der Freiheit. Rostock (Hinstorff) 1970. (Auch in: Neue deutsche Literatur, Berlin/DDR, 5/1970, S. 34–45).

»Krista Wol'f«. Zu: »Unsere Umfrage: Unvergeßliche Jahre«, in: Woprossy literatury 12/1970, S. 18–20. Nachruck in: »Wortmeldungen: Schriftsteller über Erfahrungen, Pläne und Probleme: Gegenwart und Zukunft«. In: Neue deutsche Literatur, Berlin/ DDR, 1/1971, S. 68–70.
»Zu einem Datum«. In: Sinn und Form, Berlin/DDR, 1/1971, S. 239–43.
»Der Autor ist ein wichtiger Mensch«. In: Stuttgarter Zeitung v. 6. 11. 1971. (Auch in: ad lectores 9, Luchterhand Hauszeitschrift, Neuwied 1969).
»Gedächtnis und Gedenken«. Über Fred Wander: »Der siebente Brunnen«. In: Sinn und Form, Berlin/DDR, 4/1972, S. 860–6.
»Die zumutbare Wahrheit. Prosa der Ingeborg Bachmann«. In: Frankfurter Hefte 10/1972, S. 744 ff.
»Nachwort«. In: Juri Kasakow: »Zwei im Dezember«. Leipzig (Reclam) 1972, S. 215–218.
Herzberg, Annegret: »Christa und Gerhard Wolf: Till Eulenspiegel«. Interview. In: Sonntag, Berlin/DDR, Nr. 2/1973.
»Kunst ist eine Produktivkraft« – Ein Gespräch mit Erwin Strittmatter. In: Deutsche Volkszeitung, Düsseldorf v. 12. 4. 1973, S. 14.
»Selbstversuch. Traktat zu einem Protokoll«. In: Sinn und Form 2/1973, S. 301–323; Merkur 27/1973, S. 1136 ff. Wiederabdruck in: Christa Wolf: »Unter den Linden«. Berlin/DDR und Weimar (Aufbau) 1974; Darmstadt (Luchterhand) 1974; sowie in: »Blitz aus heiterem Himmel«. Rostock (Hinstorff) 1975, S. 47 ff.
»Autoren-Werkstatt: Christa Wolf. Gespräch mit Joachim Walther«. In: Die Weltbühne v. 9. 1. 1973, S. 51–5. (Nachdruck in: Meinetwegen Schmetterlinge. Gespräche mit Schriftstellern, hrsg. v. Joachim Walther. Berlin/DDR (Buchverlag der Morgen) 1973, S. 114–34).
»Fragen an Konstantin Simonow«. In: Neue deutsche Literatur, Berlin/DDR, 12/1973, S. 5–20 (Teilnachdruck in: Deutsche Volkszeitung, Düsseldorf, v. 24. 1. 1974).
»Über Sinn und Unsinn von Naivität«. In: Eröffnungen. Schriftsteller über ihr Erstlingswerk, hrsg. v. Gerhard Schneider. Berlin/ DDR und Weimar (Aufbau) 1974, S. 164–74.
Hans Kaufmann: »Gespräch mit Christa Wolf«. In: Weimarer Beiträge 6/1974, S. 90–112. (Nachdruck in: Auskünfte – Werkstattgespräche mit DDR-Autoren, hrsg. v. Anneliese Löffler, Berlin/ DDR (Aufbau) 1974).
»Das wird man bei uns anders verstehen« – UZ-Gespräch mit der

bekannten DDR-Autorin Christa Wolf. In: Unsere Zeit, Düsseldorf, v. 2. 11. 1974.
»Dienstag, der 27. September 1960«. In: Tage für Jahre, hrsg. v. Elli Schmidt. Rostock (Hinstorff) 1974, S. 84–98. (Nachdruck in: Neue deutsche Literatur, Berlin/DDR, 7/1974, S. 11–22).
Diskussionsbeitrag beim VII. Schriftstellerkongreß der DDR, 14.–16. 11. 1973, Berlin, Protokoll Arbeitsgruppen, Berlin/DDR und Weimar 1974, S. 147–152.
»Selbstversuch«. In: »Blitz aus heiterm Himmel«, hrsg. v. Edith Aderson, Rostock (Hinstorff) 1975. (Nachdruck auch in: Frauen in der DDR – 20 Erzählungen (dtv); Sinn und Form, Berlin/DDR, 2/1973; sowie »Unter den Linden« – Drei unwahrscheinliche Geschichten, a. a. O.).
»Thomas Mann – Wirkung und Gegenwart«. Aus Anlaß des hundertsten Geburtstages hrsg. v. S. Fischer Verlag, Frankfurt/M., 1975. Beitrag von Christa Wolf S. 63–64.
»Max Frisch, beim Wiederlesen oder: Vom Schreiben in Ich-Form«. In: Text + Kritik, Heft 47/48, München 1975, S. 7–12.
»Was zählt, ist die Wahrheit«. Briefe von Schriftstellern der DDR. Briefwechsel Gerti Tetzner – Christa Wolf. Halle (Mitteldeutscher Verlag) 1975. (Auch in: Neue deutsche Literatur, Berlin/DDR, 8/1975, S. 121–128).
»Diese Lektion wollen wir gründlich lernen«. In: Chile – Gesang und Bericht. Beiträge von Alejo Carpentier, Julio Cortázar, Christa Wolf (S. 53), Stephan Hermlin, Inge und Eduard Klein. In: Neue deutsche Literatur, Berlin/DDR, 2/1975.
»Danksagung nach Empfang des Bremer Literaturpreises 1977«. In: Süddeutsche Zeitung, München, vom 11./12. 2. 1978.
»Bibliotheca Universalis«. In: Das Reclam Buch, Mitteilungen des Verlages Philipp Reclam jun., Sonderheft, Nr. 52, Leipzig 1978.
»Berührung«. Vorwort zu Maxie Wander: »Guten Morgen, du Schöne« – Frauen in der DDR. Darmstadt (Luchterhand) 1978. (Auch in: Neue deutsche Literatur 2/78, S. 53–62).

II. SEKUNDÄRLITERATUR

1. Monographien, Aufsätze, Untersuchungen, Allgemeines

Anonym: »Wolf, Christa«. In: Lexikon deutschsprachiger Schriftsteller, hrsg. v. Günter Albrecht u. a., Bd. 2, Kronberg (Scriptor)

1974, S. 479–80.
Anderle, Hans Peter: »Rendez-vous mit sich selbst – Autorenporträt: Christa Wolf«. In: Publik, Frankfurt/M. v. 13. 6. 1969.
Auer, Annemarie: »Was wir an ihr haben«. Betrachtungen zur Seghers-Rezeption. In: Neue deutsche Literatur, Berlin/DDR, 11/1965, S. 27.
Autorenkollektiv (Institut für Gesellschaftswissenschaften beim ZK der SED): Parteilichkeit und Volksverbundenheit –. Berlin/DDR 1972, S. 231 ff.
Bartsch, Kurt: »Mumps. Nach Christa Wolf«. In: K. B.: »Kalte Küche« – Parodien. Berlin/DDR und Weimar (Aufbau) 1974, S. 74–5 (= Edition Neue Texte).
Beckermann, Thomas: »Das Abenteuer einer menschenfreundlichen Prosa. Gedanken über den Tod in der sozialistischen Literatur«. In: Text + Kritik, Heft 46, München, April 1975, S. 25–32.
Bilke, Jörg B.: »Auf den Spuren der Wirklichkeit. DDR-Literatur: Traditionen, Tendenzen, Möglichkeiten«. In: Der Deutschunterricht. Beiträge zu seiner Praxis und wissenschaftlichen Grundlegung, hrsg. v. Robert Ulshöfer, Stuttgart, 5/1969, S. 24–60.
Bilke, Jörg B.: »Zumutbare Wahrheiten«. In: Basis, Jahrb. f. dt. Gegenwartsliteratur, hrsg. v. Reinhold Grimm und Jost Hermand, Band 4, Frankfurt/M., 1973, S. 192–200.
Brettschneider, Werner: »Christa Wolf«. In: W. B.: Zwischen literarischer Autonomie und Staatsdienst. Die Literatur in der DDR. Berlin-West (Schmidt) 1972, S. 120–30.
de Bruyn, Günter: »Günter de Bruyn über Christa Wolf. Fragment eines Frauenportraits«. In: Liebes- und andere Erklärungen. Schriftsteller über Schriftsteller, hrsg. v. Annie Voigtländer. Berlin/DDR (Aufbau) 1972, S. 410–6.
Cosentino, Christine: »Eine Untersuchung des sozialistischen Realismus im Werke Christa Wolfs«. In: German Quarterly, Wisconsin/USA, 2 /1974, S. 245–61.
Damm, Sigrid und Engler, Jürgen: »Notate des Zwiespalts und Allegorien der Vollendung«. In: Weimarer Beiträge 7/1975, S. 37–69.
Deesler, Christiane: »Das Erzählwerk Christa Wolfs und die Typusdiskussion in der DDR«. Staatsexamensarbeit, Münster, 1975.
Durzak, Manfred: »Ein exemplarisches Gegenbeispiel. Die Romane von Christa Wolf«. In: M. D.: Der deutsche Roman der Gegenwart. 2. erweit. Auflage. Stuttgart (Kohlhammer) 1973, S. 270–93.

Eckert, H.: »Wem nützt das?«. In: Forum, Berlin/DDR, Nr. 18/1963.
Emmerich, Wolfgang: »Identität und Geschlechtertausch«. Notizen zur Selbstdarstellung der Frau in der neueren DDR-Literatur. In: Basis, Jahrbuch für deutsche Gegenwartsliteratur, Frankfurt/M., 1978, hrsg. v. Reinhold Grimm und Jost Hermand, Band 8, 1978 (= Suhrkamp Taschenbuch, 457).
Engelhardt, M.: »Wagnisse«. In: Forum, Berlin/DDR, Nr. 17/1963.
Feitknecht, Thomas: »Das Problem der Selbstverwirklichung«. In: T. F.: Die sozialistische Heimat. Zum Selbstverständnis neuerer DDR-Romane. Bern (Lang) 1971, S. 71–80 (= Europäische Hochschulschriften. Reihe 1. Deutsche Literatur und Germanistik, 53).
Feldmann, Christiane: »Der geteilte Himmel« – »Nachdenken über Christa T.«. Vergleich zweier Romane der DDR-Schriftstellerin Christa Wolf. Staatsexamensarbeit, PH Weingarten, 1974.
Flores, John: »Poetry in East Germany. Adjustments, Visions and Provocations, 1945–1970«. New Haven and London, Yale University Press, 1971.
Franke, Konrad: Die Literatur der Deutschen Demokratischen Republik. München (Kindler) 1971. (= Kindlers Literaturgeschichte der Gegenwart in Einzelbänden)
Frey, Eberhard: »Gesellschaftskritische Vieldeutigkeiten in Christa Wolfs Erzählung ›Juninachmittag‹«. Unveröffentlichtes Referat, gelesen auf der 89. Annual Convention of America, New York, 26.–29. 12. 1974. (Eine erweiterte Fassung wird erscheinen in: E. F.: Theoretische und praktische Ansätze zur wissenschaftlichen Stilanalyse. Bern (Lang)).
Fürnberg, Louis: »Brief an Christa Wolf« (15. 6. 1956). In: Für Dich 27/1965. (Nachdruck in: Fürnberg. Ein Lesebuch für unsere Zeit, hrsg. v. Hans Böhm. Berlin/DDR (Aufbau) 1974, S. 420–1).
Geerdts, Hans Jürgen: »Menschen mitten unter uns«. In: Ostsee-zeitung, Rostock, 6/1963.
Geerdts, Hans Jürgen (Hrsg.): Literatur der DDR in Einzeldarstellungen. Stuttgart (Kröner) 1972 (= Kröners Taschenausgabe, Nr. 416).
Geisthardt, Hans-Jürgen: »Das Thema der Nation und zwei Literaturen. Nachweis an: Christa Wolf – Uwe Johnson«. In: Neue deutsche Literatur, Berlin/DDR. 6/1966, S. 48–69.
Greif, Hans-Jürgen: »Christa Wolf: Wie sind wir so geworden, wie wir heute sind?«. Europäische Hochschulschriften 237, Bern 1978.

Greiner, Bernhard: Die Literatur der Arbeitswelt in der DDR. Heidelberg (Quelle & Meyer) 1974. Uni-Taschenbuch 327.
Gugisch, Peter: »Christa Wolf«. In : Literatur der DDR in Einzeldarstellungen, hrsg. v. Hans Jürgen Geerdts. Stuttgart (Kröner) 1972, S. 395–415 (= Kröners Taschenausgabe, 416); erweit. u. veränd. Ausg., Berlin/DDR (Volk und Wissen) 1974.
Hammerschmidt, Volker und Oettel, Hans: »Christa Wolf«. In: Kritisches Lexikon zur deutschsprachigen Gegenwartsliteratur, hrsg. v. Heinz Ludwig Arnold. München. (edition Text + Kritik) 1978.
Hermlin, Stephan: »Rede auf dem Internationalen Schriftstellerkolloquium im Dezember 1964«. In: Neue deutsche Literatur, Berlin/DDR, 3/1965, S. 108.
Huyssen, Andreas: »Auf den Spuren Ernst Blochs. Nachdenken über Christa Wolf«. In: Basis, Jahrbuch für deutsche Gegenwartsliteratur, hrsg. v. Reinhold Grimm und Jost Hermand, Band 5, Frankfurt/M., 1975, S. 100–116.
Ilberg, Werner: »Von der wahren Parteilichkeit des Kritikers«. In: Sonntag, Berlin/DDR, Nr. 40, 1963.
Jäger, Manfred: »Auf dem langen Weg zur Wahrheit. Fragen, Antworten und neue Fragen in den Erzählungen, Aufsätze und Reden Christa Wolfs«. In: M. J.: Sozialliteraten. Funktion und Selbstverständnis der Schriftsteller in der DDR. Düsseldorf (Bertelsmann) 1973, S. 11–101 (= Literatur in der Gesellschaft, 14).
Jäger, Manfred: »Die Literaturkritikerin Christa Wolf«. In: Text + Kritik, Heft 46, München, April 1975, S. 42–9.
Kähler, Hermann: »Christa Wolf erzählt«. In: Weggenossen. Fünfzehn Schriftsteller der DDR, hrsg. v. Klaus Jarmatz und Christel Berger. Leipzig (Reclam) 1975, S. 214–32 (= Reclams Universalbibliothek, 627).
Kaufmann, Hans: »Gespräch mit Christa Wolf«. In: Weimarer Beiträge 6/1974, S. 90–112, (Nachdruck in: Auskünfte. Berlin/DDR und Weimar (Aufbau) 1974, S. 485–517).
Kaufmann, Hans: »Zu Christa Wolfs poetischem Prinzip. Nachbemerkung zum Gespräch«. In: Weimarer Beiträge 6/1974, S. 113–25. (Überarbeitete Fassung in: Eva und Hans Kaufmann: Erwartung und Angebot. Studien zum gegenwärtigen Verhältnis von Literatur und Gesellschaft in der DDR. Berlin/DDR (Akademie-Verlag) 1976).
Kinder, Hermann: »Nachdenken über Rita S., Christa T., Christa W. und Marcel R. R. Christa Wolf und die westdeutsche Literatur-

kritik«. In: Hefte. Zeitschrift für deutsche Sprache und Literatur 6/1970, S. 14–23.
Klawohn, Lothar: »Kollektives Bewußtsein und Literatur in der DDR. Christa Wolfs neue Art zu schreiben«. In: Beiträge zum wissenschaftlichen Sozialismus, Hamburg, 1/1978, S. 135–146.
Köhn, Lothar: »›Erinnerung‹ und ›Erfahrung‹. Zum epischen und theoretischen Werk Christa Wolfs«. Antrittsvorlesung, Tübingen, 14. 11. 1974. (Auch in: Text + Kritik 4/1975, Heft 46: »Christa Wolf«, S. 14–24).
Krzemiński, Adam: Gespräch mit Christa Wolf. In Polityka, Warschau, 2/1976. Deutsch zuerst in: Aktuelle Ostinformation, hrsg. v. Gesamteuropäischen Studienwerk, Vlotho, 1976.
Krogmann, Werner: »Christa Wolfs Deutschstunde in Bremen. Randbemerkungen zu einer Preisverleihung«. In: Deutschland-Archiv 4/1978, S. 402–404.
Kunert, Günter: »Von der Schwierigkeit des Schreibens«. In: Text + Kritik 4/1975, Heft 46.
Lennartz, Franz: »Wolf, Christa«. In: F. L.: Deutsche Dichter und Schriftsteller unserer Zeit. 10. erweit. Auflage, Stuttgart (Kröner) 1969, S. 761–2.
Mannack, Eberhard: »Zur Erzähltheorie: Alain Robbe-Grillet – Uwe Johnson – Christa Wolf«. In: Eberhard Mannack: Zwei deutsche Literaturen? Kronberg (Athenäum) 1977 (= Athenäum Taschenbücher 2123).
Nawrocki, Joachim: »Christa Wolf, die Frösche und die Grundsatzfrage«. In: J. N.: Das geplante Wunder. Leben und Wirtschaft im anderen Deutschland. Hamburg (Wegner) 1967, S. 268–71.
Neutsch, Erik: »Ein paar Steinwürfe in einen ›schwarzen, abgrundtiefen See‹«. In: Sonntag, Berlin/DDR, 32/1963. (Nachdruck in: Kritik in der Zeit, hrsg. v. Klaus Jarmatz, Halle (Mitteldeutscher Verlag) 1969, S. 559).
Pariser Gespräch über die Prosa der DDR. In: Sinn und Form Berlin/DDR, 6/1976, S. 1164–1192.
Promies, Wolfgang: »Daß wir aus dem Vollen leben ...« – Versuch über Christa Wolf. In: Positionen im deutschen Roman der sechziger Jahre. Hrsg. v. Heinz Ludwig Arnold und Theo Buck. München (Boorberg) 1974, S. 110–26.
Raddatz, Fritz J.: »Zur Entwicklung der Literatur in der DDR«. In: Die deutsche Literatur der Gegenwart. Aspekte und Tendenzen. Stuttgart (Reclam) 1971, S. 337–365.
Raddatz, Fritz J.: »Eine neue sozialistische Literatur entsteht«. In:

F. J. R.: Traditionen und Tendenzen. Materialien zur Literatur der DDR. Frankfurt (Suhrkamp) 1972, S. 379–90, 627, 671–2.
Redeker, Horst: »Abbildung und Aktion – Versuch über die Dialektik des Realismus«. Halle 1966.
Reich-Ranicki, Marcel: »Zur Literatur der DDR«. Serie Piper 94, München 1974.
Reich-Ranicki, Marcel: »Literatur der kleinen Schritte – Deutsche Schrifsteller heute«. Frankfurt (Ullstein) 1971.
Reich-Ranicki, Marcel: »Lob von oben. DDR-Kritik zu Christa Wolf«. In: Frankfurter Allgemeine Zeitung v. 15. 11. 1977.
Renoldner, Klemens: »Geschichtsbewußtsein und Utopie bei Christa Wolf. Eine Untersuchung zum Werk Christa Wolfs im Umkreis neuer poetischer Konzeptionen«. Diss., Salzburg, 1978.
Reso, Martin: »Eine Kritikerin stellt sich der Kritik«.In: Berliner Zeitung, Berlin/DDR, Nr. 220/1961.
Reso, Martin: »Unser Portrait: Christa Wolf«. In: Börsenblatt des deutschen Buchhandels (DDR) 1/1965.
Salisch, Marion von: »Zwischen Selbstaufgabe und Selbstverwirklichung. Zum Problem der Persönlichkeitsstruktur im Werk Christa Wolfs«. Stuttgart (Klett) 1975 (= Literaturwissenschaft – Gesellschaftswissenschaft Nr. 12).
Sander, Hans-Dietrich: »Geschichte der Schönen Literatur in der DDR«. Freiburg (Rombach) 1972.
Schlenstedt, Dieter: »Ankunft und Anspruch. Zum neueren Roman in der DDR«. In: Sinn und Form, Berlin/DDR, 3/1966, S. 814–835.
Schmitt, Hans Jürgen (Hrsg.): »Einführung in Theorie, Geschichte und Funktion der DDR-Literatur«. Stuttgart (Metzler) 1975 (= Literaturwissenschaft und Sozialwissenschaften Nr. 6).
Schuhmann, Klaus: »Aspekte des Verhältnisses zwischen Individuum und Gesellschaft in der Gegenwartsliteratur der DDR«. In: Weimarer Beiträge 17/1975, S. 5–35.
Schulz, Max Walter: »Das Neue und das Bleibende in unserer Literatur«. Rede auf dem 6. Schriftstellerkongreß v. 28.–30. 5. 1969 in Berlin. In: Neue deutsche Literatur, Berlin/DDR, 9/1969, S. 24–51.
Simons, Elisabeth: »Das Andersmachen, von Grund auf« – Die Hauptrichtung der jüngsten erzählenden DDR-Literatur. In: Weimarer Beiträge, Sonderheft zum 20. Jahrestag der Gründung der DDR, 1969, S. 183–204.
Spinner, Kasper H.: »Prosaanalysen«. In: Literatur und Kritik,

Salzburg 1974, Heft 9, S. 609–621.
Stephan, Alexander: »Die ›subjektive Authentizität‹ des Autors. Zur ästhetischen Position von Christa Wolf«. In: Text + Kritik, Heft 46, München, April 1975, S. 33–41.
Stephan, Alexander: »Christa Wolf«. (Autorenbücher. Nr. 4 hrsg. v. Heinz Ludwig Arnold und Ernst-Peter Wieckenberg) München (Beck und edition Text + Kritik) 1976.
»Stimmen über den Roman der DDR« – aus Moskau (Dmitri Satonski), Paris (Jean-Claude Lebrun) und Tbilissi (Reso Karalaschwili). In: Sinn und Form, Berlin/DDR, 1976, S. 145–197.
Stubbe, Hans: »Begegnung mit Christa Wolf«. In: Christa Wolf: »Lesen und Schreiben«, a. a. O., S. 238–46.
Text + Kritik. Zeitschrift für Literatur, hrsg. v. Heinz Ludwig Arnold, Heft 46: »Christa Wolf«, München, April 1975.
Voigtländer, Annie (Hrsg.): »Liebes- und andere Erklärungen. Schriftsteller über Schriftsteller«. Berlin/DDR (Aufbau) 1972.
Walther, Joachim: »Meinetwegen Schmetterlinge. Gespräche mit Schriftstellern«. Berlin/DDR (Buchverlag Der Morgen) 1973, S. 114–134.
Wilmanns, Gerda: »Christa Wolf«. In: Deutsche Literatur der Gegenwart. Ihr Leben und Werk, hrsg. v. Benno v. Wiese, Berlin-West (Schmidt) 1973, S. 605–18.
Zenker, Edith: »Junge Erzähler in Reclams Universal-Bibliothek«. Rez. v. »Proben junger Erzähler. Ausgewählte deutsche Prosa«, hrsg. von Christa Wolf. In: Neue deutsche Literatur, Berlin/DDR, 4/1960, S. 121–122.
Zenker, Edith: »Ernte eines Jahrzehnts«. Rez. v. »Wir, unsere Zeit. Prosa und Gedichte aus zehn Jahren«. hrsg. v. Christa und Gerhard Wolf. In: Neue deutsche Literatur, Berlin/DDR, 2/1960, S. 135–139.

2. Zu einzelnen Werken

a) Moskauer Novelle

Mieth, G.: »Komposition, Erzählperspektive, Gattungsproblematik«. In: Deutschunterricht (DDR) 4/1966.
Schultz, Gerda: »Ein überraschender Erstling. Christa Wolf: »Moskauer Novelle«. In: Neue deutsche Literatur, Berlin/DDR, 7/1961, S. 128–31.

b) Der geteilte Himmel

Anderle, Hans Peter: »Christa Wolf«. In: Mitteldeutsche Erzähler. Eine Studie mit Proben und Porträts. Köln (Wissenschaft und Politik) 1965, S. 210–213.

(Autorenkollektiv): »Gestaltung der Perspektive im Menschenbild. Zu Christa Wolf: Der geteilte Himmel (1963)«. In: Literatur im Blickpunkt. Zum Menschenbild in der Literatur beider deutscher Staaten, hrsg. v. Arno Hochmuth, 2., erweit. Aufl., Berlin/DDR (Dietz) 1967, S. 193–211.

(Autorenkollektiv): Der Sozialismus, seine Literatur, ihre Entwicklung. Halle (Mitteldeutscher Verlag) 1970, S. 652–671.

Barthel, Kurt: »›Der geteilte Himmel‹ – zur filmischen Umsetzung«. In: Film – Wissenschaftliche Mitteilungen, Berlin/DDR, 3/1964, S. 565–595.

Bathrick, David: »Literature and the Industrial World: Christa Wolf's ›The Divided Heaven‹«. Unveröffentlichtes Referat, gelesen auf der 16. Tagung der Midwest Modern Language Association, St. Louis, 31. 10.–2. 11. 1974.

Bonk, Jürgen: »Christa Wolf: ›Der geteilte Himmel‹«. In: L. Bock: Willi Bredel/Jürgen Bonk: Junge Prosa der DDR. Berlin/DDR (Volk und Wissen) 1964 (= Schriftsteller der Gegenwart).

Brandt, Sabine: »Annäherung an die moderne Literatur?«. In: Frankfurter Allgemeine Zeitung v. 8. 10. 1963.

de Bruyn, Günter: »Christa Wolf. ›Rita und die Freiheit‹«. In: G. d. B.: Maskeraden. Parodien. Halle (Mitteldeutscher Verlag) 1966, S. 9–13.

Bunge, Hans: »Im politischen Drehpunkt«. In: alternative, West-Berlin, Nr. 35, 4/1964, S. 13–15.

Dahlke, Günther: »›Geteilter Himmel‹ und geteilte Kritik. Über die Dialektik von Glück und Unglück und einige andere Fragen«. In: Sinn und Form, Berlin/DDR, 3/1964, S. 307 ff.

Dittmann, G.: »Auseinandersetzung mit der Gegenwart. ›Der geteilte Himmel‹ im Literaturunterricht«. In: Deutschunterricht (DDR) 6/1966.

Fradkina, J.: »Der Roman von Christa Wolf ›Der geteilte Himmel‹ in russischer Sprache«. In: Sowjetliteratur, Moskau, 10/1964.

Geerdts, Hans Jürgen: »Motive und Symbole in Christa Wolfs Erzählung ›Der geteilte Himmel‹«. In: Weimarer Beiträge 1/1964.

Geisthardt, Hans Jürgen: »Das Thema der Nation und zwei Literaturen. Nachweis an: Christa Wolf – Uwe Johnson«. In: Neue deutsche Literatur, Berlin/DDR, 6/1966, S. 48–69. (Überarbeitete

Fassung in: Literatur im Blickpunkt. Zum Menschenbild in der Literatur beider deutscher Staaten, hrsg. v. Arno Hochmuth, 2., erweit. Aufl. Berlin/DDR (Dietz) 1967, S. 212–31; Geschichte der deutschen Literatur aus Methoden, hrsg. v. Heinz Ludwig Arnold, Bd. 2, Frankfurt/M. (Athenäum) 1973, S. 223–39).
Geisthardt, Hans Jürgen: »Weltanschauung und Romanaufbau«. In: Konturen und Perspektiven. Zum Menschenbild in der Gegenwartsliteratur der Sowjetunion und der DDR. Berlin/DDR (Akademie) 1969, S. 167–89.
Greiner Bernard: Von der Allegorie zur Idylle: Die Literatur der Arbeitswelt in der DDR. Heidelberg (Quelle & Meyer) 1974, S. 144–9 (= Uni-Taschenbücher, 327).
Haase, Horst: »Wie äußert sich die Parteilichkeit des Schriftstellers?«. In: Neues Deutschland, Berlin/DDR, Beil. S. 7 Nr. 2/1964.
Hamm, Peter: »Der Blick in die westdeutsche Ferne. Zwei DDR-Autoren beschreiben Republikflüchtlinge und solche, die es werden wollen«. In: Die Zeit, Hamburg, v. 27. 3. 1964.
Hammer, Klaus: »Probleme der Klassik-Rezeption im sozialistischen Roman der DDR«. In: Goethe-Almanach auf das Jahr 1970. Berlin/DDR und Weimar 1969, S. 286 ff.
Heise, Rosemarie: »Das große Thema«: In: Neue deutsche Literatur, Berlin/DDR, 6/1963, S. 148–153.
»Der geteilte Himmel. Probleme des sozialistischen Realismus in der darstellenden Kunst, behandelt am Beispiel des DEFA-Films«. In: Referate und Diskussionsbeiträge der 2. Plenartagung der Deutschen Akademie der Künste zu Berlin v. 30. 6. 1964, Akademie-Publikation, Berlin/DDR, 1965.
Hölsken, Hans-Georg: »Zwei Romane: Christa Wolf ›Der geteilte Himmel‹ und Hermann Kant ›Die Aula‹«. In: Deutschunterricht, Stuttgart, 5/1969, S. 61–99.
Hölsken, Hans-Georg: »Vergleich von E. Neutsch: ›Spur der Steine‹ – Christa Wolf: ›Der geteilte Himmel‹ – E. Strittmatter: ›Ole Bienkopp‹«. In: Sprache und Literatur in der DDR. Deutschunterricht, Stuttgart, 5/1969, S. 61.
Hochmuth, Arno: »Gestaltung der Perspektive im Menschenbild. Zu Christa Wolf: ›Der geteilte Himmel‹«. In: Literatur im Blickpunkt. Zum Menschenbild in der Literatur der beiden deutschen Staaten, hrsg. v. Arno Hochmuth. 2., erweit. und veränderte Aufl. Berlin/DDR (Dietz) 1967, S. 195.
Karl, Günter: »Dialektische Dramaturgie. Ein Versuch zu Gestaltungsproblemen des Films ›Der geteilte Himmel‹«. In: Filmspiegel,

Berlin/DDR, 4/1964. (Auch in: Film – Wissenschaftliche Mitteilungen, Berlin/DDR, 5/1964, S. 935–961. Gekürzt in: Neues Deutschland, Berlin/DDR, v. 5. 9. 1964).
Karl, Günter: »Experiment im Streitgespräch«. In: Neues Deutschland, Berlin/DDR, v. 5. 9. 1964. (Nachdruck in: Dokumente zur Kunst-, Literatur- und Kulturpolitik der SED, hrsg. v. Elimar Schubbe. Stuttgart (Seewald) 1973, S. 1002–8).
Kloehn, Ekkehard: »Christa Wolf: ›Der geteilte Himmel‹. Roman zwischen sozialistischem Realismus und kritischem Realismus«. In: Deutschunterricht, Stuttgart, 1/1968, S. 43–56.
Koch, H.: »Sicher auf dem neuen Ufer, Wahrheit und Qualität in der Literatur«. In: Sonntag, Berlin/DDR, 8/1963.
Langer, E. R.: »Literaturpolitik und Literaturdiskussion in der SBZ, dargestellt an drei sowjetzonalen Bestsellern (zu Erwin Strittmatters ›Ole Bienenkopp‹, Erik Neutschs ›Spur der Steine‹ und Christa Wolfs ›Der geteilte Himmel‹)«. In: Orientierung, 7. Beiheft, Pfaffenhofen 1966.
Lehmann, W.: »Christa Wolf: Der geteilte Himmel«. In: Der Bibliothekar 17, Leipzig 5/1963.
Neubert, Werner: »Christa Wolf: ›Der geteilte Himmel‹«. In: W. Neubert: Die Wandlung des Juvenal, Berlin/DDR (Aufbau) 1966.
Osten, W.: »Der geteilte Himmel«. In: Stuttgarter Zeitung v. 7. 11. 1963.
Reinig, Christa: »Der ungeteilte Hades«. In: Der Spiegel, Hamburg, 3/1965, S. 70–1.
Reitschert, Gerhard: »Die neuen Mythen«. In: alternative, West-Berlin, 4/1964, S. 11–3.
Reso, Martin (Hrsg.): »›Der geteilte Himmel‹ und seine Kritiker« – Dokumentation. Halle (Mitteldeutscher Verlag) 1965.
Schlenstedt, Dieter: »Motive und Symbole in Christa Wolfs Erzählung ›Der geteilte Himmel‹«. In: Weimarer Beiträge 1/1964.
Schmidt, Irma: »Veränderung bewirken und sich mitverändern«. In: Neues Deutschland, Berlin/DDR, v. 17. 12. 1963.
Schonauer, Franz: »›Parteilichkeit‹ oder ›Tendenz‹ – ›Der geteilte Himmel‹«. In: Deutschunterricht, Stuttgart, 26/1966.
Tippkötter, M.: »Die Förderung individueller Lektüre und Christa Wolfs Erzählung ›Der geteilte Himmel‹«. In: Deutschunterricht (DDR) 2/1964.
Werth, Wolfgang: »Die neue Stimme von drüben. Bemerkungen zu Christa Wolfs Erzählung ›Der geteilte Himmel‹«. In: Deutsche Zeitung, Nr. 231, 1963.

Wolf, Konrad: »... das ist hier die Frage. Regisseur Konrad Wolf nimmt Stellung«. In: Sonntag, Berlin/DDR, 6/1965, S. 9–10.
Zak, Eduard: »Tragische Erlebnisse in optimistischer Sicht. Zu Christa Wolfs Erzählung ›Der geteilte Himmel‹«. In: Sonntag, Berlin/DDR, v. 19. 5. 1963.
Zehm, Günter: »Weil es uns schlecht geht, sind wir dafür«. In: Die Welt, Hamburg, v. 30. 7. 1963.

c) Nachdenken über Christa T.

Anonym: »Istorija Kristy T.« (Geschichte der Christa T.). In: Literaturnaja gazeta, Moskau, v. 14. 5. 1969, S. 15.
Anonym: »Wir sind wer – Tadel an Reiner Kunze und Christa Wolf in Ostberlin«. In: Frankfurter Allgemeine Zeitung v. 30. 5. 1969.
Anonym: »The problem of purity (Christa T.)«. In: Times Literary Supplement v. 13. 8. 1971.
(Autorenkollektiv): »Charakterdarstellung und das Problem der Selbstverwirklichung des Menschen in Christa Wolfs Erzählung: ›Nachdenken über Christa T.‹«. In: Parteilichkeit und Volksverbundenheit (Zu theoretischen Grundfragen unserer Literaturentwicklung). Berlin/DDR (Dietz) 1972, S. 226–237.
Beckelmann, Jürgen: »Der Versuch, man selbst zu sein«. In: Tages-Anzeiger, Zürich, v. 15. 7. 1969.
Behn, Manfred, (Hrsg.): Wirkungsgeschichte von Christa Wolfs »Nachdenken über Christa T.«. Königstein/Ts. (Athenäum) 1979.
Bilke, Jörg, B.: »Die Wirklichkeit ist anders. Kritik und Pessimismus in drei neuen DDR-Romanen«. In: Der Rheinische Merkur, Köln, v. 10. 10. 1969.
Durzak, Manfred: Der deutsche Roman der Gegenwart, Stuttgart (Kohlhammer Verlag), 2. erweiterte Auflage 1973, S. 271, 284, 291.
Ember, Mária: »Nachdenken über Christa T.«. In: Nagyvilág, Budapest, 1/1970.
Franke, Konrad: »Ihrer Generation voraus«. In: Frankfurter Hefte 7/1970, S. 524–5.
Haase, Horst: »Nachdenken über ein Buch«. In: Neue deutsche Literatur, Berlin/DDR, 4/1969, S. 174–85.
Hammer, Jean-Pierre: »L'individu dans la société socialiste (Christa T.)«. In: Allemagne d'aujourd'hui, Paris, 21/1970.
Helbig, Louis F.: »Alienation in the East German Novel: Christa

Wolf's ›The Quest for Christa T.«. Unveröffentlichtes Referat, gehalten auf einer Konferenz über die Literatur des 20. Jahrhunderts: »The Alienated Man«, University of Louisville, 8.–10. 3. 1973.
Huyssen, Andreas: »Auf den Spuren Ernst Blochs. Nachdenken über Christa Wolf«. In: Basis, Band 5, Frankfurt/M., 1975 (= Suhrkamp Taschenbuch, 276), S. 100–116.
Jansen, Hans: »Totenklage auf das Leben«. In: Westdeutsche Allgemeine, Essen, v. 13. 12. 1969.
Kähler, Hermann: »Christa Wolfs Elegie«. In: Sinn und Form, Berlin/DDR, 1/1969, S. 251–61.
Kersten, Heinz: »Das Nachdenken der Christa Wolf stört die Politik der SED. Die Partei schätzt nicht den ›Hang zum Träumen‹«. In: Kölner Stadt-Anzeiger v. 29. 5. 1969.
Kersten, Heinz: »Christa Wolfs ›Nachdenken über Christa T.‹. Zu einem literarischen und einem kulturpolitischen Ereignis«. In: Frankfurter Rundschau v. 21. 6. 1969.
Krzemińsky, Adam: »Rytm pokoleniowy« (Rhythmus der Generationen). In: Polityka, Warschau, v. 17. 5. 1969.
Mayer, Hans: »Christa Wolfs ›Nachdenken über Christa T.‹«. In: Neue Rundschau, West-Berlin und Frankfurt/M., 1/1970, Jg. 81, Nr. 1, S. 180–6.
Menzel, Claus: »Nachdenken. Gefährlich für die DDR: Christa Wolfs neuer Roman«. In: Deutsches Allgemeines Sonntagsblatt, Juni 1969.
Meyer, Frauke: »Zur Rezeption von Christa Wolfs ›Nachdenken über Christa T.‹«. In: alternative, Nr. 100, West-Berlin, 2/1975, S. 26–31.
Michaelis, Rolf: »Der doppelte Himmel. Christa Wolfs zweites Buch ›Nachdenken über Christa T.‹. Der umstrittene Roman aus der DDR«. In: Frankfurter Allgemeine Zeitung v. 28. 5. 1969.
Mohr, Heinrich: »Produktive Sehnsucht. Struktur, Thematik und politische Relevanz von Christa Wolfs ›Nachdenken über Christa T.‹«. In: Basis, Band 2, Frankfurt/M. (= Suhrkamp Taschenbuch), 2/1971, S. 191–233.
Nitsche, Hellmuth: »Quo vadis Christa Wolf?«. In: Német Filológiai Tanulmányok. Arbeiten zur deutschen Philologie, Budapest, 5/1970, S. 155–71.
Nolte, Jost: »Die schmerzhaften Erfahrungen der Christa T.«. In: J. N.: Grenzgänge. Berichte über Literatur. Wien (Europaverlag) 1972, S. 176–81.

Orlow, Peter: »Der erste Tauwetter-Roman im DDR-Winter«. In: Die Orientierung, Pfaffenhofen, 246/1969, S. 11–20.
Parkes, K. S.: An All-Germany Dilemma: Some Notes on the Presentation of the Theme of the Individual and Society in Martin Walser's ›Halbzeit‹ and Christa Wolfs's ›Nachdenken über Christa T.‹. In: German life and letters, Oxford, Okt. 1974, S. 58–64.
Pomps, Helga: »Christa Wolf: ›Nachdenken über Christa T.‹«. A Study in Human Development. Phil. Diss., University of Colorado 1973.
Raddatz, Fritz J.: Traditionen und Tendenzen. Materialien zur Literatur der DDR. Frankfurt/M. (Suhrkamp) 1972, S. 385–390.
Reich-Ranicki, Marcel: »Christa Wolfs unruhige Elegie. ›Nachdenken über Christa T.‹ – ein höchst bemerkenswerter DDR-Roman«. In: Die Zeit, Hamburg v. 23. 5. 1969. (Nachdrucke in M. R.-R.: Literatur der kleinen Schritte. Deutsche Schriftsteller heute. Frankfurt (Ullstein) 1971, S. 254–60 (= Ullstein-Buch Nr. 2867); M. R.-R.: Zur Literatur der DDR. München (Piper) 1974, S. 114–21 (= Serie Piper, 94).
Sachs, Heinz: »Verleger sein, heißt ideologisch kämpfen«. In: Neues Deutschland, Berlin/DDR, v. 14. 5. 1969.
Sander, Hans-Dietrich: »Die Gesellschaft und Sie«. In: Deutschland-Archiv, Köln, 6/1969, S. 599–603.
Schmidt-Burgk, Brigitte: »Gesellschaftlicher Außenseiter und sozialistische Gesellschaft in Christa Wolfs ›Nachdenken über Christa T.‹«. Staatsexamensarbeit, Münster, 1976.
Schonauer, Franz: »Selbstsein und Sozialismus«. In: Stuttgarter Zeitung v. 22. 11. 1969.
Schonauer, Franz: »Erinnerungen an eine Tote«. In: Die Weltwoche, Zürich, v. 21. 11. 1969.
Schulz, Max Walter: »Das Neue und das Bleibende in unserer Literatur. In: VI. Deutscher Schriftstellerkongreß, Protokoll, Berlin/DDR und Weimar (Aufbau) 1969, S. 23–59.
Simons, Elisabeth: »Das Anders-Machen, von Grund auf. Die Hauptrichtungen der jüngsten erzählenden DDR-Literatur«. In: Weimarer Beiträge, Sonderheft zum 20. Jahrestag der Gründung der Deutschen Demokratischen Republik, 1969, S. 183–204.
Skriver, Barbara: »Wo Optimismus Pflicht ist«. In: Kölner Stadtanzeiger v. 25./26. 10. 1969.
Steinbeck, Rudolf: »Biographie eines gescheiterten Lebens«. In: Der Tagesspiegel, West-Berlin, v. 18. 1. 1970.
Stephan, Alexander: »Nachdenken über Christa T.: Entfremdung

und Perspektive in der jüngsten DDR-Literatur«. Unveröffentlichtes Referat, gelesen auf dem 72. Annual Meeting of the Philological Association of the Pacific Coast, San Diego, 11/1974.
Thomassen, Christa: »Der lange Weg zu uns selbst. Christa Wolfs Roman ›Nachdenken über Christa T.‹ als Erfahrungs- und Handlungsmuster«. Kronberg/Ts. (Scriptor Verlag) 1977 (Monographien. Literaturwissenschaft Band 39).
Tilliger, Günter: »Als Beispiel nicht beispielhaft?«. In: Frankfurter Neue Presse v. 11./12. 10. 1969.
Wallmann, Jürgen, P.: »Christa Wolf: ›Nachdenken über Christa T.‹«. In: Neue deutsche Hefte, West-Berlin, 4/1969, S. 149–55.
Wallmann, Jürgen P.: »Über die Schwierigkeit ›Ich‹ zu sagen«. In: Die Tat, Frankfurt/M., v. 1. 8. 1970.
Werth, Wolfgang: »Nachrichten aus einem stillen Deutschland«. In: Der Monat, Nr. 253, 10/1969, S. 90-4.
Whitley, John: »Quest for Christa T.«. In: Sunday Times v. 16. 5. 1971.
Wiegenstein, Roland: »Verweigerung der Zustimmung?«. In: Merkur, München, 8/1969, S. 779–82.
Wohmann, Gabriele: »Frau mit Eigenschaften«. In Christ und Welt v. 5. 12. 1969.
Zehm, Günter: »Nachdenken über Christa W.«. In: Welt der Literatur, Hamburg, v. 27. 3. 1969.
Zehm, Günter: »Rückzug ins private Glück im Winkel«. In: Welt der Literatur, Hamburg, v. 3. 7. 1969.

d) Lesen und Schreiben

Auer, Annemarie: »Geglückte Versuche«. In: Neue deutsche Literatur, Berlin/DDR, 2/1973, S. 118–25.
Bilke, Jörg B.: »Zumutbare Wahrheiten«. In: Basis, Band 4, Frankfurt/M. (= Suhrkamp Taschenbuch) 1973, S. 192–200.
Bock, Sigrid: »Neuer Gegenstand – Neues Erzählen«. In: Weimarer Beiträge 10/1973, S. 106, 108.
Cwojdrak, Günther: »Nachdenken über Prosa«. In: Sinn und Form, Berlin/DDR, 6/1972, S. 1293–9.
Hirdina, Karin: »Genau, zupackend, veränderlich«. In: Sonntag, Berlin/DDR, Nr. 34 v. 20. 8. 1972.
Jäger, Manfred: »Lesen und Schreiben in der DDR«. In: Deutsches Allgemeines Sonntagsblatt, Hamburg, v. 11. 2. 1973.
Raddatz, Fritz J.: »Vom Lesen und Schreiben – drüben«. In: Süddeutsche Zeitung, München, v. 24./25. 2. 1973.

Wallmann, Jürgen, P.: »Christa Wolf: ›Lesen und Schreiben‹«. In: Neue deutsche Hefte, Berlin-West, 1/1973, S. 164–7.
Werth, Wolfgang: »Verbotene Früchte gezüchtet«. In: Die Zeit, Hamburg, v. 9. 3. 1973.

e) Till Eulenspiegel

Grün, Max von der: »Till Eulenspiegels Vermächtnis«. In: Nürnberger Nachrichten v. 22. 3. 1974.
Hartl, Elwin: »Nachdenken über Eulenspiegel«. In: Die Furche, v. 12. 10. 1974.
Heimberger, Bernd: »Die List der Schwachen«. Zu Christa und Gerhard Wolfs Filmerzählung ›Till Eulenspiegel‹. In: Neue Zeit, Berlin/DDR, v. 28. 4. 1974.
Heise, Wolfgang: »Nachbemerkung«. In: Christa Wolf: Till Eulenspiegel. Erzählung für den Film. Berlin/DDR (Aufbau) 1973, S. 217–23.
Herzberg, Annegret: »Christa und Gerhard Wolf: ›Till Eulenspiegel‹«. In: Sonntag, Berlin/DDR, v. 14. 1. 1973.
Hirsch, Helmut: »Klugheit als Aktion«. In: Neue deutsche Literatur, Berlin/DDR, 8/1974, S. 136–9.
Jost, Dominik: »Spiel dir den Film von Till«. In: Die Zeit, Hamburg, v. 5. 4. 1974.
Kähler, Hermann: »Panorama der Zeit des Bauernkrieges«. In: Neues Deutschland, Berlin/DDR, v. 13. 2. 1974.
Krättli, Anton: »Literatur der DDR und westliche Kritik«. In: Neue Zürcher Zeitung v. 5. 7. 1974.
Lämmert, Eberhard: »Zum Sehen geschrieben. Christa und Gerhard Wolfs neuer ›Eulenspiegel‹«. In: Frankfurter Allgemeine Zeitung v. 6. 4. 1974.
Raddatz, Fritz J.: »Narrheit als Zeitkritik – so und so«. In: Merkur, München, 9/1974, S. 889–91.
Schoeller, Wilfried F.: »List der Schwachen«. In: Frankfurter Rundschau v. 8. 6. 1974.
Schonauer, Franz: »Till Eulenspiegel – ein Aufrührer?«. In: Der Tagesspiegel, West-Berlin, v. 16. 6. 1974.
Töpelmann, Sigrid: »Till Eulenspiegel«. In: Sonntag, Berlin/DDR, 6/1974.
Wallmann, Jürgen P.: »Neuinterpretation des Till Eulenspiegel«. In: Deutschland-Archiv 4/1974, S. 421–2.
Werth, Wolfgang: »Der Narr als Systemkritiker. Christa Wolfs neuer Eulenspiegel«. In: Süddeutsche Zeitung, München, v. 3. 4. 1974.

f) Unter den Linden
Bohm, Gunhild: »Der Anspruch des einzelnen«. In: Deutschland-Archiv 3/1975, S. 296–299.
Brandt, Sabine: »Bilanz einer Generation«. In: Frankfurter Allgemeine Zeitung v. 8. 2. 1975.
Haussermann, Bernhard: »Diese Männer – was für eine Gesellschaft!«. In: Hannoversche Allgemeine Zeitung vom 14./15. 12. 1974.
Krättli, Anton: »›Unwahrscheinliche Geschichten‹ aus der DDR«. In: Neue Zürcher Zeitung v. 29. 11. 1974.
Krenzlin, Leonore: »Unter den Linden«. In: Sonntag, Berlin/DDR, v. 19. 1. 1975.
Melchert, Rulo: »Erfindungen als Wahrheit«. In: Sinn und Form, Berlin/DDR, 2/1975, S. 439–446.
Michaelis, Rolf: »Recht auf Trauer«. In: Die Zeit, Hamburg, v. 27. 12. 1974.
Plavius, Heinz: »Mutmaßungsmut«. In: Neue deutsche Literatur, Berlin/DDR, 10/1974, S. 154–7.
Raddatz, Fritz J.: »Unter den Linden«. In: Süddeutsche Zeitung, München, v. 8. 10. 1974.
Simon, Horst: »Zur Erfindung dessen, den man lieben kann«. In: Neues Deutschland, Berlin/DDR, Oktober 1974.
Wellershoff, Dieter: Doppelt belichtetes Seestück und andere Texte. Köln (Kiepenheuer und Witsch) 1974.
Werner, Hans-Georg: »Zum Traditionsbezug der Erzählungen in Christa Wolfs ›Unter den Linden‹«. In Weimarer Beiträge 4/1976, S. 36–64. Auch in: Erworbene Tradition. Studien zu Werken der sozialistischen deutschen Literatur, hrsg. v. Günter Hartung, Thomas Höhle und Hans-Georg Werner. Berlin/DDR und Weimar (Aufbau) 1977.

g) Kindheitsmuster
Auer, Annemarie: »Gegenerinnerung. Über Christa Wolf: ›Kindheitsmuster‹«. In: Sinn und Form, Berlin/DDR, S. 847–878.
Arnold, Heinz-Ludwig: »Webmuster einer Kindheit«. In: Deutsches Allgemeines Sonntagsblatt, Hamburg, v. 2. 1. 1977.
Bilke, Jörg Bernhard: »Das Vergangene ist nicht tot, wir stellen uns nur fremd – Christa Wolf gibt in einem autobiographischen Werk Auskunft über ihre Kindheit«. In: Die Welt, Hamburg, v. 2. 3. 1977.
Bock, Sigrid: »Kindheitsmuster«. In: Weimarer Beiträge 9/1977, S. 102–130.

Corino, Karl: »Die Todsünde dieser Zeit«. In: Deutsche Zeitung v. 25. 3. 1977.
Cwojdrak, Günther: »Kindheitsmuster – Ein Probestück«: In: Die Weltbühne, Berlin/DDR, 18/1977, S. 552.
Diskussion mit Christa Wolf über »Kindheitsmuster«, geführt am 8. Okt. u. 3. Dez. 1975 in der Akademie der Künste der DDR. In: Sinn und Form, Berlin/DDR, 4/1976, S. 861–888. Gekürzt in: Die Zeit, Hamburg, v. 11. 3. 1977.
Girnus, Wilhelm (»Vorbemerkung«); Wolfgang Hegewald, Stephan Hermlin, Kurt und Jeanne Stern, Helmut Richter, Dieter Schiller, Leonore Krenzlin: Briefe an Annemarie Auer. In: Sinn und Form, Berlin/DDR, 6/1977, S. 1311–22.
Gumtau, Helmut: »Forschungsreise in die Vergangenheit. Chronik und Erkenntniskritik: Christa Wolfs ›Kindheitsmuster‹«. In: Der Tagesspiegel, West-Berlin, v. 3. 4. 1977.
Hammerschmidt, Volker/Naumann, Uwe: »... das Vergessen schwieriger machen«. In: Die Tat, Frankfurt/M., v. 17. 6. 1977.
Helbling, Hanno: »Gültiges Zeugnis«. In: Neue Zürcher Zeitung v. 2. 4. 1977.
Helmecke, Monika: »Kindheitsmuster«. In: Sinn und Form, Berlin/DDR, 3/1977, S. 678–681.
Jäger, Manfred: »Wo habt ihr bloß alle gelebt?«. In: Deutsches Allgemeines Sonntagsblatt, Hamburg, v. 5. 4. 1977.
Jarmatz, Klaus: »Kindheitsmuster«. In: Neues Deutschland, Berlin/DDR, v. 5. 3. 1977.
Kant, Hermann: »Kindheitsmuster«. In: Sonntag, Berlin/DDR, v. 13. 2. 1977.
Klawohn, Lothar: »Kollektives Bewußtsein und Literatur in der DDR«. In: Beiträge zum wissenschaftlichen Sozialismus, Hamburg, 1/1978, S. 135–146.
Konjetzky, Klaus: »Der Versuch einer Bewältigung«. In: Deutsche Volkszeitung, Düsseldorf, v. 10. 3. 1977.
Liebing, Jürgen: »Man muß aufhören zu schweigen«. In: Vorwärts, Bonn, 3. 2. 1977.
Linsmayer, Charles: »Die wiedergefundene Fähigkeit zu trauern«. In: Neue Rundschau, Frankfurt/M., Jg. 1977.
Mayer, Hans: »Der Mut zur Unaufrichtigkeit«. In: Der Spiegel, Hamburg, v. 11. 4. 1977.
Neumann, Oskar: »Wieviel Zukunft ist in der Gegenwart?«. In: Unsere Zeit, Düsseldorf, v. 17. 3. 1977.
Paul, Wolfgang: »Eine Reise nach Landsberg an der Warthe.

Christa Wolfs verkappte Autobiographie«. In: Kölnische Rundschau v. 7. 5. 1977.
Plavius, Heinz: »Gewissensforschung«. In: Neue deutsche Literatur, Berlin/DDR, 1/1977, S. 139–151.
Raddatz, Fritz J.: »Wo habt ihr bloß alle gelebt?«. In: Die Zeit, Hamburg, v. 4. 3. 1977.
Reich-Ranicki, Marcel: »Christa Wolfs trauriger Zettelkasten. Zu ihrem Buch ›Kindheitsmuster‹«. In: Frankfurter Allgemeine Zeitung v. 9. 3. 1977.
Richter, Hans: »Moralität als poetische Energie«. In: Sinn und Form, Berlin/DDR, 3/1977, S. 667–678.
Schmitz, Wolfgang: »Tauchen in Vergangenheit«. In: Vorwärts, Bonn, v. 2. 2. 1978.
Schoeller, Wilfried F.: »Nachdenken über Christa W.«. In: Weltwoche, Zürich, v. 27. 4. 1977.
Schoeller, Wilfried F.: »Das Kind, das in mir verkrochen war – Christa Wolfs ›Kindheitsmuster‹«. In: Frankfurter Rundschau vom 23. 4. 1977.
Wallmann, Jürgen P.: »Nach Landsberg«. In: Rheinischer Merkur, Köln, v. 4. 3. 1977.
Wallmann, Jürgen P.: »Das Vergangene ist nicht tot. Zu Christa Wolfs neuem Roman ›Kindheitsmuster‹«. In: Deutschland-Archiv, Köln, 3/1977, S. 310–12.
Wermer, Ute: »Sich selbst finden als innerer Prozeß«. Stunde der Akademie mit Christa Wolf. In: Berliner Zeitung, Berlin/DDR, Okt. 1975.
Werth, Wolfgang: »Wie sind wir so geworden . . .?. Zu Christa Wolfs neuem Buch ›Kindheitsmuster‹«. In: Süddeutsche Zeitung, München, v. 5./6. 3. 1977.

Quellennachweis

Christa Wolf: Über Sinn und Unsinn von Naivität. Zuerst in: Eröffnungen. Schriftsteller über ihr Erstlingswerk, hrsg. v. Gerhard Schneider. Berlin/DDR und Weimar (Aufbau) 1974.
Diskussion mit Christa Wolf. Zuerst in: Sinn und Form, Berlin/DDR, 4/1976.
Christa Wolf: Ein Satz. Rede nach Empfang des Bremer Literaturpreises 1977, gehalten am 26. 1. 1978 in Bremen. Abgedruckt in: Süddeutsche Zeitung, München, v. 11./12. 2. 1978.
Christa Wolf im Gespräch mit Wilfried F. Schoeller. Auszüge aus einem Fernseh-Interview für den Film »Christa Wolf. Vorarbeiten zu einem Porträt« von Wilfried F. Schoeller in der Reihe »Schriftstellerinnen«, WDR III. Programm, Sendetermin 9. 3. 1979.
Andreas Huyssen: Auf den Spuren Ernst Blochs. Zuerst in: Basis, hrsg. v. Reinhold Grimm und Jost Hermand, Frankfurt/M. (Suhrkamp Taschenbuch), Band 5, 1975.
Wolfgang Emmerich: Der Kampf um die Erinnerung. Laudatio auf Christa Wolf anläßlich der Verleihung des Bremer Literaturpreises 1977 am 26. 1. 1978. Erstdruck.

Nachbemerkung

Dieses Materialienbuch will eine Einladung sein, sich mit dem Werk Christa Wolfs unter verschiedenen Aspekten gründlicher als bisher zu beschäftigen. Vor allem die problematische Rezeption, die »Kindheitsmuster« in beiden deutschen Staaten erfahren hat, will dieser Band zu korrigieren versuchen. Bei seiner Edition ist Wert darauf gelegt worden, Stimmen zum Werk Christa Wolfs zusammenzutragen, die nicht nur bereits vorliegende Einsichten wiederholen.

Der Band enthält deshalb, sieht man von seinem Mittelteil ab, zum größten Teil Originalbeiträge. Die Fülle der bereits vorliegenden Untersuchungen zum Werk Christa Wolfs in repräsentativen Ausschnitten zu dokumentieren, wäre ein anderer Weg gewesen, den der Herausgeber bewußt nicht eingeschlagen hat. Wer beispielsweise die Kritiken zu »Der geteilte Himmel«, aber auch zu »Nachdenken über Christa T.« heute wieder liest, der stößt allenthalben auf Details, die nur aus der literaturpolitischen Situation der sechziger Jahre verständlich sind – und es wird deutlich, daß es auch in der BRD eine Literaturpolitik, wenngleich anderen Charakters als in der DDR, gegeben hat und gibt. Der Herausgeber beschränkte sich darauf, die historische Perspektive eher andeutend einzubringen, während der Bestandsaufnahme der gegenwärtigen Entwicklungsphase Christa Wolfs der größte Platz eingeräumt wird.

Redaktionsschluß war Mitte Dezember 1978. Der Herausgeber dankt allen, die ihm geholfen haben.

K. S.